LE PARC AUX CERFS

LE PARC

AUX CERFS

par *NORMAN MAILER*

 Presses de la Cité · Paris

Le titre américain de cet ouvrage est

THE DEER PARK

Traduction de Claude ELSEN.

« ... Le Parc aux Cerfs, gouffre de l'innocence et de l'ingé-
nuité, où venoit s'engloutir la foule des victimes qui, rendues
ensuite à la société, y rapportoient la corruption, le goût de la
débauche et tous les vices dont elles s'infectoient nécessai-
rement dans le commerce des infâmes agens d'un pareil lieu.
» Indépendamment du tort qu'a fait aux mœurs cette abo-
minable institution, il est effrayant de calculer l'argent
immense qu'elle a coûté à l'Etat. En effet, qui pourrait addi-
tionner les frais de cette chaîne d'entremetteurs de toute
espèce, en chef et en sous-ordre, s'agitant pour découvir et
aller relancer jusqu'aux extrémités du royaume les objets
de leurs recherches, pour les amener à leur destination, les
décrasser, les habiller, les parfumer, leur procurer tous les
moyens de séduction que l'art peut ajouter ? Qu'on y joigne
les sommes accordées à celles qui, n'ayant pas le bonheur
d'éveiller les sens engourdis du Sultan, ne devoient pas moins
être dédommagées de leur servitude, de leur discrétion et
surtout de ses mépris. »

Moufle d'Angerville.
Vie privée de Louis XV,
Londres, 1780.

« Ne te presse pas de me comprendre trop vite... »

André Gide.

9

PREMIÈRE PARTIE

I

Parmi les cactus sauvages de la Californie du Sud, à quelque trois cents kilomètres de la capitale du cinéma, se dresse la petite ville de Désert d'Or. Lorsque l'Armée de l'Air me libéra, voilà quelque temps déjà, c'est là que je me rendis dans l'espoir d'y passer des moments agréables.

Presque tous les gens que je connaissais à Désert d'Or avaient mené une existence singulière — moi aussi, d'ailleurs. J'ai été élevé dans un orphelinat. Encore pur à vingt-trois ans, portant mes médailles et un uniforme de lieutenant aviateur, j'arrivai donc dans cette station de repos avec quatorze mille dollars en poche, quatorze mille dollars que j'avais gagnés au poker dans une chambre d'hôtel, à Tokyo, tandis que j'attendais avec des camarades l'avion qui nous ramènerait au pays. Le plus curieux, c'est que je n'avais jamais été joueur et que je n'aimais même pas le jeu. Mais, ce soir-là, je n'avais rien à perdre, et c'est peut-être pourquoi j'avais tenté ma chance. N'insistons pas là-dessus. Je quittais l'Armée de l'Air, sans savoir où aller, sans famille qui m'attendît, et je laissai mes pas me conduire à Désert d'Or.

Aménagé après la Seconde Guerre mondiale, c'est le seul endroit que je connaisse où tout soit nouveau. Il y a long-temps, Désert d'Or s'appelait en réalité *Desert Door* (1). Ce nom lui avait été donné par les prospecteurs qui avaient installé leur campement à la limite de son oasis, au temps où

(1) La Porte du Désert. (N. du T.)

ils cherchaient de l'or dans les montagnes du désert. Il ne reste aucune trace d'eux; lorsque l'endroit fut rebaptisé Désert d'Or, leurs cabanes avaient toutes disparu. Oui, tout y était bien d'aujourd'hui — et, durant les mois que j'y ai passés, j'ai appris à connaître l'endroit à fond. C'était une petite ville édifiée dans un but purement mercantile, ce pourquoi sans doute son caractère commercial était soigneusement dissimulé. Désert d'Or n'avait pas de grand-rue, et ses magasins ressemblaient à tout sauf à des magasins. Dans ceux où l'on vendait des vêtements, aucun vêtement n'était exposé : on vous y recevait dans un élégant living-room, et les vendeurs faisaient glisser des panneaux muraux pour vous présenter des toilettes d'été ou des foulards exotiques aux couleurs chatoyantes. Une bijouterie évoquait un yacht de plaisance ; de la rue, on pouvait voir, par une sorte de sabord, un collier de trente mille dollars suspendu aux andouillers d'argent d'un morceau de bois flottant. Aucun des hôtels — ni le *Yacht-Club,* ni le *Debonair,* ni le *Yucca Plazza,* ni le *Sandpiper,* ni le *Creedmor,* ni le *Désert d'Or Arms* — n'était reconnaissable de l'extérieur. Dissimulé derrière des enceintes de briques ou des clôtures de bois, on accédait malaisément à un bâtiment qui n'était ni vert, ni jaune, ni rose, ni orange, et dont l'entrée était cachée par un bosquet aux fleurs éclatantes. Vous franchissiez l'entrée du *Yacht-Club,* le plus grand et de ce fait le plus fermé de l'endroit, vous suiviez sa voie d'accès particulière, dont les détours couvraient plusieurs centaines de mètres, et vous vous attendiez à vous trouver enfin devant l'hôtel lui-même — au lieu de quoi vous aviez sous les yeux un parc à voitures, une piscine aux dimensions d'une table à thé, entourée de *cabañas* aux murs courbes et de tables à canasta, et une série de courts de lawn-tennis, les seuls existant dans toute cette partie de la Californie du Sud. Le soir, le long des allées jaunes qui suivaient une petite rivière artificielle, à la lumière des lanternes japonaises accrochées aux arbres tropicaux, vous découvriez enfin les bungalows réservés à la clientèle et dont les portes couleur pastel faisaient partie de la décoration de l'ensemble.

Je sacrifiai une partie de ma fortune de quatorze mille dollars et m'installai au *Yacht-Club,* où je demeurai jusqu'à ce que je découvrisse la maison que j'allais louer pour le reste de mon séjour à Désert d'Or. Cette maison, je pourrais la décrire en détail, mais à quoi bon ? Elle ressemblait à la plupart des autres : moderne, évoquant un ranch (bien entendu), garnie de meubles légers et de tapis qui faisaient penser au poil d'un caniche, elle avait un étroit jardin qui était clos de murs, selon le regrettable canon de l'architecture locale ; du côté du désert, les murs étaient de verre, pour permettre de jouir de la vue des montagnes violettes et du sable doré, en sorte qu'on avait l'impression de vivre dans des pièces dont les murs eussent été des miroirs. La mienne possédait de surcroît un vrai miroir de six mètres, faisant face à un de ces murs-miroirs, en sorte que, à quelque endroit du living-room que je me tinsse, j'avais toujours devant mes yeux l'image de mon jardin en location, avec ses fleurs et son yucca.

Pendant la saison sèche, qui dure neuf mois sur douze, Désert d'Or est brûlé par le soleil. Chaque soir, au crépuscule, un millier d'appareils d'arrosage balayent la poussière et le sable qui couvrent le feuillage gris ; le matin et l'après-midi, le soleil brûle la sève des plantes et le désert environnant, avec ses cactus se dressant à l'horizon et ses affleurements de roche poussiéreuse. Le ciel rutile au-dessus du désert pâle. Je me disais parfois que Désert d'Or était un coin où pas un arbre ne portait de feuilles. Les palmiers et les yuccas s'essayaient à porter des touffes, des éventails, des branches et des pousses, mais jamais de feuilles, et sur quelques routes, où seuls de hauts palmiers indiquaient le chemin à suivre, leurs frondaisons mortes pendaient le long des troncs comme un manchon de plumes d'autruche.

Pendant la « saison », il n'y avait d'activité que dans les bars. Ceux-ci tenaient l'emploi de la grand-rue d'un village. Ils étaient aussi différents de la chaude façade de Désert d'Or que l'intérieur d'un corps l'est de la surface de sa peau. Comme souvent en Californie du Sud, les bars, boîtes à cocktails et clubs de nuit s'efforçaient de ressembler à une jungle, à une grotte sous-marine ou aux couloirs d'un cinéma. Le *Cerulean Room*, par exemple, était un local de forme indéterminée, aux murs d'un rose orangé et aux sièges de cuir jaune, avec un plafond bleu sombre. Au-dessus du bar lui-même, de sa rangée de bouteilles, de ses pyramides de citrons, un faux plafond jaune fumée se reflétait dans un miroir où l'on avait gravé l'image d'une fille à demi nue. Dans cette atmosphère, il était impossible de savoir si l'on était le jour ou la nuit, et j'imagine que cette incertitude influait sur la conversation des habitués. Des hommes imbibés d'alcool s'entretenaient avec d'autres qui étaient lucides. On commençait à raconter des histoires qui n'avaient jamais de fin. En plein après-midi, dans la fraîcheur nocturne du bar, on voyait un vieillard obèse en costume de plage causer avec une jeune fille au rouge à lèvres orangé et au teint bronzé, qui s'intéressait plus à lui que lui à elle. Hommes d'affaires et touristes, femmes mûres aux cheveux teints et étudiants en vacances se mêlaient les uns aux autres. On parlait de chevaux, de *parties,* de martingales. La voix puissante d'un industriel parlant de ses affaires se mêlait aux éclats de rire d'une blonde hystérique. Et c'est ainsi que l'on passait de l'après-midi à la soirée, des nuits d'ivresse à l'aube des matins désertiques, de la pénombre théâtrale de l'après-midi aux lumières nocturnes, tandis que le soleil de Désert d'Or devenait l'étranger que l'ivrogne imagine derrière lui, suivant ses pas. Et c'est ainsi que je passai moi-même mes premières semaines, ne faisant guère que régler les notes de bar de tous ces petits prospecteurs de plaisir de la capitale (1) ; et d'après la biographie sommaire que constitue la seule connaissance qu'ont les uns des autres la plupart des gens, je passais pour un pilote de l'Armée de l'Air dont la riche famille vivait dans l'Est. J'y avais même ajouté un détail : un mariage rompu, que j'essayais d'oublier en me saoulant. L'histoire tenait assez bien, et il m'arrivait moi-même de croire ce que je disais et d'essayer de me guérir de mes malheurs au soleil de Désert d'Or, le vrai, parmi les cactus, les montagnes, sous l'éclatant feuillage vert de l'amour et de l'argent...

(1) Il s'agit toujours de Hollywood. (N. du T.)

II

J E DEVAIS FAIRE IM-
pression sur la plupart des mouches de bar de Désert d'Or,
avec mes galons de lieutenant et mes médailles gagnées dans
cette guerre d'Asie aux fortunes diverses. J'avais même le
type qui convenait, avec mes cheveux blonds, mes yeux bleus
et mon mètre quatre-vingts. J'avais belle allure et je le savais,
ayant passé suffisamment de temps devant mon miroir. Pourtant, je n'arrivais pas à me trouver convaincant. Lorsque je
mettais mon uniforme, j'avais l'impression d'être un acteur
sans emploi essayant d'attirer l'attention d'un directeur par
son costume.

Bien sûr, chacun se voit avec ses propres yeux et je n'ai
pas reçu confidence de la manière dont les autres me voyaient.
A cette époque, j'étais un jeune homme éprouvant momentanément les sentiments d'un vieillard et, si je croyais connaître
beaucoup de choses, j'étais capable de faire très peu de celles
que je désirais. Pourtant, grâce à l'argent que j'avais gagné
au poker et à mon uniforme, la plupart des gens me croyaient
capable de prendre soin de moi-même. Je prenais bien garde
de ne pas les détromper. C'est ainsi qu'on se donne l'apparence d'un poids mi-lourd.

Je fréquentais peu de monde. Me faire de nouveaux amis
eût été un trop grand effort. Pendant la « saison », chacune
des célébrités vivant à Désert d'Or était entourée d'une cour.
Où qu'on allât, on retrouvait les mêmes personnages occupés
à vider les verres de celui qui recevait, à rire de ses bons
mots, à se faire les serviteurs de son plaisir, jouant à ses jeux
favoris, racontant ses histoires favorites, rivalisant d'émula-
tion pour s'assurer ses faveurs. Le plus rare était de décou-

vrir deux célébrités prenant plaisir à se rencontrer l'une l'autre.

Dans la maison de Dorothea O'Faye, qu'elle avait baptisée *La Gueule-de-Bois* (c'est là que j'allais le plus souvent, depuis une certaine soirée où Dorothea m'avait levé dans un bar et emmené chez elle avec ses amis), la cour en question se composait d'un propriétaire de garage, d'un agent immobilier, de leurs épouses, d'un publiciste de la *Supreme Pictures,* d'une ancienne girl de music-hall, amie de Dorothea depuis des années, et d'un ivrogne appelé O'Faye, avec qui Dorothea avait été mariée, dont elle était divorcée et qu'elle employait à d'étranges missions. Dorothea avait connu son heure de gloire comme actrice et comme chanteuse de boîte de nuit. Elle avait momentanément pris sa retraite à quarante-trois ans. Quelques années plus tôt, un ami lui avait conseillé d'investir son argent à Désert d'Or, et aujourd'hui on la disait riche. Personne pourtant ne savait jusqu'à quel point elle l'était, car elle avait l'art d'être tour à tour généreuse et avare.

Dorothea avait de l'allure, avec son corps aux courbes pleines et ses beaux cheveux noirs. J'ai dit qu'elle avait été célèbre. Elle se flattait d'avoir été partout, d'avoir tout fait et de tout connaître. Elle avait été *call-girl* (1), échotière dans un journal (pas en même temps, précisons-le), puis vedette, puis ratée. Elle était née à Chicago et avait été « découverte » à New-York. Son père s'était tué à boire, sa mère avait disparu avec un autre homme. A douze ans, Dorothea faisait le travail de son père, qui était quelque chose comme concierge : elle touchait les loyers et sortait les poubelles. A seize ans, elle avait été enlevée par un fils de famille et, quelques années plus tard, elle avait eu une liaison avec un prince européen, qui lui avait donné un fils illégitime. Elle avait gagné de l'argent et en avait perdu. Elle avait été mariée trois fois. De son dernier mari, elle disait : « Je me souviens moins bien de lui que de certains types avec qui j'ai passé une nuit. » Elle avait même eu sa grande aventure : un pilote de l'Armée de l'Air tué en plein vol. « Je n'ai jamais connu un type comme lui », disait-elle. Lorsqu'elle

(1) Prostituée clandestine. (N. du T.)

avait l'ivresse sentimentale, elle assurait que sa vie entière eût été changée s'il avait vécu. A jeun, ou lorsqu'elle était complètement saoule, eile pensait le contraire et disait : « S'il n'était pas mort, ça aurait mal fini. C'est magnifique, lorsque quelque chose de réussi n'a pas le temps d'être gâché ! »

Réputée pour son esprit mordant et son style direct, Dorothea avait la cote auprès d'une cohorte interchangeable d'hommes qui avaient fait fortune dans le pétrole, dans le textile, dans... permettez-moi d'en rester là. Ce qui caractérisait la plupart d'entre eux, c'était que leurs affaires leur permettaient de voyager et qu'ils tenaient à leur réputation d'avoir des femmes que les autres leur enviaient. J'appréciais les avantages de leur vie itinérante, qui se passait entre la Californie, la Floride et l'Est des Etats-Unis. Généralement, on les voyait avec de jeunes femmes — modèles entretenus par des millionnaires ou jeunes divorcées assez riches pour affronter le scandale — mais Dorothea leur off.ait, par contraste, un esprit vif et une langue bien pendue, qui inspiraient le respect. Ma théorie est que ces hommes la « sortaient » comme une associée et que, dans la moiteur d'une boîte de nuit, ils aimaient en elle une compagnie agréable, à qui ils pouvaient parler. Tous ses admirateurs me disaient : « C'est une chic fille... C'est l'une des mieux... » Mais Dorothea, quand on lui demandait son avis sur tel d'entre eux, répondait, par exemple : « Il est passable. C'est un salaud, mais pas un tocard... » Elle avait ses catégories particulières. Il y avait les bons types, les salauds et les tocards — et ces derniers étaient les pires. Un bon type était un type qui ne cherchait pas à s'excuser de ne s'intéresser qu'à lui-même. Un salaud avait la même philosophie, mais y ajoutait le goût de choquer les autres. Un tocard était un homme qui assurait s'intéresser à tout *sauf* à lui-même. Pendant un certain temps, elle éprouva quelque difficulté à me fixer ma place dans cet univers. Je lui répétais que je n'étais pas dans la course pour un bon bout de temps, mais je commis l'erreur de lui avouer que je voulais un jour écrire. Dans sa cosmologie, les écrivains appartenaient à la catégorie des tocards.

De toute manière, elle avait ses qualités. Sa loyauté était à toute épreuve. Pour elle, un ami était un ami, et si elle était coriace en affaires, comme on me le disait souvent, elle mettait un point d'honneur à ne jamais vous laisser dans l'ennui sans raison. Elle était généreuse. Chez elle, il y avait toujours des gens à dîner, le whisky ne manquait jamais, et bien qu'il y eût deux living-rooms dans sa maison bourrée de meubles garnis d'épais velours, la cour se réunissait dans la pièce la plus petite, avec son grand bar, son appareil de télévision et, au mur, des affiches de boîtes de nuit évoquant l'ancienne gloire de Dorothea. A la vérité, chez elle, on jouait toujours aux jeux qu'elle aimait, on ne bavardait que sur les sujets qui l'intéressaient, et nous passions soir après soir à faire à peu près exactement la même chose que la veille. Son jeu favori était celui du Fantôme (1), et je ne me lassais pas d'admirer la chaleur avec laquelle elle s'employait à gagner. Dorothea n'avait reçu aucune éducation, et rien ne la réjouissait tant que d'épater ceux qui venaient chez elle.

— Qu'en penses-tu, mon joli ? questionnait-elle ensuite, laissant reparaître en elle l'ancienne *chorus-girl*.

— Vous êtes sensationnelle ! disait le type d'un air extasié.

— Dorothea est formidable, renchérissait le garagiste.

— Donne-moi un petit martini, mon ange, reprenait Dorothea en tendant son verre à quelqu'un.

Dorothea tenait le coup. Si sa carrière dans les boîtes de nuit était terminée, si ses grandes aventures appartenaient au passé, elle était toujours en excellente forme. Elle avait sa maison, elle avait sa cour, elle avait de l'argent à son compte en banque. Il y avait encore des hommes qui prenaient l'avion pour venir la voir. Pourtant, quand elle était saoule, elle savait être dure. Elle buvait sans arrêt, elle n'était jamais en repos, elle tuait les gens et le temps — il arrivait qu'on allât la voir à l'heure du petit déjeuner et qu'on se retrouvât chez elle à quatre heures de l'après-midi, en train de manger des œufs brouillés, après avoir passé des heures à boire — mais, sauf quand elle était très ivre, Dorothea était agréable. Tout à fait saoule, elle devenait impossible. Il lui arriva un jour d'être rossée par un couple, au cours d'une bagarre sur là route. Après une soirée passée à boire, Dorothea vous

(1) Jeu de société comparable, chez nous, aux ambassadeurs ou aux charades. (N. du T.)

jetait parfois dehors en hurlant : « Fous-moi le camp, fils de putain, avant que je te tue... » Elle parlait ainsi à n'importe quel membre de sa cour — et de préférence s'il s'agissait de l'un de ses richards d'amis. Elle détestait être seule pourtant, et de tels éclats étaient rares. On pouvait passer avec elle des journées entières et toute la nuit : à six heures du matin, le lendemain, quand Dorothea était prête à se coucher, elle vous invitait encore, de sa voix dure et grave, à rester un moment. C'était devenu une telle habitude que, durant les week-ends ou au cours des nuits où Dorothea était retenue ailleurs par l'un de ses amants, la cour se réunissait quand même chez elle, pour boire. Personne ne pouvait s'en passer. De longues heures avant de me rendre chez elle, j'éprouvais le sentiment accablant de ne pas pouvoir faire autrement.

Un mois environ après notre rencontre, Dorothea « leva » un homme riche. Il se nommait Martin Pelley et avait une tête piriforme, des joues creuses et des yeux tristes. Il avait gagné pas mal d'argent dans des affaires pétrolières, mais semblait s'en excuser, comme s'il eût voulu dire : « J'ai appris à gagner de l'argent, mais je n'ai jamais appris autre chose. » Son second mariage avait trouvé son épilogue récemment, à Désert d'Or même. Je me souviens de sa femme, une blonde platinée, vaguement hystérique, avec laquelle il avait eu des bagarres. Il était impossible de passer à proximité de leur appartement, au *Yacht-Club,* sans entendre les injures incroyables qu'elle lui lançait. Ils étaient à présent en instance de divorce, et Martin Pelley avait découvert le chemin de *La Gueule-de-Bois.* Il adorait Dorothea. Son grand corps affalé sur un fauteuil l'après-midi entier, il accueillait les railleries de la cour en plissant le front d'un air anxieux, comme s'il eût cherché un moyen de remporter notre approbation. Quand on jouait au Fantôme, il était toujours le premier à être mis hors jeu. « Je ne suis pas à la hauteur pour ce genre de trucs, disait-il alors doucement. Je ne suis pas rapide, comme Dorothea... »

En tout cas, il avait l'argent facile. Il aimait particulièrement inviter tout le monde à aller dîner dans un restaurant des environs, et, quand il était saoul, il devenait génial. Il donnait du « ma fille » à toutes les jeunes femmes et nous répétait sans cesse : « J'ai eu une petite fille de mon premier mariage... La plus rusée petite souris que j'aie connue... Elle est morte à six ans... »

— N'y pense plus, disait Dorothea.

— Oh ! ça ne m'arrive que de temps en temps...

Depuis deux semaines, il venait chaque soir chez Dorothea. La première fois qu'il ne la trouva pas chez elle, il se mit à marcher de long en large sans écouter un mot de ce que nous disions. Dorothea raconta plus tard à sa cour la bagarre qui s'ensuivit.

— Je n'appartiens à personne, fils de putain ! dit Dorothea.

— Qu'es-tu au juste ? lui demanda-t-il. Une traînée ? Je te croyais plus de caractère. (Il la prit aux épaules.) Tu as toujours dit que tu souhaitais te remarier et avoir des enfants. (C'était un des thèmes favoris de Dorothea.)

Elle se dégagea.

— Bas les pattes ! Qu'est-ce que tu crois ? Tu me prends pour un pipe-line ?

— Je veux t'épouser.

— Va te faire f...

Pour finir, Pelley entraîna Dorothea au lit — mais il ne s'y passa rien.

Pelley ne put oublier ce fiasco. Il ne cessait de s'en excuser auprès d'elle, montrant le visage même de la confusion. Un soir, je les entendis s'expliquer dans un coin, et je crois bien qu'il voulait être entendu, car il ne faisait rien pour baisser la voix.

— D'habitude je suis brillant, tu sais, disait-il. Quand j'étais jeune, j'en ai tant fait que j'ai dû voir un docteur. Bien sûr, tu ne me croiras pas, mais j'étais fameux...

Dorothea se serrait contre lui, ses yeux effrontés pleins de sympathie.

— Mais pour l'amour de Dieu, Marty, je te dis que je ne te reproche rien !

— J'ai dû me faire soigner. Tu ne me crois pas ?

— Bien sûr, je te crois...

— Dorothea, tu es magnifique. (Il tenait ses poignets dans ses larges mains.) J'ai été brillant, je t'assure. Et je le redeviendrai.

— Ne te tracasse pas. Ecoute : j'ai connu un type comme toi. Il était formidable. Eh bien ! au début, c'était la même chose...

Dorothea devenait plus tendre avec Martin Pelley. Leur aventure se nouait sur la base solide de son impuissance.

Pelley aurait été « absorbé » par la cour, n'eût été son insistance répétée à régaler tout le monde. Dorothea cessa de sortir avec d'autres hommes. A présent, elle invitait chez elle ses riches amis, et les heures se passaient en parties de Fantôme, Pelley toujours maussade s'efforçant de l'emporter sur chaque nouveau visiteur. En fin de compte, tout le monde le considéra comme le petit ami de Dorothea. Un soir, une des femmes de la cour — c'était l'ex-*chorus-girl* — me téléphona pour m'annoncer d'un air excité :

— Marty a réussi ! Dorothea et lui veulent fêter ça...

Comme je ne posais pas de question, elle poursuivit :

— Vous ne voulez pas savoir comment ça c'est passé ?

— Que voulez-vous que ça me fasse ? dis-je.

— Dorothea ne me l'a pas dit, mais elle a l'air de penser que ce n'est qu'un début.

Ce soir-là, donc, nous célébrâmes la chose. Pelley avait l'air d'un homme qui vient d'être père et qui offre des cigares à tout le monde. Non seulement il commanda du champagne, mais il choya Dorothea comme si elle venait de sortir de la Maternité.

— Vous êtes tous épatants, disait-il à ses invités. Je n'ai jamais rencontré de types aussi épatants...

Et cela s'adressait aussi bien à l'ex-*chorus-girl* qu'au garagiste, à l'agent immobilier, à leurs épouses, au publiciste et à moi, à tous les amis de Dorothea, y compris O'Faye, l'ivrogne qui avait été jadis son mari.

III

Cᴇ FUT TOUTE UNE
histoire. Quand j'y pensais, j'avais pitié de O'Faye. Je n'arrivais pas à penser que, bien des années auparavant, ce petit
type souriant, à la fine moustache, avait fait pleurer Dorothea
des nuits entières parce qu'elle l'avait perdu.

Lorsqu'ils s'étaient connus, elle avait dix-sept ans. Lui
avait atteint au sommet de sa gloire de danseur de music-
hall. Dorothea vivait avec lui et jurait qu'elle en était folle.
Ils faisaient ensemble un numéro de chant et de danse, et
elle supportait mal ses infidélités ; car il la trompait chaque
nuit avec une autre. Ils ne se montraient nulle part ensemble ;
elle laissait sans cesse entendre qu'elle souhaitait que cela
prît fin, qu'elle désirait des enfants, mais il lui répondait en
souriant qu'elle était trop jeune et lui demandait de laver
la chemise de soie qu'il avait portée la veille. Elle se préoccupait de faire des économies, et lui de les dépenser.
Lorsqu'elle se trouva enceinte, il lui donna deux cents
dollars, l'adresse d'un médecin de ses amis, et fit ses valises.

Dorothea chanta dans les boîtes de nuit. Elle avait dix-
neuf ans, un certain succès, elle était belle. Elle se trouva à
nouveau enceinte, cette fois du prince européen dont j'ai
déjà parlé, et cette aventure de passage flatta en elle une
fibre secrète : elle était fille de concierge — et voilà que du
sang royal coulait dans ses veines. Elle ne put se résoudre
à y mettre un terme. Trois mois passèrent, puis quatre — et
il fut trop tard. O'Faye la sauva. Sa cote était en baisse, il
commençait à boire. Un jour il vint la voir et compatit à ses
ennuis. O'Faye était un coureur, il n'aurait jamais épousé
une fille enceinte de ses œuvres, mais il trouvait normal

d'aider une amie dans l'ennui. Ils se marièrent en hâte, divorcèrent aussi vite, et le fils de Dorothea eut un nom. Elle l'appela Marion O'Faye — et obtint, la même année, le premier rôle dans une comédie musicale. Les années passèrent. Bien plus tard, lorsque Dorothea eut gagné de l'argent, l'eut perdu, en eut gagné à nouveau, lorsqu'elle se fut retirée à Désert d'Or, eut renoncé à sa carrière d'échotière et constitué sa petite cour, O'Faye reparut à nouveau. A présent, c'était une épave. Ses mains tremblaient, sa voix était cassée, sa carrière terminée. Dorothea fut heureuse de le recueillir ; elle n'aimait pas laisser une dette impayée. Depuis, il vivait à *La Gueule-de-Bois,* et son ex-femme lui versait une petite pension. Entre le fils, Marion `Faye (il avait laissé tomber le « O » de son nom), et le père en titre, il n'y avait aucun lien. Ils se considéraient l'un l'autre comme des bêtes curieuses. D'ailleurs, Marion considérait sa mère de la même manière.

Lorsqu'elle était saoule, Dorothea ne résistait jamais à la tentation de proclamer que son fils était le cadeau d'un prince. Marion l'avait toujours su, et cela explique peut-être certains traits de sa nature. A vingt-quatre ans, il était assez singulier. Mince, étriqué, avec des cheveux flous et des yeux gris clair, on aurait pu le prendre pour un enfant de chœur, n'eût été son expression. Il avait une manière arrogante de vous regarder, de mesurer votre valeur, puis de ne plus vous prêter attention. Il vivait pour l'instant à Désert d'Or, mais pas chez sa mère. Ils s'entendaient trop mal pour cela, et, en outre, ses occupations s'y prêtaient mal : Marion Faye était entremetteur.

J'ai souvent entendu dire que, lorsqu'il était enfant, on lui prédisait une tout autre carrière. Ç'avait été un gosse difficile, et qui pleurait facilement. Lorsque Dorothea en avait eu les moyens, elle avait engagé des nurses et des domestiques. Elle avait toujours aimé gâter son fils, lui pardonner, l'adorer et affronter ses accès de colère. Lorsqu'elle était en veine d'attendrissement et se lamentait sur la distance qui les séparait, elle racontait l'histoire suivante : un jour, il y a bien longtemps, alors qu'elle pleurait dans sa chambre (elle ne savait plus pour quelle raison), Marion, qui avait trois ans et demi, lui avait caressé la joue et, se mettant lui-même à pleurer, avait essayé de la consoler de la seule manière qu'il pût, en disant : « Ne pleure pas, m'man... Tu es si jolie ! »

A l'école, il avait été un petit garçon rêveur. Dorothea disait qu'il était fasciné par les trains électriques, les jeux de construction, les collections de timbres et d'ailes de papillons. Il était timide, gâté, mélancolique. La première fois qu'il s'était battu (c'était avec le gros garçon d'un producteur de cinéma), il avait fallu l'arracher, hurlant, du cou de son adversaire. Puis, entre dix et treize ans, il avait changé. Il était devenu moins sensible, plus morose, replié sur lui-même. A l'ébahissement de Dorothea, il lui avait dit un jour qu'il souhaitait se faire prêtre. Son intelligence semblait parfois brillante — du moins aux yeux de sa mère — mais il était devenu impossible. Il provoquait sans cesse des histoires, tenait tête à ses professeurs, fumait, buvait, faisait tout ce qu'on lui interdisait. Avant même qu'il eût terminé le collège, Dorothea avait été forcée de le mettre dans une institution privée, puis une autre, et encore une autre. Il réussissait toujours à se faire des amis à l'extérieur. A dix-sept ans, il avait été arrêté, alors qu'il conduisait une voiture à cent vingt à l'heure sur l'un des boulevards de la capitale du cinéma. Dorothea avait arrangé l'affaire — elle avait eu à en arranger bien d'autres. Pour son dix-huitième anniversaire, il lui demanda trois cents dollars.

— Pour quoi faire ? questionna Dorothea.

— C'est pour une fille... Elle doit se faire opérer.

— On ne t'a jamais appris à prendre des précautions ?

Il l'avait regardée de ses yeux gris clair avec un air de patience lassée.

— Oui, bien sûr... Mais il y avait une autre fille avec nous. Je crois que nous avons été... distraits.

Dorothea, le jour où il entra à l'armée, écrivit sur son fils un article plein de sentiment — mais ce fut le dernier qu'elle eut l'occasion d'écrire sur lui. Son service militaire achevé, Marion refusa de travailler, de faire quoi que ce fût qui ne l'amusait pas. Elle réussit à le faire engager comme assistant par un directeur de studio bien connu. Trois mois plus tard, Marion s'en allait. « Leurs sermons m'embêtent », dit-il pour toute explication, et il s'installa à *La Gueule-de-Bois*.

24

A Désert d'Or, il fréquentait des gangsters, des acteurs, des starlettes, des *call-girls* et des filles de bar. Il était même le chéri de quelques résidents étrangers de la station. De ce fait, et parce qu'il était capable de passer des jours entiers dans les bars, des heures au patio du *Yacht-Club,* parce qu'il connaissait les maîtres d'hôtel des meilleurs clubs et que ceux-ci le respectaient dans la mesure même où il les méprisait, il avait ses entrées dans le milieu des hommes d'affaires, des vedettes, des producteurs, des joueurs de tennis, des divorcées, des joueurs de golf, des joueurs tout court, des beautés et des demi-beautés, venus à Désert d'Or de la capitale. Lorsque Dorothea le mettait à la porte après une dispute provoquée par une histoire d'argent, pensant le forcer à travailler — car elle tenait à la « respectabilité » de son fils — il se livrait à d'étranges affaires. Dorothea l'apprenant, elle le suppliait de revenir, et Marion riait d'elle.

— Je ne suis qu'un amateur, comme toi, disait-il.

Elle n'avait jamais osé le frapper. Dieu sait pourquoi, depuis des années, personne ne s'y était risqué.

Les « affaires » de Marion étaient modestes. Il opérait à l'écart des professionnelles, n'ayant pas envie de mettre sur pied l'organisation que cela eût impliquée. Beaucoup de ses entreprises étaient assez insolites. Il connaissait des filles qui acceptaient, une fois, un rendez-vous, puis en restaient là, au moins pendant quelques mois. Il connaissait même une femme qui n'avait pas besoin d'argent, mais qu'excitait la seule idée de se vendre. Comme il le disait lui-même, Marion était un amateur. Avoir un profession déterminée, c'était en être esclave, et il détestait l'esclavage. Cela enchaîne l'esprit. C'est pourquoi il tenait à sa liberté — et la consacrait à boire, à se droguer et à conduire sa voiture (de marque étrangère) dans le désert, avec un revolver dans sa boîte à gants au lieu du permis de conduire qui lui avait été retiré depuis longtemps. Il m'arriva de monter avec lui en voiture — après quoi je m'en gardai bien. Je conduisais moi-même assez bien, mais je n'avais connu personne qui conduisît comme lui.

De temps à autre, Marion se montrait à *La Gueule-de-Bois,* mais il méprisait la cour, qu'il mettait mal à l'aise. De toutes celles qui en faisaient partie, il ne supportait que deux personnes. J'étais l'une des deux. Il m'avait dit pourquoi :

j'avais tué, j'avais failli être tué moi-même, et il trouvait cela « intéressant ». Avec la grâce féline qu'il savait avoir, il me demanda un jour :

— Combien d'avions avez-vous descendus ?

— Rien que trois, dis-je.

— Rien que trois ? C'est maigre. (Son visage n'exprimait rien.) Si vous aviez pu, vous en auriez descendu plus ?

— Je pense que j'aurais essayé.

— Vous aimiez tuer des Asiatiques ?

— Ce n'est pas ce que je voulais dire.

— Ils savent dresser des types comme vous ! (Il prit une cigarette dans un étui de platine.) Je n'ai pas été officier, poursuivit-il. J'ai quitté l'armée simple soldat, comme j'y étais entré. J'ai tout de même appris une ou deux choses... C'est facile de tuer un homme. Plus facile que d'écraser un cafard.

— Peut-être ne savez-vous pas tout...

Mais Marion avait toujours une longueur d'avance sur moi.

— Vous voulez une fille ? me demanda-t-il brusquement. Je vous en procurerai une pour rien.

— Pas ce soir, dis-je.

— Je m'en doutais...

Il avait deviné ce que j'essayais de cacher à tout le monde. J'avais suivi avec attention le drame de Pelley, car nos ennuis étaient les mêmes. Cela m'était arrivé peu de temps avant que je quitte le Japon, et depuis j'en étais obsédé. Une ou deux fois, avec des filles que j'avais levées dans les bars de Désert d'Or, j'avais essayé de me délivrer du complexe qui me nouait, mais je n'avais réussi qu'à l'aggraver.

— Je me garde pour la femme que j'aime, dis-je à Marion pour m'en débarrasser.

L'amour était l'objet essentiel de ses préoccupations.

— Prenez deux êtres qui vivent ensemble, me disait-il. Nettoyez ça de toute littérature de propagande : c'est l'ennui, la fin de tout. Vous vous engagez donc dans l'autre direction. Vous trouvez une centaine de poules, vous en trouvez deux cents : cela devient pire que l'ennui. Cela vous rend malade. Je vous jure que vous commencez à avoir envie de vous couper la gorge. D'un côté, on est vissé ; de l'autre, on souffre. C'est tuant. Le monde est une bouse de vache. C'est pour cela que les gens préfèrent une existence ennuyeuse.

Cela me dépassait. Je le regardai dans ses yeux gris pâle, un instant allumés, et lui dis :

— A quelle conclusion cela vous mène-t-il ?

— Je ne sais pas, dit-il. Il faudra que j'y pense.

Là-dessus il se leva, regarda sa montre comme s'il eût été surpris lui-même d'avoir tant parlé et dit tranquillement :

— Quand Jay-Jay doit-il venir ? J'ai quelque chose à dire à Dorothea.

Jay-Jay (1) était son autre ami à *La Gueule-de-Bois*. Quand Dorothea et Marion étaient en froid, ils utilisaient le publiciste Jennings James comme intermédiaire. Jay-Jay avait réussi à être en bons termes avec la mère et le fils. Quelques années plus tôt, il avait été le factotum de Dorothea, et il avait connu Marion enfant. Cela avait créé des liens entre eux. Marion supportait les discours, les saouleries et les dépressions de Jay-Jay ; il lui portait même une espèce d'affection.

Malgré ses cheveux roux, Jay-Jay, avec son long corps maigre, son visage décharné et ses lunettes cerclées de métal, avait l'air d'un employé de banque, mais avec quelque chose d'enfantin. Il vivait dans le passé et aimait à évoquer les jours anciens de la Crise, alors qu'il était dans la capitale, sans un sou, y vivant avec deux musiciens dans un bungalow, se nourrissant d'oranges et de l'espoir de placer les histoires qu'il écrivait. Pour lui, c'était « le bon vieux temps » et, aujourd'hui, il distribuait la publicité de la *Supreme Pictures,* inondant les journaux, avec la collaboration des échotiers, de potins sur les acteurs de la *Supreme.* Je n'ignorais pas qu'il arrondissait ses revenus en jouant à l'occasion les entremetteurs, comme Marion. Cela dit, il ne manquait pas de charme. Il racontait sans fin des histoires d'une voix rêveuse et me disait souvent (car j'étais le seul assez « nouveau » pour l'écouter) que la phrase célèbre attribuée à l'actrice Lulu Meyers : « Des hommes barbouillés de rouge à lèvres ont tou-

(1) Prononciation anglo-saxonne des initiales J.-J. (N. du T.)

jours l'air d'avoir découvert l'amour une heure avant », était en réalité de lui.

— J'en ai marre, disait Jay-Jay... Je me souviens encore du temps où Lulu était la femme de Charles Eitel. Elle croyait que l'intelligence était la seule chose qui comptât. Je la vois encore un soir, au cours d'une *party,* entrer dans la pièce; l'air triomphant, comme si elle venait de découvrir elle-même l'amour... *Eitel m'a donné ma première leçon de comédie,* disait-elle. *C'est tellement excitant !...* Il y avait trois ans qu'elle tournait et elle avait déjà été la vedette de sept films. Les gens comme elle me rendent malade.

Jay-Jay fut, je crois, le premier à prononcer le nom de Charles Francis Eitel à Désert d'Or. Par la suite, on eût dit que chacun n'attendait que l'occasion pour parler de lui. Eitel était un metteur en scène connu, qui habitait Désert d'Or en dehors de la saison. C'était un des amis de Marion qui ne venaient jamais à *La Gueule-de-Bois.* Avant d'être mieux renseigné sur son compte, j'ai souvent pensé que Marion ne le fréquentait que pour défier Dorothea, car Eitel, l'année d'avant, avait pas mal fait parler de lui. On m'avait raconté qu'un jour il avait quitté le studio brusquement, au cours des prises de vues d'un film. Deux jours plus tard, il était convoqué devant la Commission d'enquête du Congrès. Dorothea pâlissait quand on lui parlait d'Eitel. Alors qu'elle était journaliste, elle ne s'était jamais beaucoup souciée de politique et, finalement, ce métier l'avait ennuyée — mais durant la dernière année où elle l'avait pratiqué, sa chronique, en plus de sa photo, s'adornait toujours du drapeau américain, et ses papiers traitaient volontiers de la « subversion » qui se manifestait dans l'industrie du cinéma. Aujourd'hui encore, elle manifestait un patriotisme intransigeant qui, comme c'est le cas pour la plupart des patriotes, se fondait plus sur des sentiments que sur la réflexion, en sorte qu'il n'était pas facile d'en discuter avec elle. Pour ma part, je ne m'y risquais jamais, et j'avais soin de ne pas prononcer le nom d'Eitel, sauf nécessité absolue.

Lorsque j'eus rencontré celui-ci, je le considérai bientôt comme mon meilleur ami à Désert d'Or. Un jour, j'interrompis Dorothea au milieu d'un de ses discours, lui dis qu'Eitel était mon ami, que je ne désirais pas parler de lui, et, un instant, je crus qu'elle allait pleurer de colère. Elle s'approcha de moi, très près, son visage rougit violemment et elle me lança :

— Tu es le snob le plus méprisable que j'aie jamais rencontré...

— D'accord, dis-je. Je suis un snob.

— Ne t'imagine pas que tu sais tout parce que tu es un fils à papa, dit encore Dorothea. Tu es plus tocard qu'il n'est permis.

— Bon. Ça suffit comme ça, grognai-je.

Nous en restâmes là, car Pelley nous apportait à boire, et nous ne parlâmes plus d'Eitel. Mais j'éprouvais une certaine satisfaction. Dorothea se vantait d'avoir une grande expérience, lui permettant de deviner à coup sûr les origines d'un homme. Et cela me donnait à penser que je n'étais pas trop mauvais comédien.

IV

JE N'AI JAMAIS CONNU
ma mère, morte trop tôt, et mon père, qui m'a donné le nom
princier de Sergius O'Shaugnessy, cessa de s'occuper de moi
lorsque j'eus cinq ans, pour se consacrer à chercher du travail un peu partout. Ce n'était pas un méchant homme dans
son genre, et ses rares visites à l'orphelinat étaient pour moi
des événements dont je me souvenais longtemps. Il m'apportait un cadeau, m'écoutait tristement lorsque je lui demandais de m'emmener avec lui, me promettait de revenir bientôt
et disparaissait à nouveau pour quelques années. Ce n'est que
bien plus tard que je compris qu'il n'avait jamais été capable
de tenir parole.

A douze ans, je découvris que mon vrai nom n'était pas
O'Shaugnessy, mais un nom d'origine slovène qui lui ressemblait. Mon père était d'extraction douteuse, Gallois par sa
mère, Russe ou Slovène par son père. Rien au monde n'est
comparable au fait d'être un faux Irlandais. (Mais peut-être
ma mère était-elle Irlandaise ?) C'est mon père qui m'avoua
un jour tout cela, sans pouvoir se décider à me donner plus
de détails. Toute sa vie il avait travaillé comme ouvrier, alors
qu'il rêvait d'être acteur. O'Shaugnessy était le nom de scène
qu'il aurait voulu porter. Au temps où il était dans la marine
marchande, il avait joué de l'harmonica sur les bateaux.
Lorsqu'on l'avait licencié, il n'était plus bon qu'à laver la vaisselle. J'avais hérité un peu de son caractère. A l'orphelinat,
j'étais le plus fort, sans rien avoir d'un caïd. Quand mon
père mourut, pourtant, je souhaitai changer de peau. A quatorze ans, il n'est pas facile de s'appeler Sergius, et je m'en
étais caché en adoptant divers autres noms, Gus, Spike, Mac,
Slim, etc., mais lorsque je fus vraiment orphelin et que je

sus (ce ne fut pas tout de suite) que je ne recevrais plus la visite de mon père, que désormais j'étais tout seul, je recommençai à porter mon nom. Cela provoqua des bagarres et, pour la première fois de ma vie, j'appris à marquer des points. J'avais, jusqu'alors, été un de ces garçons qui jouent perdant et le trouvent tout naturel, mais j'avais assez d'étoffe pour mieux faire. J'aimais la boxe. Sans m'en douter, j'avais découvert ce qui était salutaire pour mon système nerveux. En quatre mois, je perdis trois combats, après quoi je me mis à gagner les autres. Je fus même vainqueur au cours d'un match organisé par la Police. Dès lors, on m'appela Sergius.

J'avais besoin de ce réconfort et je l'avais payé. Mon père m'avait laissé un drôle d'héritage. En dépit de ses saouleries, des métiers qu'il faisait sans y croire, de ses visites timides à l'orphelinat, tandis qu'il voyait les années s'écouler dans de tristes meublés dont il contemplait les papiers à fleurs, il gardait sa petite idée. Il y avait quelque chose d'étrange en lui. Il avait toujours pensé qu'un jour, quelque part... Tout le monde est ainsi, mais pour mon père c'était plus que cela — et je lui ressemblais. Je ne l'aurais jamais avoué à âme qui vive, mais je me croyais voué à un destin hors série. Je savais que j'étais plus doué que les autres. Même à l'orphelinat, j'avais un tas de talents. A Noël, quand nous montions un spectacle, on me donnait toujours le premier rôle et, à seize ans, j'étais vainqueur d'un concours de photo avec un appareil qu'on m'avait prêté. Mais je n'étais jamais sûr de moi, je me sentais dépaysé, il ne me semblait pas que j'étais comme les autres. C'est peut-être l'une des raisons pour lesquelles j'ai toujours eu l'impression d'être un espion ou un tricheur. Lorsqu'on nous conduisait à l'école paroissiale, nous étions traités comme les autres. Mais l'heure du déjeuner était une véritable torture. On nous apportait des sandwiches de l'orphelinat, que nous avions à manger dans un coin du réfectoire, tandis que les autres nous regardaient. Cela ne nous aidait pas à nous faire des amis. Le premier jour, j'avais fait connaissance d'un garçon qui vivait dans la rue où se trouvait l'école, dans une maison habitée par deux familles. Je serais bien incapable de dire son nom, aujourd'hui, mais à l'époque, des mois durant, je fus malade à l'idée qu'il pût découvrir que j'étais à l'orphelinat. Plus tard, je compris qu'il devait toujours l'avoir su, tout en ayant la gentillesse de ne pas me le montrer.

Je pourrais raconter pas mal d'histoires touchant cette époque, mais à quoi bon ? Je pourrais continuer à parler de l'orphelinat et dire par exemple combien peu les Sœurs se ressemblaient. Les unes étaient cruelles, les autres bizarres, deux ou trois très bonnes. Il y en avait une, Sœur Rose, que j'aimais exactement comme un enfant affamé. Elle s'intéressait particulièrement à moi. Issue d'une très bonne famille, elle parlait merveilleusement. A six ou sept ans, je rêvais souvent que, devenu grand, je rendrais visite à sa famille, où l'on apprécierait mes bonnes manières. Elle m'enseignait le catéchisme comme elle pouvait et, quand je sus lire, elle me donna des livres sur la vie des saints et des martyrs, tandis que mon père m'enseignait un tout autre catéchisme, me conseillant dans son patois irlandais d'interroger Sœur Rose Sœur Rose elle-même avait peine à le supporter, avec son martyre à Boston, me disant que la religion était faite pour les femmes et l'anarchisme pour les hommes. Il était philosophe à ses heures, mon père, et il craignait Sœur Rose, mais c'est le seul être que j'aie vu manifester autant de gentillesse au petit garçon bossu qui occupait le lit voisin du mien, un pauvre gosse, laid, malodorant, que nous battions sans arrêt. Les Sœurs essayaient sans cesse de le faire se laver. Sœur rose elle-même avait peine à le supporter, avec son nez toujours morveux — mais mon père l'avait pris en pitié et lui apportait des cadeaux, comme à moi. La dernière fois que j'entendis parler du bossu, il était en prison. Faible d'esprit, il s'était fait enfermer pour vol à l'étalage.

La vie à l'orphelinat n'était pas drôle. Après la mort de mon père, je m'enfuis cinq fois en trois ans. Une fois, on mit quatre mois pour me retrouver et me ramener à l'orphelinat. Pourtant, je préfère ne pas parler de cela, car il me faudrait dire tout ce que j'y ai appris, et ce serait trop long. Il ne faut pas céder à la tentation d'écrire sur son enfance : on risque de s'attendrir sur soi-même.

Je quittai l'orphelinat à dix-sept ans, avec une ambition. J'avais lu beaucoup de livres, tous ceux que j'avais trouvés, laissant de côté les vies de saints et leur préférant des ouvrages qui parlaient de chevaliers, de gentilshommes anglais, d'aventuriers et de héros tels que Robin des Bois. Tout cela me semblait vrai. Et mon ambition était de devenir un jour un écrivain courageux.

Je ne sais pas si cela suffit à expliquer pourquoi Charles Francis Eitel fut mon meilleur ami pendant presque toute la période que je passai à Désert d'Or. Mais qui saurait expliquer l'amitié ? En ce domaine, il y a pourtant une chose, je crois, que je puis dire. J'avais conscience qu'il n'y avait que peu d'hommes honnêtes et nobles dans le monde, et que le monde ne songeait qu'à les détruire. C'est sous cet angle que je voyais Eitel. Longtemps avant de le rencontrer, j'avais entendu son nom, qui se prononçait bizarrement, Aye-Tell. Comme je l'ai dit, il faisait pas mal parler de lui à Désert d'Or. J'avais même découvert une explication à l'attitude de Dorothea : apparemment, quelques années plus tôt, elle avait eu une aventure avec lui, qui avait mal tourné. J'avais entendu dire que cette histoire avait compté beaucoup plus pour elle que pour Eitel, mais je n'en savais pas plus long — et tous deux, après tout, avaient eu pas mal d'aventures du même genre. Durant le temps que je les fréquentai l'un et l'autre, je n'entendis aucun des deux faire allusion aux quelques semaines ou aux quelques mois de leur liaison, et, pour un peu, j'aurais juré que cette histoire n'avait plus d'importance qu'aux yeux de Marion.

Un soir, comme j'étais allé chez lui pour boire un verre, il prononça le nom du metteur en scène :

— C'est un cas, dit-il. Quand j'étais gosse, il me semblait qu'Eitel était à la fois un dieu et un démon.

Il eut un rire méchant.

— Je vous imagine mal pensant cela de qui que ce soit, dis-je.

— Eitel me parlait toujours quand il venait voir Dorothea. J'étais un gosse bizarre. Même après avoir rompu avec ma mère, il a continué de m'inviter de temps à autre.

— Que pensez-vous de lui aujourd'hui ?

— Il serait très bien, s'il n'était pas aussi bourgeois. Très dix-neuvième siècle...

Le visage sans expression, il me laissa un moment pour

aller fouiller dans le tiroir de son bureau d'aluminium et de bois blond.

— Voilà, dit-il en revenant. Lisez ceci...

Il me tendit un exemplaire imprimé d'un compte rendu de séance de la Commission d'enquête du Congrès. C'était une épaisse brochure et, comme je la feuilletais, Marion me dit :

— Le « numéro » d'Eitel commence à la page quatre-vingt-trois.

— Comment vous êtes-vous procuré ce texte ? questionnai-je.

— Je *voulais* l'avoir.

— Pourquoi ?

— Pour rien, dit Marion... Un jour, je vous parlerai de l'artiste qui est en moi.

Je lus la déposition du metteur en scène. Elle avait vingt pages, mais c'est ainsi que je fis la connaissance d'Eitel, et je voudrais en reproduire une page ou deux, qui donnent assez bien le ton du reste. En fait, je l'ai lue plusieurs fois à haute voix : j'avais apporté un dictaphone avec moi, à Désert d'Or, pour m'exercer à l'éloquence. Le dialogue d'Eitel avec le président de la Commission d'enquête m'en offrait l'occasion et, bien que je me préoccupasse assez peu de politique, la considérant comme un vice incompatible avec la morale d'un gentleman de ma sorte, les propos d'Eitel me donnaient à réfléchir. C'est assez difficile à dire, mais j'avais un peu l'impression de les tenir moi-même, ou du moins il me semblait que j'aurais aimé parler ainsi à quelqu'un qui m'eût accusé d'avoir enfreint la loi. C'est en lisant le témoignage d'Eitel que me vint l'idée qu'il pourrait m'apprendre beaucoup de choses.

Député Richard Selwyn Crane. — Etes-vous ou avez-vous jamais été — je vous demande une réponse précise — membre du Parti ?

Eitel. — Je ne crois pas que ma réponse puisse vous satisfaire.

Président Aaron Allan Norton. — Refusez-vous de répondre ?

Eitel. — Puis-je dire que je réponds avec réticence

et sous la contrainte ?... Je n'ai jamais été membre d'aucun parti politique.

PRÉSIDENT NORTON. — Il n'y a pas de contrainte, ici ! Poursuivons.

CRANE. — Avez-vous connu Mr... ?

EITEL. — Je l'ai probablement rencontré à une ou deux soirées.

CRANE. — Saviez-vous qu'il était un agent du Parti ?

EITEL. — Je l'ignorais.

CRANE. — Mr. Eitel, vous semblez prendre plaisir à vous faire passer pour un sot.

PRÉSIDENT NORTON. — Nous perdons notre temps, Eitel, je vous poserai une seule question : aimez-vous votre pays ?

EITEL. — Mon Dieu, monsieur, j'ai été marié trois fois, et j'ai toujours pensé que l'amour ne s'adressait qu'aux femmes... (Rires.)

PRÉSIDENT NORTON. — Si vous ne cessez pas ce genre de plaisanteries, nous vous obligerons à répondre.

EITEL. — J'en serais désolé.

CRANE. — Mr. Eitel, vous dites que vous avez rencontré l'agent en question ?

EITEL. — Je n'en suis pas certain. J'ai une mauvaise mémoire.

CRANE. — Un metteur en scène doit pourtant avoir une bonne mémoire, je crois ? Si la vôtre est si mauvaise, comment avez-vous pu réaliser vos films ?

EITEL. — Voilà une question pertinente, monsieur. Maintenant que vous m'y faites penser, je me demande moi-même comment j'y suis parvenu. (Rires.)

PRÉSIDENT NORTON. — Très spirituel... Peut-être ne vous rappelez-vous pas non plus une chose qui figure dans ce dossier ? Il paraît que vous vous êtes battu en Espagne. Désirez-vous que je précise les dates ?

EITEL. — Je suis parti pour me battre. J'ai fini comme porteur de dépêches.

PRÉSIDENT NORTON. — Mais vous n'apparteniez pas au Parti ?

EITEL. — Non, monsieur.

PRÉSIDENT NORTON. — Vous deviez y avoir des amis ? Qui vous a incité à partir ?

EITEL. — Si je m'en souvenais, je ne sais pas si je vous le dirais, monsieur.

PRÉSIDENT NORTON. — Si vous ne faites pas attention à vos propos, nous vous poursuivrons pour refus de témoigner.

CRANE. — Revenons à la question. Je suis curieux, Mr. Eitel : en cas de guerre, vous battriez-vous pour votre pays ?

EITEL. — Me permettez-vous de dire que, si j'étais mobilisé, je n'aurais guère le choix ?

CRANE. — Vous vous battriez donc sans enthousiasme ?

EITEL. — Sans enthousiasme.

PRÉSIDENT NORTON. — Mais si vous aviez à vous battre pour un certain ennemi, peut-être serait-ce différent ?

EITEL. — Oui, je me battrais avec encore moins d'enthousiasme.

PRÉSIDENT NORTON. — C'est ce que vous dites aujourd'hui, Eitel... Le rapport vous concernant assure que vous avez dit un jour : « Le patriotisme est bon pour les porcs. » Vous en souvenez-vous ?

EITEL. — Il me semble, oui.

IVAN FABNER (avocat du témoin). — Puis-je dire qu'à mon avis mon client reviendrait volontiers sur cette remarque ?

PRÉSIDENT NORTON. — C'est précisément ce que je désire savoir. Eitel, qu'avez-vous à dire à ce sujet ?

EITEL. — A la vérité, monsieur, ce propos, quand vous le répétez, me paraît un peu vulgaire. J'aurais exprimé ma pensée autrement si j'avais su qu'un agent de votre Commission rapporterait ce que j'avais dit.

PRÉSIDENT NORTON. — « Le patriotisme est bon pour les porcs »... C'est pourtant ce pays qui vous permet de vivre !

EITEL. — C'est l'allitération des deux « p » qui rend la formule vulgaire.

PRÉSIDENT NORTON. — Ce n'est pas une réponse.

CRANE. — Comment formuleriez-vous votre pensée, aujourd'hui, Mr. Eitel ?

EITEL. — Si vous insistez, je crains de tenir des propos subversifs.

PRÉSIDENT NORTON. — Je vous ordonne de répondre. Dites-nous en quels termes, aujourd'hui, devant cette Commission, vous formuleriez votre pensée.

EITEL. — Je dirais sans doute que le patriotisme exige de vous que vous soyez prêt à quitter votre femme d'un moment à l'autre. C'est peut-être ce qui fait son charme. *(Rires.)*

PRÉSIDENT NORTON. — Ces nobles sentiments vous sont-ils coutumiers ?

EITEL. — Je n'ai pas l'habitude de penser à ces questions. Faire des films n'a pas grand-chose à voir avec les sentiments nobles.

PRÉSIDENT NORTON. — J'ai l'impression que l'industrie cinématographique va vous laisser tout loisir d'y penser, après votre témoignage d'aujourd'hui. *(Rires.)*

FABNER. — Puis-je demander une suspension d'audience ?

PRÉSIDENT NORTON. — Nous siégeons ici pour juger des activités subversives, non pour écouter des paradoxes. Eitel, vous êtes le témoin le plus ridicule que nous ayons jamais écouté...

Lorsque j'eus achevé ma lecture, je regardai Faye.

— Il doit avoir perdu son boulot en moins de deux, dis-je.

— Vous parlez ! murmura Faye.

— Mais que fait-il à Désert d'Or ?

Marion ricana.

— Oui... Ce n'est pas un lieu de séjour pour un chômeur.

— Je croyais Eitel riche ?

— Il l'était. Vous ne savez pas vraiment comment vont les choses, dit Faye avec indifférence. A l'époque en question, ils se sont mis à éplucher ses feuilles d'impôts. Après quoi, Eitel n'eut plus qu'à vendre tout ce qu'il possédait pour payer les arriérés qu'on lui réclamait. Ils ne lui ont laissé que la maison qu'il habite ici. Hypothéquée, bien entendu...

— Et il ne fait rien ?

— Vous le rencontrerez. Vous verrez ce que je veux dire. Sa situation pourrait être pire. Il avait peut-être besoin de recevoir un coup de pied au derrière...

Le ton sur lequel Faye dit cela me donna à penser.

— Vous avez de la sympathie pour lui, dis-je.

— Il ne me déplaît pas, dit-il à contrecœur.

Au *Yacht-Club*, quelques jours plus tard, Marion me présenta à Eitel. Huit jours plus tard, j'avais pris l'habitude de le voir chaque jour.

V

LE *CAFÉ* (1) EN PLEIN air du *Yacht-Club* s'étalait autour des *cabañas* et de la piscine. Ses tables et ses fauteuils verts jetaient une note de couleur vive parmi les bosquets de l'hôtel. Presque toujours, je trouvais Eitel assis à l'une de ces tables à l'heure de la sieste, un manuscrit ouvert devant lui. Il ne paraissait pas s'intéresser beaucoup à sa lecture. Dès qu'il me voyait, il l'interrompait, commandait à boire et commençait à parler. Lorsqu'on nous avait présentés, j'avais été surpris. Bien qu'il eût plus de quarante ans et eût été un metteur en scène réputé, Eitel était plus connu sous d'autres aspects. Il avait été marié plusieurs fois, on le disait responsable de plus d'un divorce, et c'était là ce qui se disait de plus anodin à son sujet. Plusieurs fois, on m'avait parlé de lui comme d'un alcoolique, d'un drogué, d'un satyre. Certains murmuraient même qu'il avait fait de l'espionnage. Considérant tout cela, il était assez inattendu de le voir sous l'aspect d'un homme de taille moyenne, au nez cassé, souriant, large d'épaules, à moitié chauve, avec une couronne de cheveux bouclés. On remarquait tout de suite ses yeux bleus et brillants, qui s'éclairaient lorsqu'il souriait. Son nez cassé lui donnait un air spirituel. Seule, sa voix peu banale rappelait sa réputation. Une fille me dit un jour qu'elle était pleine de séduction, cette voix. Il avait une manière curieuse de se livrer tout en se refusant, d'avoir l'air de se moquer de vous alors qu'il vous marquait son intérêt, et lorsque vous veniez de vous persuader que tout allait bien entre lui et vous, sa voix, aussitôt, vous donnait à penser le contraire. Je crois m'y connaître

(1) En français dans le texte. (N. du T.)

en matière de voix. J'ai l'oreille fine, et la voix d'Eitel avait de multiples nuances. J'y entendais l'accent de New-York, celui du théâtre, mais il lui arrivait aussi d'y mettre une pointe d'accent du Sud ou du Middle-West lorsqu'il parlait à un indigène de ces régions. De toute manière, il la contrôlait sans cesse et, la plupart du temps, parlait un langage châtié. Avec son air habituel de se moquer de lui-même, il me dit un jour qu'il avait fini par prendre une pointe d'accent anglais.

Si je m'attarde à décrire Eitel, c'est que rarement quelqu'un me plut autant que lui. Je sentais que nous nous ressemblions, à cela près qu'il me battait de plusieurs longueurs. Je découvris plus tard qu'un tas de gens avaient la même opinion sur lui. La plupart de ceux qui nous entouraient semblaient éprouver un certain plaisir à dire que sa carrière était finie, mais je n'en croyais rien, pas plus que je ne croyais les rumeurs circulant à son sujet. Il buvait pas mal, mais je ne l'ai jamais vu ivre : c'est tout juste si son élocution se faisait plus lente. J'avais peine à croire qu'il se droguât, et sa réputation d'érotomane ne me dérangeait nullement. Plus d'une fois, d'ailleurs, je le vis porter aux femmes un intérêt purement amical.

De toute manière, sa situation faisait de lui un solitaire, et notre amitié tint pour une bonne part au fait que je recherchais sa compagnie — du moins je le pensais. Il avait l'habitude de se rendre au *café* en plein air au début de l'après-midi, pour boire, pour bavarder et pour lire, comme je l'ai dit. Il avait été jadis l'ami intime du directeur de l'hôtel, mais, aujourd'hui, il s'attendait chaque jour à ce qu'on lui interdît l'accès du *Yacht-Club*.

— Il y a des années, me disait-il en souriant, j'ai prêté de l'argent au directeur. C'est le genre d'hommes qui mettent un point d'honneur à ne jamais oublier un service rendu. Aujourd'hui, cela m'apparaît comme une vertu remarquable... Je ne sais pourquoi, j'aime cet endroit.

Souvent, personne à part moi ne s'asseyait à sa table. Je buvais en sa compagnie jusqu'au soir. On eût dit qu'il n'était jamais invité nulle part, du moins nulle part où il eût envie d'aller. D'ordinaire, Eitel avait peine à rester longtemps à la même place, et je faisais alors avec lui le tour des boîtes de nuit et des bars de deuxième ordre de l'endroit. Toutes ces heures se ressemblaient : on trouvait des amis un instant et on les reperdait, on levait une fille et on l'abandonnait. Une fois, Eitel faillit se battre avec un ivrogne qui avait insulté une fille de bar assise avec nous. Tout cela nous occupait, et nous continuions à errer, fuyant l'insomnie, n'essayant même pas de dormir avant que le jour se levât sur le désert, et durant toutes nos beuveries Eitel se comportait comme un homme qui sort d'une expérience conjugale malheureuse. Je le voyais parfois perdre un jour et une nuit à répondre à une lettre.

Son histoire m'avait été plus d'une fois racontée, par d'anciens amis, par de pseudo-amis, par des gens qui ne le connaissaient même pas, mais c'est d'Eitel lui-même que je tenais l'essentiel de cette histoire, car il avait entre autres qualités celle de parler de lui-même d'une manière très directe. Il était le fils unique d'un marchand de voitures d'une grande ville de l'Est. Son père, dont les parents étaient des immigrants autrichiens, avait débuté comme marchand de ferraille. Sa mère était Française. Eitel avait été le premier de sa famille à aller au collège. On voulait faire de lui un avocat, mais dès son adolescence il s'était intéressé au théâtre, et la chose avait provoqué pas mal de bagarres familiales. A la fin de ses études, le problème se trouva réglé de lui-même, la Crise ayant ruiné son père. Eitel se mit en quête de travail à New-York. Ce n'était pas un étudiant séduisant, il était timide, c'est pourquoi il s'éprit de la première fille qui s'attacha à lui. La jeune fille voulait être assistante sociale et souhaitait se marier pour quitter sa famille. Bien entendu, ils se croyaient très amoureux l'un de l'autre. Elle avait l'esprit à la politique, et après leur mariage, par elle et par ses amis, il fut amené à lire des livres subversifs et à discuter politique à son tour. Lui écrivait des pièces, jouait de petits rôles ; il avait parfois l'occasion de mettre un spectacle en scène dans quelque théâtre peu connu, et finalement c'est au pire de la crise économique que sa carrière se dessina. Il fut engagé pour monter une pièce patronnée par le gouvernement, et ce fut un succès. Pour la première fois, quantité de gens prononcèrent son nom. Il se fit connaître comme régisseur, comme metteur en scène, comme acteur. On lui proposa de travailler pour le cinéma. Il gagna donc Hollywood avec un petit contrat de réalisateur de films bon marché, qui lui donna sa chance. Après une première expérience modeste, il écrivit le scénario de trois autres films et les mit en scène. Aujourd'hui encore on les tient pour d'excellents films. J'ai vu l'un d'eux, qu'on avait repris l'année où je sortis de l'orphelinat, et bien qu'il datât déjà, je me le rappelle comme le meilleur film que la Crise ait inspiré.

Pour Eitel, ces trois films représentaient les dix-huit meilleurs mois de sa vie. A l'époque il était, à l'en croire, un jeune homme agressif, dogmatique, aux opinions tranchées, passablement sûr de lui, fier de sa réussite, peu compréhensif envers les autres. Il était jeune, et certains lui prêtaient du génie. Pourtant, bien que les films en question eussent été projetés dans des ciné-clubs et devant des publics estudiantins, bien qu'on en eût pas mal parlé et qu'ils eussent influencé le style de plusieurs metteurs en scène, ils n'avaient pas rapporté beaucoup d'argent. Un autre studio lui fit un meilleur contrat, mit à sa disposition des budgets plus importants et des vedettes plus cotées, mais ne lui permit pas de tourner ses propres scénarios. Il continua à faire des films, meilleurs que la plupart des autres et qui rapportèrent de l'argent, mais ce fut avec moins de conviction. Survint la guerre civile espagnole. Ce qu'Eitel ne pouvait faire en tant que metteur en scène, il chercha à le faire au sein de comités politiques. Toujours plein d'enthousiasme, il participa à des débats sur l'Espagne, parla dans des réunions publiques, s'employa à recueillir des fonds. Dans le même temps, sa première femme se détacha de lui. Elle n'était pas heureuse. Elle haïssait Hollywood et sentait qu'Eitel se détachait d'elle. C'était exact. Il eût souhaité une femme plus séduisante, plus intelligente, plus digne de lui. Il en désirait plus d'une ; en approchant beaucoup, dans la capitale du cinéma, qui eussent pu être à lui, son désir de liberté grandissait.

Il éprouvait d'ailleurs un sentiment de culpabilité à l'égard de sa femme, se souvenant du temps où il avait besoin d'elle et où ils avaient été bons amis. Elle l'avait initié à beaucoup de choses et ce n'était pas sa faute à elle si, à présent, il en savait davantage encore. Il arrivait à Eitel de penser que son travail n'était pas contrarié seulement par le studio, mais par lui-même. Et il tenait son mariage pour responsable du fait qu'il se laissait aller, qu'il négligeait de cultiver son talent. C'est alors qu'il décida de partir pour l'Espagne. Il y alla un peu en curieux. L'année qu'il y passa fut une année perdue. Il ne put entreprendre le film qu'il souhaitait tourner. « Cette guerre est la conclusion de cinq cents années », disait-il volontiers. Sur quoi, sa femme et lui reprirent la vie commune et eurent chacun des aventures qu'ils se racontaient, car ils s'étaient juré de ne pas se mentir. Ils eurent des querelles. On offrit à Eitel un gros traitement à la *Supreme Pictures*. Tandis que sa femme l'en dissuadait, il était d'avis d'accepter, ayant la conviction que, pour arriver à réaliser les films qu'il souhaitait, il lui fallait d'abord une situation assise dans un studio. Il tourna deux méchants films, dont l'un fut un succès. Sur quoi sa femme demanda le divorce, désirant épouser un autre homme. Depuis des années, Eitel rêvait d'une telle solution et pourtant, à son propre étonnement, il ne pouvait se faire à l'idée de la laisser partir. Ils se réconcilièrent momentanément, pour divorcer quand même six mois plus tard. Finalement, elle alla vivre dans une autre ville, se remaria, et Eitel ne la revit jamais plus. Aujourd'hui, c'est à peine s'il pouvait encore se la rappeler.

Lui-même épousa ensuite une actrice cotée. Au cours de leur union, il fit des films, beaucoup de films, et acheta une maison de quatorze pièces avec une bibliothèque, une cave à vin, un gymnase, une piscine, un garage pour quatre voitures, un terrain de volley-ball, un court de tennis et un court de badminton. Les terrasses étaient envahies de vigne vierge et un chemin bordé de cyprès conduisait à l'océan. Il y avait un chenil pour une douzaine de chiens et une écurie pour deux chevaux... Eitel devait garder la maison plus longtemps que la femme. De celle-ci, il avait obtenu ce qu'il souhaitait, et y avait mis, bien entendu, le prix.

Son second divorce coïncida avec la mobilisation. En Europe, il tourna pour l'Armée des documentaires sur la guerre, ce qui lui fit connaître un cocktail de généraux, de belles filles, de rois du marché noir, de politiciens, de producteurs et de gouvernants. C'est à cette époque qu'il réalisa le dernier de ses bons films, un documentaire sur les troupes parachutistes, si différent de tous ceux qu'on avait déjà vus que l'Armée ne le laissa jamais projeter.

Lorsque Eitel revint de la guerre, il s'employa à justifier le dernier aspect de sa réputation ; pendant un an ou deux, il passa pour coucher avec la moitié des jolies femmes de Hollywood, et rarement une semaine s'écoulait sans que son nom apparût dans les potins d'un journal. Ses films avaient du succès. Il était le metteur en scène le mieux payé de la *Supreme Pictures,* car il avait la réputation de savoir tirer le maximum d'actrices relativement médiocres. Mais son style avait changé. En contrepartie de tous les films qu'il lui avait été impossible de tourner, il choisit de réaliser les plus étranges qu'on pût imaginer, et sa signature devint une sorte de marque de fabrique, à quoi l'on reconnaissait les plus insolites ouvrages de « série noire ». « Le public se compose surtout de nécrophiles sentimentaux... » dirait-il un jour.

De toute cette époque, qu'il passa à gagner de l'argent, à le dépenser et à faire des films discutables (dont la *Supreme Pictures* fournissait les acteurs et les scénarios et Charles Francis Eitel l'atmosphère et le style particulier), c'est la dernière année qui le vit à Hollywood dont Eitel parlait sans cesse. Elle débuta par son troisième divorce. Il s'était toujours marié par pitié, me disait-il, et la pitié avait fini par le dégoûter. Il y voyait un symptôme évident de vanité : « Je suis le type même du gars qui se marie cinq ou six fois uniquement parce qu'il n'arrive pas à croire que les malheureuses qu'il aime supporteraient de vivre sans lui... » Sa troisième femme était belle. C'était Lulu Meyers.

— Vous la verrez un jour ou l'autre, me dit-il. Elle vient ici entre deux films.

Lulu était très jeune et Eitel avait sincèrement cru qu'elle avait besoin de lui.

— La fin d'une union est une chose bizarre, me dit-il encore. On devient comme fou. Pour aggraver les choses, j'étais en vacances à l'époque. Je ne sais comment, je me lançai dans une aventure insensée avec une actrice roumaine. Elle avait eu une de ces existences atroces auxquelles on ne peut même pas penser sans frémir. Son premier mari avait été tué dans un accident, le second était parti en emportant son argent. C'était sinistre. Elle devait d'ailleurs avoir été célèbre en Roumanie, et pendant la guerre on l'avait mise dans un camp de concentration, bien qu'à mon avis il soit tout aussi possible qu'elle ait été une *collaboratrice* (1). En tout cas, elle arriva ici avec pour tout bagage un horrible accent roumain. Même si vous avez été une étoile en Roumanie, à quarante ans passés, vous ne trouvez plus beaucoup de rôles, surtout avec un tel accent. Elle est devenue quelque chose comme conseillère technique pour les films dont l'action se passe dans les Balkans...

Nous étions assis dans le patio sur lequel donnait le living-room de la maison d'Eitel. Il se tut brusquement et regarda le yucca virer au bleu dans l'ombre du crépuscule.

— Sergius O'Shaugnessy, reprit-il (il s'amusait volontiers à prononcer mon nom d'un air pompeux), que faites-vous à Désert d'Or ? Que diable fichez-vous ici, espèce de cinglé ?

— Rien, dis-je. J'essaie d'oublier comment on pilote un avion.

— Avez-vous assez d'argent pour y consacrer le reste de votre existence ?

— Pendant un an, peut-être...

— Et après ?

— Il sera toujours temps d'y penser.

— Voilà le genre de réflexion qui me rappelle que je suis d'un autre âge. Vous êtes vraiment ici pour vous amuser ?

Il avait l'air perplexe. Je hochai la tête.

— Les femmes ? questionna-t-il.

— Si ça se trouve...

— Sergius, vous êtes un gentilhomme du vingtième siècle.

Nous rîmes tous les deux et il poursuivit :

— Le plus grave, avec ma Roumaine, dit-il comme pour s'expliquer sur lui-même après que je l'eus éclairé sur moi, c'est qu'elle avait été belle et que trop d'hommes l'avaient aimée. La situation, entre nous, s'était retournée. Elle avait cessé d'être belle, et c'est elle qui m'adorait...

Il m'expliqua qu'il ne pouvait la supporter, tout en se sentant obligé d'être avec elle aussi gentil que possible.

— Une histoire de ce genre ne peut durer éternellement.

Cela dura une année entière. Je n'ai jamais été capable de

(1) En français dans le texte. (N. du T.)

44

fidélité constante. Je suis de ces types qui passent d'une femme à une autre dans la même soirée, parce que c'est la seule manière de les supporter toutes les deux — mais j'étais, à ma façon, fidèle à ma Roumaine. Elle aurait voulu me voir chaque nuit, car elle détestait la solitude, et, de mon côté, j'aurais souhaité ne jamais la revoir. Pour couper la poire en deux, nous passions ensemble deux nuits par semaine. Que j'eusse une autre aventure en cours, ou même deux, que j'eusse, ces soirs-là, un rendez-vous ou non, je passais la nuit chez elle, le mardi et le jeudi. J'ose dire, par parenthèse, qu'elle était passionnée.... à un point déprimant.

— Comment la passion peut-elle être déprimante ? questionnai-je.

— Vous avez raison, Sergius... Ce n'était pas vraiment de la passion — et c'est pourquoi cela me déprimait. Elle était affamée, c'est tout...

Il agita les cubes de glace dans son verre.

— Comme je vous le disais, j'avais l'illusion que je continuais de la voir parce que je ne voulais pas la faire souffrir. Mais, rétrospectivement, je crois que je me leurrais ; en fait, j'avais *besoin* de la voir.

— Je ne vous suis pas très bien...

Il hocha la tête.

— Lorsque Lulu est partie, ça m'a démoli.

— Il y a des gens qui disent que vous êtes toujours amoureux d'elle, dis-je brutalement.

Je n'étais pas loin de le penser moi-même. J'avais vu Lulu Meyers moins d'un an plus tôt, un jour qu'elle avait traversé notre mess, escortée par des généraux et des colonels, et ensuite mêlée à dix mille soldats, alors qu'elle nous avait raconté des histoires et chanté une petite chanson sur une scène de fortune, pareille à une princesse de légende qui eût traversé le Pacifique pour nous accorder de menues faveurs, une bouffée de son parfum, une paillette de sa robe de soirée. Je me rappelais même avoir entendu prononcer le nom de son mari et l'avoir oublié — en sorte qu'il y avait pour moi quelque chose d'étrange aujourd'hui dans le fait de parler d'elle.

— Amoureux de Lulu, moi ? dit Eitel en riant. Mon pauvre Sergius, notre mariage, ce fut zéro plus zéro... Lorsque

45

nous nous sommes mariés, je savais que cela ne tiendrait jamais. C'est ce qui, par la suite, a tout gâché. Lorsque, le jour de votre mariage, vous êtes incapable de croire qu'il a un sens, vous avez l'impression d'être un somnambule... Voilà pourquoi j'avais besoin de ma Roumaine : côté boulot, j'étais fini...

Après quinze ans de travail et vingt-huit films, Eitel avait compris qu'il n'aurait jamais la possibilité de faire les films qu'il eût voulu, qu'il travaillerait toujours sur commande. Il ne fut même pas surpris de découvrir qu'il n'avait même plus vraiment le désir de tourner ses propres films. Pour le meilleur et pour le pire, c'était avec Hollywood qu'il s'était, en fait, marié, et il ne se voyait pas s'en allant ailleurs. Pire : sa réputation commerciale était compromise. Son dernier film, *L'amour ne dure qu'un moment,* avait été un four coûteux, et les deux précédents n'avaient pas eu beaucoup plus de succès.

— Sur quoi, dit-il, il y eut cette histoire de la Commission d'enquête...

Elle lui pendait au nez depuis des mois. Il avait signé trop de pétitions, versé trop d'argent pour des causes diverses, d'abord par conviction, puis par sentiment de culpabilité, enfin pour la seule beauté du geste. Cela ne concernait que son passé, et la politique lui était devenue indifférente. Mais il apprit un jour qu'il serait interrogé par la Commission d'enquête (section Cinéma) et que, s'il ne donnait pas le nom de ceux qu'il savait avoir appartenu à l'un des partis et des comités figurant sur la liste noire du gouvernement, il ne retrouverait plus de travail dans la capitale du cinéma. Rien ne l'attachait à tous ces gens qu'il avait connus un jour. Pour certains il éprouvait encore quelque sympathie, pour d'autres non, mais il lui semblait ridicule de mettre fin à sa carrière pour défendre leurs noms par son silence, et défendre ainsi indirectement un système politique ressemblant comme un frère au studio où il travaillait. Restait la fierté : on ne nage pas en public...

— Ce fut horrible, me dit Eitel, en souriant à ce souvenir comme s'il eût été soulagé qu'il appartînt au passé. Je n'arrivais pas à penser. Vous n'avez aucune idée de ce que ce fut pour moi. Je n'eus même pas le temps de réfléchir à l'aspect moral de la question, trop occupé que j'étais à discuter avec mon avocat. Mon agent allait aux nouvelles au studio. Mon homme d'affaires passait le temps à éplucher mon dossier fiscal avec des spécialistes. Ils analysaient la situation, la disséquaient, et recommençaient sans fin. Mes dépenses étaient élevées, me disaient-ils, mes appointements aussi, mes divorces avaient absorbé mon capital et la *Supreme Pictures* ne me protégeait pas contre l'offensive de la Commission. Mieux : vu la charge que représentaient pour elle mes appointements, mon agent était même convaincu que la *Supreme* avait encouragé la Commission à m'embêter. Quand on y regardait de près, il apparaissait que j'étais pratiquement sans le sou. Aussi bien, tous me donnaient le même conseil : celui de coopérer avec la Commission d'enquête... Je leur dis que je le ferais. J'en étais malade, mais c'était ainsi. Je passai des heures avec mon avocat à décider de ce que je dirais. Et c'est alors que je revins sur ma décision. Quand j'allais au fond des choses, cela me semblait trop écœurant. Je demandai à mon avocat de dresser de nouveaux plans, pour le cas où je refuserais de parler. Et, pendant tout ce temps, mes amis m'observaient et me donnaient des conseils. Certains me disaient de parler, d'autres de me borner à témoigner objectivement, d'autres encore convenaient qu'ils ne savaient pas ce qu'ils feraient à ma place. J'en perdis le sommeil. Personne ne se souciait plus du film que je tournais. Le studio m'avait chargé de réaliser une comédie musicale, *Nuages dans le ciel*. Je ne pouvais rêver pire : j'ai horreur des comédies musicales...

Tout allait mal. Le producteur d'Eitel intervenait dans son travail. Les dirigeants de la firme allaient le regarder travailler sans dire un mot. La vedette tomba malade. Il y eut des retards, des mécomptes techniques. Eitel se disputa avec l'opérateur. On décida de modifier le scénario. Rien ne tournait rond, et Eitel se sentait responsable de tout. Chaque soir, pour l'achever, il lui fallait assister à la projection des scènes déjà tournées. Plus il travaillait, pire était le résultat. Le rythme était trop lent ou trop rapide, les gags ne faisaient pas rire, les scènes sentimentales étaient accablantes et les scènes de danse à grande mise en scène évoquaient un champ de bataille après un combat — le combat qui avait mis aux prises Eitel et le directeur des ballets... Il subsistait pourtant çà et là quelque chose de la « manière » d'Eitel : une scène mieux composée, un effet de lumière et d'ombre, une pointe d'atmosphère.

Cela dura trois semaines, jusqu'à ce qu'un certain matin, alors que le film n'était même pas encore à demi achevé, tout craqua. Le producteur, le metteur en scène, les acteurs, les opérateurs, le directeur des ballets, les girls, tous se mirent à se disputer sur le plateau. Eitel, incapable de maîtriser ses nerfs, quitta le studio. Aussitôt la *Supreme Pictures* résilia son contrat, et le lendemain matin un autre metteur en scène fut chargé de la tâche désespérée de finir le film. Eitel n'était pas là pour apprendre la nouvelle. Lorsqu'il avait quitté le studio, ç'avait été pour jouer le premier rôle dans une autre sorte de pièce, de son propre cru, et dont l'action, que ce fût ou non prévu au programme, durerait de longs jours...

VI

ITEL AVAIT REGAgné directement sa maison de quatorze pièces et interdit à son domestique d'ouvrir à qui que ce fût. Son secrétaire était en vacances. Eitel avisa son bureau qu'il s'absentait pour deux jours. Sur quoi il s'assit dans son studio et se mit à boire. Le téléphone sonna tout l'après-midi, et le fait que cette sonnerie lui parut divertissante laisse à deviner la quantité d'alcool qu'il avait bue.

Pourtant, il ne voulait pas se saouler complètement : quarante-huit heures plus tard, il devait comparaître devant la Commission d'enquête. « Je suis encore libre, se disait-il. Je puis encore faire ce que je veux... » En dépit de quoi il était incapable de penser à autre chose qu'à son départ brutal du studio. Sans aucun doute, cela entraînerait la résiliation de son contrat. Néanmoins, s'il coopérait avec la Commission d'enquête, il trouverait probablement du travail dans un autre studio. Mais, de toute manière, son éclat lui coûterait quelques centaines de milliers de dollars au cours des cinq prochaines années. Il essaya de s'en consoler en se disant que cela réduirait d'autant ses impôts.

La veille du jour où il devait comparaître, il n'avait toujours pas revu son avocat et ne lui avait téléphoné que pour prendre rendez-vous avec lui, dans son cabinet, une demi-heure avant la séance de la Commission. Il appela également son bureau et demanda qu'on lui communiquât les appels reçus. Au cours des trente-six heures qui avaient suivi son départ du studio, il y en avait eu plus de cent. Il en eut vite assez. « Donnez-moi uniquement les noms », dit-il à la stantardiste. Lorsqu'elle cita celui de Marion Faye, il l'interrompit :

— Que voulait-il ? demanda-t-il.

— Il n'a pas laissé de message. Rien qu'un numéro de téléphone.

— Bon. Merci. Donnez-le-moi, vous me donnerez les autres plus tard.

Faye arriva une heure après qu'Eitel l'eut appelé.

— Vous essayez de vous habituer à vivre seul ? questionna-t-il en entrant.

— Peut-être, oui...

Marion s'assit et prit une cigarette dans son étui de platine.

— J'ai vu Dorothea hier, dit-il ; elle a parié que vous parlerez.

— J'ignorais qu'on fît des paris sur mon dos...

— Les gens parient à propos de n'importe quoi.

— Ah, oui ? Et qu'avez-vous parié, Marion ?

Faye le regarda.

— J'ai parié trois cents dollars que Dorothea se gourait.

— Vous feriez bien d'annuler ce pari !

— Je préfère le perdre.

Eitel s'enfonça dans son fauteuil.

— J'ai entendu raconter pas mal de choses sur vos... activités à Désert d'Or.

— C'est la vérité.

— Une vérité qui ne me plaît pas.

— Nous en reparlerons un autre jour, si vous voulez. Ce que je voulais vous dire...

— Oui ?

La voix de Marion tremblait un peu.

— Je voulais vous dire que si je perds ce pari, tout sera fini entre nous.

Il avait, soudain, l'air très jeune.

— Marion ! dit Eitel, interloqué.

— Je le dis comme je le pense.

— Marion... Je vous ai vu trois fois depuis trois ans. C'est ça, l'amitié que vous menacez de me retirer ?

— Ça va, dit Marion, avec une sorte de sanglot dans la voix.

Son attitude irrita Eitel. Quelques années plus tôt, Marion ne lui eût pas parlé sur ce ton.

— Je voulais vous parler de vous, dit-il.

— Ecoutez, grogna Faye. Je vous connais, Charley. Vous ne donnerez pas ces noms...

— Peut-être que si...

— Pour quelle raison ? Pour qu'ils vous laissent faire d'autres cochonneries ?

— Qu'est-ce que vous voulez dire ?

— Pourquoi ne comprenez-vous pas ? C'est tout ce que vous avez fait, depuis quinze ans.

— Peut-être était-ce pour m'amuser.

— Beau programme, non ? Jusqu'à votre mort, vous ferez des navets...

Eitel, jusqu'à la visite de Faye, doutait encore de l'attitude qu'il adopterait ; mais le lendemain matin, après une très mauvaise nuit, il entra en souriant dans le cabinet de son avocat et dit tranquillement, comme si la chose était entendue depuis toujours :

— Je ne parlerai pas. Tout ce que je vous demande, c'est de vous débrouiller pour qu'on ne me mette pas en prison.

— Vous êtes bien décidé ? questionna l'avocat.

— Tout à fait.

Au cours des semaines qui suivirent, Eitel essaya de réfléchir à ce qui s'était passé à la Commission d'enquête. Il avait joué son rôle comme il avait souhaité le faire. Il avait été calme, n'avait pas perdu son self-control et, deux heures durant, soutenu par son propre énervement, avait esquivé les questions, lancé des réponses cinglantes, se coupant lui-même toute retraite. Lorsque ç'avait été fini, il avait affronté les photographes, avait sauté dans sa voiture et était parti très loin. Il était une heure de l'après-midi, mais il n'avait pas faim : ses propos l'avaient nourri... Il roula longtemps, dans la montagne, et le crissement des pneus sur la route apaisait ses nerfs à vif.

Finalement, épuisé, il prit une route qui conduisait à l'océan et longea la mer sur plusieurs kilomètres. Il arrêta sa voiture sur une plage battue par le flot, s'assit dans le sable et regarda les jeunes gens qui s'y ébattaient. C'étaient des adolescents au corps bronzé par le soleil. Ils se roulaient dans le sable, se battaient, paressaient, guettaient les petits voiliers, y montaient parfois. Eitel eut son attention attirée par une grande fille aux formes rondes. Elle était seule, à quelques mètres de lui, et s'employait à brosser le sable de ses cheveux clairs. Elle semblait sûre de sa beauté et heureuse de vivre. « Il faut que je lui fasse la cour », se dit Eitel, et la chose lui parut si naturelle qu'il en fut lui-même surpris.

— Ces bateaux sont-ils difficiles à manœuvrer ? questionna-t-il.

— Oh ! ça dépend, dit-elle distraitement.

Il insista :

— A qui pourrais-je demander de me l'apprendre ?

— Je ne sais pas. Pourquoi n'essayez-vous pas tout seul ?

Il la sentait indifférente, et cela le mettait mal à l'aise.

— Si vous ne m'aidez pas, je risque de me noyer, dit-il de son air le plus enjôleur.

La fille répondit nonchalamment :

— Trouvez un bateau. Quelqu'un vous dira comment il faut faire.

Un garçon de dix-huit ou dix-neuf ans, aux cheveux filasse, aux larges épaules et aux jambes musclées, passa près d'eux en courant et frappa sur l'épaule de la fille en criant :

— Amène-toi !

Son short moulait étroitement ses cuisses bien dessinées.

— Chuck ! Attends que je t'attrape ! cria la fille à son tour, en se lançant à sa poursuite.

Chuck s'arrêta, elle le rejoignit, et ils se mirent à se battre. Le garçon lui jetait du sable à la tête et elle poussait de grands cris. Un instant plus tard, côte à côte, ils plongèrent dans la mer et y recommencèrent à se battre.

— J'étais prêt à faire n'importe quoi, me dit Eitel. A lui dire qui j'étais, ce que je pourrais faire pour elle... (Il s'interrompit un instant.) Et puis, soudain, j'ai compris que je n'étais plus rien, que je ne pouvais plus rien faire pour personne ! C'était une drôle de sensation. Depuis des années, des tas de gens rêvaient de rencontrer Charles Francis Eitel — l'homme que j'*avais* été. A présent, il n'y avait plus que moi, moi tout seul...

Il eut un sourire étrange.

— Ces gosses vous ressemblaient, dit-il avec franchise — et je découvris une nouvelle raison à la sympathie qu'Eitel me portait...

Il reprit :

— Je remontai dans ma luxueuse Cadillac, dans l'état d'esprit d'un homme d'âge mûr qui vient de décider de laisser pousser sa moustache. Lorsque je rentrai chez moi, on me dit que ma Roumaine m'avait appelé. Elle, du moins, me restait fidèle... Après ce qui s'était passé sur la plage, je savais que cette histoire ne pourrait continuer. Pourtant, jamais je ne lui avais été aussi attaché qu'à ce moment-là. Mais j'étais assez lucide pour me rendre compte que ma situation allait devenir impossible. Je dis à mon homme d'affaires de mettre ma maison en vente, de licencier mes domestiques, et je pris l'avion pour le Mexique.

Ce soir-là, volant vers le Sud, il avait vu les journaux : son nom figurait en première page. Il pensa un instant à la haine qu'on devait lui porter — et s'endormit, épuisé.

Au Mexique, dans une station côtière qui évoquait un Désert d'Or accoté à une montagne, il n'avait pas trouvé la paix. Des centaines de lettres l'y suivirent, un pamphlet publié par une société végétarienne, une lettre du président du Club des Amis de Lulu Meyers, se réjouissant que celle-ci ait demandé le divorce, des lettres anonymes, des lettres obscènes, des lettres de félicitations et même une lettre émanant d'une société contre l'usage du tabac, accompagnée d'une photo d'Eitel fumant une cigarette, découpée dans un journal. « Eitel en proie aux cinglés », se dit-il, en ouvrant la lettre suivante, dans laquelle son homme d'affaires l'informait de la catastrophe concernant ses impôts en retard.

— Ça n'allait pas trop mal, au Mexique, me dit Eitel. Mais, à part ça, c'était terrible. Vous ne me croirez peut-être pas aujourd'hui, mais alors que j'avais toujours été capable de travailler pas mal, brusquement il m'était devenu impossible de faire quoi que ce fût.

Je hochai la tête. On m'avait parlé de la capacité qu'avait Eitel de travailler dix-huit heures par jour, quand il tournait un film.

— Après une semaine ou deux, reprit-il, je commençai à penser que ça ne tournait pas rond. Cela peut vous sembler bizarre, étant donné tout ce que j'avais fait durant ma vie, mais je me mis à évoquer l'époque de mes études, où je rêvais de passer des années à flâner, à avoir de petites aventures par-ci par-là. Cela est puéril, bien sûr, mais chacun rêve de cela quand il est jeune. De toute manière, je m'étais marié beaucoup trop jeune et, lorsque j'y repensais, au Mexique, il me semblait qu'à partir d'alors je n'avais jamais fait exactement ce que j'eusse souhaité. J'en arrivai à penser que si j'avais agi comme je l'avais fait devant la Commission d'enquête, c'était pour me donner une nouvelle chance. Mais je ne savais plus qu'en faire... Oui, cela me flanquait le cafard. (Il sourit.) Quoi qu'il en soit, vainqueur ou vaincu, je décidai de ne plus m'attendrir sur moi-même. Je m'efforçai d'éviter les endroits où je pourrais rencontrer des gens qui me connaissaient, j'essayai de réfléchir posément et, bientôt, je commençai à m'intéresser à une histoire à laquelle je pensais depuis des années. (Il tapota le manuscrit qui se trouvait sur la table, devant lui.) Si j'arrive à mettre cela au point, cela fera un film qui pourrait justifier tant de mauvais boulot... Dommage que j'aie dû revenir.

— Vous n'avez pas l'air d'en faire beaucoup plus ici qu'au Mexique, dis-je.

Eitel hocha la tête.

— C'est ridicule, je sais, mais à mon âge il n'est pas si simple de trouver un nouveau port d'attache. Je désirais me retrouver parmi des figures de connaissance. (Il sourit.) Sergius, je jure que je recommencerai à travailler. Il faut que ce film se fasse.

— Vous trouverez des capitaux ?

— Ce n'est pas le problème essentiel. Je connais, à Londres, un producteur que je n'aime pas beaucoup mais pour qui, en cas de besoin, je pourrais travailler. Nous avons correspondu. Mon idée l'excite énormément et je pourrais tourner le film en Europe, sous un pseudonyme. Tout ce qui importe, c'est d'écrire un bon scénario... Seulement, ce n'est pas si simple. J'ai un peu l'impression d'avoir été... amputé. Figurez-vous que je n'ai pas eu une femme en trois mois.

Je comprenais encore moins Eitel lorsqu'il me confiait tout cela. J'avais toujours pensé que se connaître soi-même était la seule chose nécessaire, probablement parce que je ne me connaissais pas du tout. Je me demandais comment Eitel pouvait à la fois parler de lui-même aussi lucidement et être incapable d'en tirer parti. J'étais même surpris qu'il n'eût pas l'air étonné du fait que je ne lui disais rien de moi, et j'en venais à douter de la qualité de notre amitié. Souvent, après l'avoir quitté et être rentré chez moi, je cessais de penser à Eitel et me replongeais dans mon propre passé. J'aurais voulu lui en parler, essayer d'expliquer certaines choses que je n'arrivais pas à éclaircir tout seul, mais c'était impossible. Je ne me rappelle pas avoir jamais parlé de l'orphelinat, du moins depuis mon entrée à l'Armée de l'Air. J'avais un désir intense de ressembler à tout le monde, du moins à tous mes camarades, et pour y arriver j'avais participé à un tournoi de boxe, ce qui m'avait permis d'entrer à l'école des pilotes. J'y avais travaillé dur. Rien ne me semblait aussi important que de réussir.

Il est difficile de dire ce que cela signifie : être pilote. J'avais des amis que je croyais à toute épreuve. Au combat, machinalement, au gré des circonstances, j'avais sauvé deux ou trois fois d'autres pilotes, qui m'avaient rendu la pareille. Cela créait des liens entre nous. Nous savions que nous étions différents des autres et, pour une fois dans ma vie, il me semblait que j'avais une famille.

Cela aussi s'écroula. Je puis même dire le jour où la chose arriva. Ce ne fut pas au cours d'un combat. Se battre contre un appareil ennemi est une chose impersonnelle. Elle comporte l'agréable excitation de toute compétition impersonnelle. Je n'ai jamais eu, ensuite, d'autre sentiment que celui d'avoir gagné une partie, au jeu. Je pilotais un avion comme j'avais boxé. En période de vol, j'étais calme, comme nous l'étions tous, mais c'étaient les seuls moments de ma vie où j'étais heureux, où je ne désirais pas être ailleurs. Je ne pensais jamais à ce que je ferais après avoir quitté l'Armée de l'Air.

Parfois, il nous arrivait de lâcher des bombes incendiaires sur des villages orientaux. Je n'aimais pas cela particulièrement, mais j'avais autre chose à quoi penser, au cours de ces missions, et je songeais uniquement à manœuvrer mon appareil. Vue du ciel, une ville en flammes n'est pas un spectacle très impressionnant.

Un matin, revenant d'une mission de ce genre, j'allai

déjeuner au mess de notre camp, près de Tokyo. Un de nos serviteurs japonais, un garçon de quinze ans, venait de se brûler au bras en renversant une casserole de soupe. Avec le stoïcisme des Orientaux, il servait d'une seule main, tenant son bras brûlé derrière son dos. La sueur perlait à son front, et il secouait la tête parce qu'il faisait mal son service. Je ne pouvais détacher mes regards de sa brûlure. Elle allait du coude à l'épaule et la peau était couverte d'ampoules. La vue de cette brûlure m'énervait. Pour la première fois depuis des années, je pensais à mon père, au petit bossu de l'orphelinat, aux sermons de Sœur Rose.

Après le déjeuner, je pris le Japonais à l'écart et réclamai un onguent pour les brûlures. Comme il n'y en avait pas, j'ordonnai que l'on fît bouillir du thé et qu'on en fît des compresses. Et soudain je pris conscience du fait que, deux heures plus tôt, je m'étais activement employé à brûler moi-même Dieu sait combien de gens...

J'essayai ensuite de chasser l'image du jeune Japonais, de son bras, de son sourire. En vain. Il ne se passa rien de précis, mais bientôt je sentis se modifier mes rapports avec les autres pilotes. Je n'étais plus aussi certain de les trouver sympathiques. Nous n'étions pas de la même race. Ils étaient dans leur rôle, tandis que moi, je trichais. Des choses que j'avais oubliées me hantaient et me rendaient malade. Il fallait choisir. Au terme de mon temps de service, je devais décider si j'adopterais définitivement la carrière de pilote militaire. Je me mis à faire de la dépression nerveuse et passai une saison à l'hôpital. Bien que peu sérieusement malade, je restai sept semaines au lit. Lorsque je me levai, j'appris que j'étais réformé, sur ordre médical. Cela n'avait plus guère d'importance. J'aurais été incapable de voler, et mes réflexes étaient devenus mauvais. On me dit que je devrais porter des lunettes, ce qui, à vingt-deux ans, me donna l'impression d'avoir beaucoup vieilli. Mais on se trompait : je me passai fort bien de verres, mes yeux allèrent mieux, sinon le reste. Durant ces semaines au lit, je m'étais souvenu des livres que je lisais quand j'arrivais à fuir l'orphelinat et, imaginant ce que serait mon existence hors de l'armée, j'éprouvai un bizarre sentiment d'espoir en pensant que je pourrais devenir un écrivain.

Désert d'Or n'était peut-être pas l'endroit rêvé pour commencer cette nouvelle carrière et en vérité je n'y écrivis pas une ligne. Mais c'est que je n'étais pas encore prêt à me mettre au travail. J'avais besoin de laisser passer du temps, besoin de la chaleur du soleil. Comment faire comprendre que je ne désirais pas éprouver de sentiments trop vifs, que je désirais ne pas penser ? J'avais l'impression qu'il y avait deux mondes. Un monde réel, le monde de la guerre, des clubs de boxe, des orphelinats, le monde où des orphelinats brûlaient d'autres orphelins, et auquel il valait mieux ne pas penser — et un autre monde plus séduisant, où vivent la plupart des gens : le monde imaginaire...

Mais je m'égare. L'hiver allait venir et tout allait être changé dans mes rapports avec Dorothea à *La Gueule-de-Bois* et avec Eitel au *Yacht-Club*.

La colonie du cinéma n'était pas depuis huit jours à Désert d'Or que la petite histoire que je veux raconter commençait déjà à se dessiner...

DEUXIÈME PARTIE

VII

LA SAISON DÉBUTA par quelques pluies, peu abondantes mais suffisantes pour faire fleurir les plantes du désert, ce qui donna le signal de l'arrivée de la foule venant de Hollywood. Les gens de cinéma envahirent les hôtels, et les résidents saisonniers ouvrirent leurs maisons. On commença à croiser dans la rue vedettes de l'écran, joueurs, bandits à raison sociale, modèles, amuseurs, athlètes, constructeurs d'avions, et même un ou deux artistes. Ils débarquaient de toutes sortes de véhicules : limousines Cadillac, décapotables rouges ou jaune d'or, petites et grosses voitures étrangères. Pour ma part, je me pris à apprécier le mur qui entourait ma maison et préservait mon isolement, et je sentis à quel point Désert d'Or devait paraître étrange au touriste occasionnel, qui n'en connaissait que les rues.

Eitel ne supportait pas cette invasion. Il avait choisi la solitude et ne se montrait plus que rarement à l'hôtel. Un jour, comme j'arrivais chez lui, le téléphone sonna dans sa chambre à coucher. De l'entrée, je l'entendis parler. Quelqu'un l'invitait à lui rendre visite au *Yacht-Club,* où il venait d'arriver. Lorsqu'il eut raccroché, il me parut très excité.

— Ça vous plairait de rencontrer un pirate ? me dit-il en riant.

— De qui s'agit-il ?

— Du producteur Collie Munshin.

— Pourquoi est-ce un pirate ?

— Attendez de l'avoir vu...

Mais Eitel ne put s'empêcher de m'en dire davantage. Il s'en voulait à lui-même, je crois, du plaisir que cette invitation lui faisait.

Munshin était le gendre d'Herman Teppis, m'expliquat-il, et Teppis était le grand patron de la *Supreme Pictures*. Munshin, en épousant la fille de Teppis, était devenu l'un des plus importants producteurs de la capitale du cinéma. « Il y serait d'ailleurs arrivé de toute manière, disait Eitel. Rien ne saurait arrêter Collie. » J'appris qu'il avait fait un peu tous les métiers : représentant de commerce, journaliste, speaker à la radio, agent de presse, impresario, assistant de producteur, avant de devenir producteur lui-même.

— Il fut un temps, me dit Eitel, où je l'employais comme garçon de bureau. La force de Collie, c'est qu'il n'a honte de rien. Comment arrêter un homme que rien ne rebute ?

Eitel changea de chemise. A la manière dont il noua sa cravate, je devinai qu'il n'était pas aussi sûr de lui qu'il eût souhaité.

— Je me demande pourquoi il veut me voir, dit-il. Sans doute pour me voler une idée...

— Pourquoi vous en faire ? Ce n'est pas grand-chose, une idée.

— C'est assez le genre de Collie. Il s'intéresse à un vague sujet, quelque chose d'encore informe. Sur quoi il invite à déjeuner un auteur sans travail. Il écoute ses suggestions. Ils discutent de l'affaire. Le lendemain, il en invite un autre. En même temps, il dit à une demi-douzaine de spécialistes qu'il « tient » un sujet. Il en séquestre un et lui fait écrire un scénario. Après quoi, il vend sa salade au studio comme si elle était son œuvre. Oh ! il est malin, il est tenace, il sait y faire...

— Qu'est-ce qui l'empêche de diriger le studio ? questionnai-je.

— Rien, dit Eitel en passant sa veste. Un jour, il dirigera le monde. (Il sourit.) Mais d'abord il me consultera... Il m'arrive d'être plus fort que lui.

En fermant la porte derrière nous, Eitel ajouta :

— Il y a autre chose qui peut le tracasser : une histoire de femme.

— Il a tant d'aventures ?

Eitel me regarda comme si j'avais encore beaucoup à apprendre sur la psychologie des grands hommes à Hollywood.

— Ma foi, non, dit-il. Collie a trop de responsabilités. Ça freine un homme. En outre, il n'est pas si simple d'avoir un harem quand on est le mari de la fille de Teppis. Même pas une maîtresse en vue. La petite amie de Collie n'est qu'une pauvre gosse, une vague danseuse, et cela lui a déjà valu assez d'ennuis avec H. T. (1). Elle est avec lui depuis plusieurs années. Je ne l'ai jamais vue, mais Collie sera le premier à vous dire les soucis qu'elle lui donne. C'est une histoire classique : elle voudrait qu'il divorce pour l'épouser, et Collie lui laisse croire qu'il ne demande que ça. Le pauvre, il ne supporte pas l'idée de renoncer à quoi que ce soit... Bien entendu, la fille lui en fait voir. Quand il n'est pas dans les parages, elle ne se prive pas. Plusieurs des comédiens qui ont travaillé pour moi se la sont envoyée. Ils m'ont dit qu'au lit elle était sensationnelle...

— Et il s'en accommode ?

— Il y a plusieurs personnages en Collie. Etre un martyr ne lui déplaît pas.

— Drôle de bonhomme, dites donc...

— Oh ! tout le monde est « drôle », d'un certain point de vue. Collie n'est pas pire qu'un autre. Souvenez-vous seulement qu'il n'a pas son pareil dans le monde...

Nous étions arrivés au bungalow de Munshin. Eitel frappa à la porte rose pâle. Un instant passa, et j'entendis des pas. La porte s'ouvrit, mais je ne vis que le dos d'un gros homme en robe de chambre qui se précipitait au téléphone. Il cria par-dessus son épaule :

— Entrez ! Je suis à vous dans un instant, les gars...

Puis il parla d'une voix haut perchée dans l'appareil qu'il tenait de la main gauche, tandis que, de la droite, il nous versait à boire. Et, tout en poursuivant sa conversation télé-

---

(1) H. T. : Herman Teppis. Il est courant, aux Etats-Unis d'appeler les personnages en vue par leurs initiales. (N. du T.)

phonique, il m'adressait un large sourire de bienvenue. D'une taille légèrement au-dessous de la moyenne, il avait un peu l'air d'un clown, avec une grosse tête ronde sur un corps grassouillet. Il nous passa les verres pleins avec un clin d'œil, et, de sa main droite à nouveau libre, il tripota ses cheveux clairsemés, puis se tâta le flanc comme s'il avait mal au foie. On le devinait plein d'énergie. Je me dis qu'il devait rarement faire une seule chose à la fois.

Eitel s'assit d'un air las et sourit en regardant la danse sur place du producteur. Lorsque Munshin eut raccroché, il se précipita vers Eitel, la main tendue, l'air ravi.

— Charley ! s'exclama-t-il, comme si Eitel venait d'entrer et qu'il fût tout surpris de le trouver là. Vous avez une mine superbe ! Comment ça va ? On m'a raconté des tas de choses à votre sujet !

— Ça va, Collie, dit Eitel en riant. Je n'ai rien à vous refiler...

— Mais, mon joli, je ne désire que votre compagnie ! Vous êtes magnifique !... On m'a dit monts et merveilles de votre nouveau scénario. Je veux le lire lorsque vous l'aurez achevé.

— Pourquoi ? questionna Eitel.

— Mais pour vous l'acheter, bien sûr ! dit l'autre, comme si la chose ne présentait aucune difficulté.

— Je ne vous le vendrai que si vous me l'achetez sans le lire.

— D'accord, Charley. Je suis toujours prêt à acheter les yeux fermés quand ça vient de vous.

— Même Shakespeare, vous ne l'achèteriez pas les yeux fermés !

— Vous croyez que je plaisante ? dit Munshin d'un air triste.

— Ça va, Collie, répéta Eitel.

Munshin, tout en parlant, continuait à tripoter Eitel.

— Charley, ne montrez ce scénario à personne. Travaillez, c'est tout. Ne vous souciez pas de votre situation.

— Bas les pattes, Collie... Vous savez que je ferai ce film *moi-même*.

— Vous avez raison, Charley, dit Munshin d'un air grave. C'est ce que vous auriez toujours dû faire.

Il fit encore un bon mot et rapporta quelques potins, tout

en continuait à palper Eitel à la manière d'un policier fouillant un suspect. Sur quoi Eitel s'écarta de lui, et nous nous assîmes tous les trois, nous regardant bêtement. Après un instant, Munshin annonça :

— J'ai eu l'idée d'un film sensationnel.

Eitel ne réagissant pas, je demandai poliment :

— Peut-on savoir ?...

Le producteur lança le titre d'un célèbre roman français.

— Son auteur a tout dit sur le plaisir, dit-il. Depuis que je l'ai lu, je sais que je ne me croirai plus jamais amoureux.

— Pourquoi ne tournez-vous pas plutôt la vie du marquis de Sade ? ricana Eitel.

— C'est peut-être une idée à étudier...

— Collie, restez tranquille et parlez-moi de votre idée.

— Je n'en ai aucune. J'attends des suggestions. J'en ai marre de recommencer toujours les mêmes trucs. Je voudrais faire quelque chose de bien.

— Il est parfaitement malhonnête, dit Eitel avec une espèce d'admiration.

Collie sourit, en penchant un peu la tête avec l'air rusé d'un chien qu'on houspille.

— Vous exagérez toujours, dit-il.

— Personne n'arrête Collie !

— Je vous adore.

Munshin remplit nos verres. Sa lèvre supérieure était humide de transpiration, comme celle d'un bébé.

— Soyons sérieux, dit-il. Comment vont les choses ?

— Bien, Collie, très bien, dit Eitel d'un air serein. Et pour vous, comment cela va-t-il ?

Je le connaissais assez pour savoir qu'il était sur ses gardes.

— Ma vie personnelle va mal, Charley...

— Votre femme ?

Munshin regarda dans le vide. Ses petits yeux perçants avaient seuls l'air vivant en lui.

— Toujours pareil.

— Alors que se passe-t-il ?

— J'ai décidé de plaquer mon amie.

Eitel rit.

— Ce n'est pas trop tôt !

— Non, ne riez pas, Charley. Cette histoire est sérieuse pour moi.

La franchise de Munshin me surprenait. Un quart d'heure plus tôt, il ne me connaissait même pas, et voilà qu'il parlait comme s'il eût été seul avec Eitel. J'avais encore à apprendre que Munshin, comme beaucoup de gens à Hollywood, était capable de dévoiler sa vie privée devant n'importe qui, alors qu'en affaires il jouait plutôt les agents secrets.

— Vous ne la plaquez pas vraiment ? questionna Eitel d'un ton léger. Qu'est-ce qui arrive ? Teppis a fait du foin ?

— Charley ! dit Munshin. Je suis dans une situation tragique.

— Toujours amoureux d'elle ?

— Non, ce n'est pas exactement cela... C'est difficile à expliquer.

— Je n'en doute pas.

— Son avenir me tracasse.

— D'après ce que je sais, elle est capable de se débrouiller.

— Que vous a-t-on raconté ?

— Que vous n'étiez pas le seul à vous intéresser à elle, c'est tout.

Le visage rond de Munshin prit une expression affligée.

— Nous vivons dans un monde écœurant, dit-il.

— Je vous prie, Collie, murmura Eitel...

Munshin se leva.

— Vous ne comprenez pas cette fille ! s'exclama-t-il d'une voix qui me fit sursauter. C'est une enfant. Une ravissante, tendre et douce enfant...

— Et vous, vous êtes un père, un ravissant, tendre et doux papa.

— Charley, je vous ai défendu, dit Munshin. Je vous ai défendu contre des calomnies que vous n'auriez même pas supporté d'entendre. Mais je commence à croire que j'ai eu tort, et que vous êtes un être corrompu, pourri jusqu'aux moelles...

— Je ne joue pas les petits saints.

— Moi non plus, cria Munshin, je ne prétends pas être un saint. Mais j'ai des sentiments...

Il se tourna vers moi.

— Regardez-moi, dit-il. Bien sûr, j'ai l'air d'un gros bon-

64

homme qui aime à faire le pitre. Cela signifie-t-il que je n'aie pas des sentiments humains ?

A cet instant, il n'avait rien d'un clown. Sa voix haut perchée était descendue d'un ton. Elle était presque grave. Il donnait une incontestable impression de puissance physique.

— Ça va, Charley, dit-il. Je sais ce que vous pensez de moi, mais je vais vous dire quelque chose : peut-être suis-je un homme d'argent et vous un artiste ; j'ai du respect pour votre talent, un grand respect ; mais vous êtes un type sans cœur, et c'est pourquoi vous ne pouvez pas me comprendre.

Eitel avait écouté sa tirade en fumant d'un air nonchalant. Il questionna tout à trac :

— Pourquoi m'avez-vous invité, Collie ?

— Par amitié. Ne comprenez-vous pas ? Je souhaitais vous entendre me parler de vos ennuis, et vous confier les miens.

Eitel se pencha en avant.

— Je n'ai pas d'ennuis, dit-il en souriant. Parlez-moi des vôtres.

Munshin se détendit.

— Il y a du pour et du contre dans cette histoire, dit-il. Il est facile de se moquer de cette petite. Cela m'est arrivé, à moi aussi. Lorsque je l'ai levée, je pensais : « Encore une danseuse de boîte de nuit... Une petite Italienne au sang chaud... » Eh bien ! ce n'est pas si simple, Charley. (Il me regarda et dit avec une espèce d'humilité :) J'ai toujours été plein de préjugés à l'endroit des femmes. Je leur voulais une certaine « classe », une certaine distinction. Cela m'a braqué contre Elena. Elle n'est pas de taille à lutter avec les gens que je fréquente... Mais ça ne l'empêche pas d'être un être humain.

— ... Et ça ne vous empêche pas non plus de la plaquer, dit Eitel. De plaquer un « être humain »...

— Cette histoire est sans issue. Je reconnais mes fautes. Je reconnais que, sur le plan social, je suis un lâche, comme tout le monde dans notre métier.

— En sorte que, comme tous les lâches, vous en avez assez de refuser de l'épouser...

— Elena n'est pas intéressée, dit Munshin avec fermeté. Il y a quelques jours, je lui ai offert mille dollars. Elle les

65

a refusés. Elle ne m'a jamais demandé de l'épouser. Elle n'est pas non plus de celles qui menacent... Tout simplement, je ne supporte pas l'idée qu'elle perde son temps avec moi.

— C'est aussi ce que ne supporte pas Herman Teppis... Munshin ne tiqua pas.

— Laissez-moi vous parler d'elle, dit-il sur le ton d'un avocat qui s'efforce de convaincre un jury. Il y a de tout, dans cette fille : de la sensibilité, des complexes, des possibilités d'amour très pur et des choses inavouables. Mon psychanalyste l'a envoyée chez un de ses amis, mais cela n'a pas marché. Sa personnalité est trop insaisissable, voilà le problème...

Il leva la main comme pour retenir notre attention.

— Prenez, par exemple, la manière dont nous nous sommes rencontrés. Elle faisait un numéro dans un gala auquel j'assistais. Je la vis dans les coulisses, en costume, prête à paraître sur scène. Une vraie Carmen — mais une Carmen paralysée par la peur, prête à repousser son partenaire. Je me dis : « Voilà un être qui souffre, une fille à la sensibilité d'un animal sauvage... » Eh bien ! une fois sur scène, elle fut parfaite, dans sa danse flamenco. Ensuite, nous bavardâmes, et elle me dit que, les jours où elle devait danser, elle n'était pas capable d'avaler une bouchée de pain. Je lui dis que je pensais pouvoir l'aider, et elle me manifesta une reconnaissance de chatte. C'est ainsi que tout a commencé...

La voix de Munshin était empreinte d'émotion.

— Vous, Eitel, vous direz qu'elle agissait par calcul, j'imagine ? Moi, j'appelle cela de la faiblesse, de la sensitivité, de la vulnérabilité. C'est une fille que tout blesse.

Tandis que Munshin parlait, j'avais l'impression de l'entendre faire le portrait d'une héroïne de film, en le rendant plus attachant que le film lui-même.

— Dites-vous aussi qu'elle est Italienne, poursuivit-il. Ça n'arrange rien. Je n'en finirais pas de vous dire tout ce que j'ai découvert sur elle, sur la complexité humaine. Par exemple, si elle avait affaire, dans un restaurant, à un serveur noir, aussitôt elle se mettait en tête qu'il lui manquait de respect. J'ai dû lui expliquer qu'il était absurde d'avoir des préjugés raciaux. Elle m'a compris.

— Comme ça, dit Eitel, en faisant claquer ses doigts...

— Assez, Charley, dit Munshin en s'agitant sur son fauteuil... Vous savez très bien ce que je veux dire. Elle avait honte de ses préjugés. Elena déteste tout ce qu'il y a de médiocre en elle. Elle brûle du désir de s'améliorer, vous m'entendez : elle en *brûle*, littéralement...

— Collie, vous m'avez l'air un peu nerveux.

Comme s'il n'avait pas entendu, Munshin poursuivit :

— Et en ce qui concerne sa vie privée... C'est la sorte de fille qui voudrait avoir un mari et des enfants, une situation normale, une respectabilité. Vous croyez que ça ne me tracassait pas qu'elle vît d'autres hommes ? Mais je savais que c'était ma faute. C'était moi le responsable, et je le reconnais. Que pouvais-je lui offrir ?

— Et les autres ? dit Eitel.

— Oh ! ça vous va bien de parler ainsi. Charley ! Je ne crois pas à certaines différences de sexe : une femme a autant de droits qu'un homme à la liberté.

— Pourquoi ne fondons-nous pas un comité ? ironisa Eitel.

— Eitel, j'ai été trop bon avec vous. Après l'affaire de *Nuages dans le ciel,* j'ai demandé à H. T. de ne pas vous suspendre. Etes-vous si ingrat qu'il me faille vous rappeler combien de fois je vous ai aidé à faire des films que vous souhaitiez ?

— Après quoi vous les avez coupés en petits morceaux...

— Chacun a ses défauts, Charley, mais je vous ai toujours considéré comme un ami. Et ce qui se passe aujourd'hui ne changera rien à mon attitude.

Eitel sourit.

— Je me demande, reprit Munshin, ce que vous pensez d'Elena, d'après ce que je vous en ai dit ?

— Je pense qu'elle vaut mieux que vous.

— Merci pour cette parole, Charley. Je vois que vous avez compris.

Munshin fit une pause, dénoua la ceinture de sa robe de chambre et ajouta :

— Voyez-vous, il y a une heure, je lui ai dit que tout était fini entre nous...

— Il y a une heure ? Vous voulez dire qu'elle est ici, à Désert d'Or ?

— Oui.

— Vous l'avez amenée ici pour la plaquer ?

Munshin se mit à marcher de long en large.

— Ce n'était pas à dessein. Il y a longtemps qu'elle m'accompagne dans mes déplacements.

— Sans descendre dans le même hôtel que vous, bien entendu...

— Je vous ai exposé la situation.

— Et votre femme ?

— Elle arrive demain, dit Munshin... Je ne me doutais pas que les choses se passeraient ainsi. Je savais depuis des mois que ma liaison avec Elena devait finir, mais je ne m'attendais pas à ce que ce fût aujourd'hui.

Eitel secoua la tête.

— Qu'attendez-vous de moi ? Que j'aille lui tenir la main ?

— Non, c'est-à-dire... (Munshin avait l'air très malheureux.) Elle ne connaît pas un chat ici, Charley...

— Alors qu'elle retourne à Hollywood !

— Je ne supporte pas l'idée qu'elle soit seule. Qui sait ce qu'elle ferait ? Charley, j'en perds la tête... C'est Elena qui a dit que nous devrions nous séparer. Je sais ce que cela signifie pour elle : elle se sentira responsable de tout, elle se voudra indigne de moi.

— N'est-ce pas votre propre opinion ?

— Je sais, je sais, c'est moi qui suis dégueulasse, dit Munshin en s'arrêtant devant Eitel... Charley, je vous rappelle ce que vous m'avez dit, un jour, textuellement : vous m'avez dit que, lorsque vous étiez un gamin, vous vous demandiez comment faire pour avoir une femme, alors qu'aujourd'hui vous vous demandiez comment faire pour vous en débarrasser.

— Je me vantais.

— Etes-vous incapable de pitié ?

— Pour vous ?

— Ne pourriez-vous pas aller la voir ?

— Je ne la connais pas.

— Vous lui diriez que vous êtes un ami à moi.

Eitel se redressa.

— Dites-moi, Collie : c'est pour cela que vous m'avez prêté cet argent, il y a quinze jours ?

— Quel argent ?

— Ne vous en faites pas pour Sergius, dit Eitel en riant... Deux mille dollars pour qu'un metteur en scène dans la débine débarrasse Carlyle Munshin d'une fille, ce n'est pas trop mal payé !

— Charley, vous êtes un être corrompu ! s'écria Munshin. Je vous ai prêté cet argent parce que vous êtes mon ami, et je ne devrais pas avoir à vous demander d'être plus discret. Si cela se sait, j'aurai des tas d'ennuis... Pour l'instant, je pense à Elena. Ce garçon est témoin : s'il lui arrive quelque chose, ce sera en partie votre faute.

— Un peu de mesure, Collie... commença Eitel, mais Munshin l'interrompit :

— Je ne plaisante pas, Charley. Il ne faut pas que cette fille reste seule. Je n'essaie pas de me blanchir. Que voulez-vous de plus ? Mon sang ? Faites au moins une suggestion...

— Confiez-la à Marion Faye.

— Vous êtes une brute, dit Munshin. Un être souffre, et c'est tout ce que vous trouvez à dire...

— J'irai la voir, dis-je brusquement.

— Vous êtes un chic type ! dit Munshin. Mais cette affaire ne vous concerne pas.

— Ne vous mêlez pas de cela, me dit Eitel sèchement.

— Vous voyez, Charley ? Même ce garçon est prêt à s'occuper d'elle. Vous n'avez donc pas de cœur ? Pas le moindre petit morceau ? Ou bien devenez-vous trop vieux pour vous occuper d'une femme ?

Eitel s'allongea dans son fauteuil et regarda le plafond.

— Ça va, Collie, dit-il lentement. Un service en vaut un autre. J'irai me saouler avec votre amie.

— Vous êtes un ange, dit Munshin d'une voix rauque.

— Et si... ce que vous devinez arrive ?

— Seriez-vous sadique ? Je n'ai pas pensé une seconde à une chose pareille.

— Eh bien ! pensez-y !

— Elena vous plaira et vous lui plairez. Cela lui fera du bien de savoir qu'un type de votre classe s'intéresse à elle...

— Seigneur ! dit Eitel.

Le téléphone sonna.

Munshin fut sur le point d'ajouter quelques mots, comme s'il eût craint de voir Eitel changer d'avis, mais la sonnerie insistante l'en empêcha.

— Répondez, dit Eitel avec irritation.

Munshin décrocha. Il se préparait, en même temps, à remplir les verres, mais ce qu'il entendit arrêta son geste. Nous distinguâmes nous-mêmes la voix d'une femme qui pleurait et riait en même temps, une voix altérée par l'effroi et la souffrance, et qui exprimait une solitude déchirante.

— Où es-tu, Elena ? dit sèchement Munshin dans l'appareil.

La voix s'apaisa. On entendit un bruit de sanglots.

— Je vais venir, reprit Munshin... Ne bouge pas. Tu m'entends, Elena ? Reste là...

A peine avait-il raccroché qu'il était déjà occupé à s'habiller. Eitel était pâle.

— Collie, dit-il avec effort, voulez-vous que je vous accompagne ?

— Elle est dans sa chambre, à l'hôtel, dit Munshin de la porte... Je vous appellerai plus tard.

Eitel se rassit. Nous restâmes un moment silencieux, puis Eitel se versa à boire et murmura :

— Tout cela est horrible...

— Comment un homme peut-il rester avec une femme tellement... questionnai-je. C'est tuant.

Eitel me regarda.

— Un peu de pitié, Sergius, dit-il. Croyez-vous que nous choisissions nos compagnes ?

Il vida son verre d'un trait et murmura, comme pour lui-même :

— Je me demande si je connaîtrai jamais la réponse à cette question...

Le temps passa. Nous continuâmes à boire le whisky de Carlyle Munshin. L'après-midi s'écoula lentement. Il semblait absurde de rester là, aussi absurde que de s'en aller. Dehors, il n'y avait que le soleil du désert.

— Je me sens déprimé, dit Eitel avec un sourire, après une douzaine de verres.

Il avait l'air hébété. Lentement, il tapotait son front dégarni. Il ajouta :

— Je me demande comment Collie se débrouille.

En guise de réponse, eût-on dit, on frappa à la porte. J'allai ouvrir. L'arrivant, un homme âgé, m'écarta d'un regard et pénétra dans le living-room.

— Où est Carlyle ? demanda-t-il à la cantonade, en me laissant le suivre.

Eitel se leva.

— Bonjour, Mr. Teppis, dit-il.

Teppis lui jeta un regard hostile.

C'était un personnage massif, aux cheveux argentés et au teint rouge. Malgré son élégant complet blanc et sa cravate peinte à la main, il était loin d'être séduisant. Sous le hâle, ses traits étaient sans caractère. Il avait des poches sous ses petits yeux, un nez plat, un menton fuyant. Il me fit penser à un crapaud. Sa voix était faible et enrouée.

— Que faites-vous ici ? questionna-t-il.

— Judicieuse question, dit Eitel.

— Qu'est-ce qui arrive à Collie ? dit Teppis. Je ne sais pas ce qui lui a pris de vouloir vous voir. Ça me déplairait de respirer le même air que vous. Savez-vous ce que m'a coûté votre coup de tête ?

— Vous oubliez l'argent que je vous ai fait gagner... Herman.

— Ah ! dit Teppis. Vous m'appelez par mon prénom, maintenant ?... Eitel, j'ai mis Lulu en garde contre vous. Vous épousez une actrice épatante, une fille que vous ne valez pas, et vous êtes tout juste capable de traîner son nom dans la boue. Si on me voyait vous parler. j'en serais honteux...

— Je vous comprends, dit Eitel... Lulu était une charmante jeune fille américaine, et vous m'avez laissé en faire une putain.

Il parlait d'un ton froid, mais je sentais qu'il devait faire effort pour se maîtriser.

— Vous avez une grande gueule, dit Herman Teppis, mais rien de plus.

— Ne me parlez pas sur ce ton. Je ne suis plus à votre service.

Teppis se carra sur ses pieds.

— Ça me dégoûte d'avoir gagné de l'argent avec vos films... Il y a cinq ans, je vous ai appelé dans mon bureau et je vous ai averti. Vous vous souvenez ? Je vous ai dit : « Eitel, tous ceux qui essayent de trahir ce pays finiront mal. » M'avez-vous seulement écouté ?

Il leva un doigt.

— Vous savez ce qu'on dit, au studio ? Que vous préparez votre retour... Dites-vous bien que vous ne trouverez aucun travail sans notre appui. Je l'ai dit très nettement.

— Venez, Sergius, dit Eitel. Allons-nous-en.

— Minute, vous ! me dit Teppis. Comment vous appelez-vous ?

Je le lui dis. Avec mon plus bel accent irlandais.

— Drôle de nom pour un jeune premier comme vous ! Vous devriez en changer. John Yard : voilà le genre de nom qui vous irait...

Il me toisait comme s'il eût été sur le point d'acheter un paquet de vieilles frusques.

— Qui êtes-vous ? Que faites-vous ? J'espère que vous n'êtes pas un tocard ?

S'il voulait m'énerver, c'était gagné.

— Je sors de l'Armée de l'Air, dis-je.

Il y eut un éclair dans son regard.

— Aviateur ?

Arrêté dans l'entrée, Eitel décida de s'amuser un peu.

— Vous n'avez jamais entendu parler de ce garçon, H. T. ?

— Je ne vois pas, dit Teppis, prudent.

— Sergius est un héros, poursuivit Eitel d'un air inspiré. Il a abattu quatre appareils ennemis en un seul jour.

Teppis sourit comme s'il venait de faire une découverte de prix.

— Vos parents doivent être fiers de vous, dit-il.

— Je ne sais pas, répliquai-je. J'ai été élevé dans un orphelinat.

Je vis Eitel changer d'expression. Il comprenait que je disais la vérité. J'étais écœuré de me livrer ainsi. C'est toujours comme ça : des années durant, on cache un secret, et puis un jour on le dit au premier venu. Etait-ce l'influence de Teppis ?

— Un orphelin... dit-il. C'est extraordinaire. Savez-vous que vous êtes un type remarquable ?

Il sourit d'un air entendu et se tourna vers Eitel :

— Charley, venez ici. Que diable manigancez-vous ?

— Vous êtes un monstre, Herman, dit Eitel de la porte.

— Moi ? (Teppis posa une main paternelle sur mon épaule.) Je n'ai jamais fait de mal à personne... Eitel, où est Carlyle ? Qu'est-ce qui lui est arrivé ?

— Il ne me l'a pas dit.

— Je n'y comprends plus rien... Johnny, poursuivit-il en me regardant comme une chose inanimée, expliquez-moi, que se passe-t-il ?

Mais, avant que j'eusse pu répondre, il reprit :

— De mon temps, un homme qui se mariait pouvait avoir eu la main heureuse ou malheureuse, mais il se considérait comme un homme marié. J'ai été marié pendant trente-deux ans, et la photo de ma femme, que Dieu ait son âme, est toujours sur mon bureau. Pouvez-vous parler ainsi, Eitel ? Qu'y a-t-il sur *votre* bureau ? Des photos de pin-up... Plus personne ne respecte rien. Je l'ai dit à Carlyle. Que fait-il lui-même ? Il se vautre dans la boue. Et voilà l'homme que me fille a voulu épouser, un idiot qui perd son temps avec une danseuse de deux sous...

— Nous avons tous nos particularités, Herman, dit Eitel.

Teppis se fâcha.

— Eitel, s'écria-t-il, je ne vous aime pas et vous ne m'aimez pas, mais je m'efforce de m'entendre avec tout le monde...

Pour se calmer, il se tourna à nouveau vers moi et me demanda :

— Que faites-vous ? Vous êtes acteur ?

— Non.

— Je m'en doutais. Les garçons « bien » ne sont plus acteurs. Ils laissent ça aux mal-foutus...

Après s'être éclairci la voix avec une sorte d'aboiement, il poursuivit :

— Johnny, vous me plaisez... Ecoutez : demain, j'organise une petite soirée. Je vous invite.

Je sus immédiatement que j'accepterais son invitation. Tout le monde, à Désert d'Or, depuis quelques jours, parlait de cette soirée — et c'était la première *party* importante à laquelle j'étais invité. Mais en même temps je m'en voulais d'accepter, en oubliant Eitel.

Je me dis donc que je jouerais le jeu jusqu'au bout, et si Teppis voulait que j'assiste à sa soirée (je me demande d'ailleurs pourquoi), il faudrait qu'il invitât aussi Eitel.

— Je n'aimerais pas venir seul, lui dis-je.

— Amenez une fille, suggéra Teppis. Vous avez bien une petite amie ?

— Non. J'ai perdu trop de temps à piloter des avions.

Teppis hocha la tête d'un air entendu.

— Bien sûr, dit-il, je comprends...

J'ajoutai :

— Peut-être Charley Eitel pourrait-il m'aider à en trouver une ?...

Un instant, je crus que j'avais mal joué. Teppis nous regarda l'un et l'autre d'un air furieux.

— Qui a invité Eitel ? grogna-t-il d'un ton rageur.

— Je croyais..., dis-je.

Teppis se força à sourire.

— Johnny, vous êtes un ami loyal. Vous avez du cran.

Du même souffle, il poursuivit, tourné vers Eitel :

— Dites-moi, Charley, très franchement : êtes-vous un « rouge » ?

Eitel prit son temps pour répondre.

— Vous savez tout, Herman, murmura-t-il enfin. Pourquoi poser des questions ?

— Je sais ! cria Teppis. Je sais tout ce qui vous concerne. Je ne comprendrai jamais pourquoi vous vous êtes ainsi donné en spectacle ! (Il leva les bras.) Ça va, je sais aussi que votre fond est bon... Venez à ma soirée. Mais accordez-moi une faveur : ne dites pas que c'est moi qui vous ai invité. Dites que c'est Mac Barrantine.

— Drôle d'invitation, dit Eitel.

— Ne faites pas la mauvaise tête... Un de ces jours, mettez-vous en règle avec le gouvernement, et nous pourrons peut-être recommencer à travailler ensemble. Je ne vois pas pourquoi je refuserais de gagner de l'argent avec des gens qui me déplaisent.

Il me serra la main vigoureusement.

— D'accord, Johnny ? C'est entendu... Je vous attends tous les deux demain soir.

En revenant chez Eitel, je me sentais de bonne humeur. Teppis avait été chic avec moi. J'étais même assez excité, et je dis à Eitel tout ce que j'avais éprouvé en faisant mon petit numéro ; mais je me rendis compte que plus je parlais, plus il devenait sombre, en sorte que, pour changer de sujet, je dis en riant :

— Que pensez-vous de cette invitation ? Je me demande quelle tête feront les autres en vous voyant...

Eitel hocha la tête.

— Ils diront probablement que je me suis expliqué avec la Commission d'enquête... Sinon, pourquoi Teppis m'inviterait-il ?

Cette idée désagréable le fit sourire avec amertume, et nous ne dîmes plus un mot jusqu'au garage. Là, il fit un arrêt plutôt brutal et s'écria :

— Sergius, je n'irai pas...

— Soit, dis-je, comme vous voudrez...

Je désirais toujours me rendre à la soirée de Teppis, mais ce serait plus difficile sans Eitel : je ne connaissais personne.

— Vous avez bien fait, tout à l'heure, dit-il. Allez-y, vous. Vous vous amuserez. Mais moi, je ne pourrais pas. Teppis m'en a trop fait voir.

Nous entrâmes dans la maison. Eitel se laissa tomber dans un fauteuil et appuya ses mains sur son front. Le manuscrit de son scénario était sur le coin de la table, près de lui. Il le prit, le feuilleta et le laissa tomber à terre.

— Ne le dites à personne, Sergius : ce scénario ne vaut rien...

— Vous êtes sûr ?

— Je ne sais pas. Je n'ai plus d'opinion... Si jamais j'en fais quelque chose, rappelez-moi cette conversation, voulez-vous ? Je me demande si j'étais aussi déprimé, jadis, quand je travaillais vraiment...

— Je vous la rappellerai, dis-je.

Un peu plus tard, Munshin téléphona. Eléna allait bien, dit-il. Elle dormait. Ce soir encore il prendrait soin d'elle, mais il demandait à Eitel de s'en occuper le lendemain et de la distraire. Eitel promit. Quand il raccrocha, il y avait dans ses yeux une lueur amusée.

— Je ne pourrai plus m'accuser de faire ma cour à Teppis si j'amène à la réception la maîtresse de son gendre !

— Mais elle, qu'en pensera-t-elle ?

— Ce serait peut-être le meilleur moyen pour elle d'en finir avec Mr. Munshin. Elle saura qu'un inconnu est capable d'en faire plus pour elle en une soirée que lui n'en a fait en trois ans.

— Où voulez-vous en venir ? questionnai-je.

— J'irai à cette soirée, dit Eitel. Avec elle...

VIII

Pour sa réception Herman Teppis avait retenu, au *Yacht-Club,* le salon Laguna. Ce n'était nullement un salon, mais un lieu de réunion à ciel ouvert, peint en jaune citron, avec un bassin, des tables, une piste de danse et un bar. Des jeux de lumière modifiaient sans cesse la couleur de l'eau, qui passait du rouge tomate au jaune d'or et au noir d'encre. Les musiciens étaient installés sur un îlot de six mètres, au milieu du bassin, ce qui les défendait contre les facéties des ivrognes.

Pour Herman Teppis, la direction du *Yacht-Club* avait fait un effort supplémentaire. On avait disposé çà et là des projecteurs et des rampes rappelant l'éclairage d'un plateau de studio. Il y avait même une magnifique camera de carton-pâte, installée sur une plate-forme de bois et flanquée d'un mannequin costumé en opérateur de film muet, avec une casquette à l'envers et des knickerbockers...

J'avais eu des difficultés pour entrer. Eitel était parti tôt dans la soirée pour retrouver Elena et comme, vers onze heures, il n'avait pas encore reparu, je m'étais rendu seul au *Yacht-Club* dans mon plus bel uniforme. A l'entrée, un homme en tenue de commissaire de bord vérifiait les noms des invités. Il ne trouva pas le mien sur la liste.

— Peut-être suis-je inscrit sous le nom de John Yard, dis-je.

Pas de John Yard non plus sur les tablettes du commissaire de bord.

— Regardez à Charles Eitel, suggérai-je.

— Mr. Eitel est sur la liste, oui — mais vous ne pouvez entrer sans lui...

Finalement, il découvrit pourtant mon nom, que Teppis avait ajouté au dernier moment, de sa main. Mais il avait écrit « *Shamus Quelque-Chose* ». C'est donc en tant que Shamus Quelque-Chose que je fis mon entrée.

Tout d'abord, je remarquai une demi-douzaine de femmes, assises sur deux canapés qui se faisaient face. Elles étaient vêtues de toilettes coûteuses, et leur maquillage, conçu pour dissimuler des lèvres trop minces, des yeux trop petits ou des cheveux gris de souris, leur donnait des lèvres pulpeuses, des joues creuses, des cheveux dorés ou châtains. Semblables à des guerriers derrière leurs boucliers peints, elles étaient assises là, l'air hautain, trois de chaque côté, se regardant l'une l'autre, échangeant quelques mots d'un air morne. Je m'inclinai, ne sachant s'il fallait me présenter ou poursuivre mon chemin, et l'une d'elles me demanda d'une voix dure :

— Vous êtes sous contrat à la *Magnum* ?

— Non, dis-je.

— Ah ! Je vous ai pris pour un autre...

Et son regard se détourna de moi.

Elles parlaient de leurs enfants et je compris (Eitel me le confirma plus tard) qu'elles étaient les épouses d'hommes importants ou qui souhaitaient l'être. Leurs maris se pourchassaient l'un l'autre dans les parages, sans s'occuper d'elles.

— Vous dites que la Californie n'est pas saine ? dit l'une d'elles d'un air outré. Mais son climat est merveilleux pour les enfants !

Lorsqu'un homme passait près d'elles, elles essayaient de ne pas lui prêter attention. Je me rendis compte qu'avec mon sourire idiot et mon air de ne pas savoir si je devais leur parler, j'avais eu le mauvais goût de souligner leur situation de délaissées. Quelques autres types entrèrent après moi, et je remarquai que, lorsqu'ils ne se contentaient pas de passer devant elles sans un regard, ils ne s'arrêtaient qu'une seconde pour manifester une politesse aussi laconique que chaleureuse. Ce qui donnait par exemple ceci :

— Carolyn ! disait l'homme comme s'il n'en croyait pas ses yeux.

— Mickey ! disait l'une des six.

— Ma préférée ! reprenait-il en lui tenant la main.

— Le seul homme véritable que je connaisse ! disait l'abandonnée.

Mickey souriait, s'inclinait, gardait l'autre main dans la sienne, poursuivait :

— Si je vous prenais au mot, je vous demanderais un rendez-vous...

— Etes-vous sûr que je plaisante ? disait la femme.

Mickey se redressait, lâchait la main, il y avait un silence. Puis Mickey murmurait :

— Quelle femme vous êtes !

Sur quoi, sur le ton d'un homme d'affaires qui met le point final à une conversation, il disait :

— Comment vont les enfants, Carolyn ?

— Merveilleusement bien.

— C'est parfait, parfait...

Il souriait aux autres femmes et concluait :

— Il faut que nous ayons une longue conversation, tous les deux.

— Vous savez où me trouver.

— Une chic fille, Carolyn, proclamait Mickey à la cantonade en s'en allant...

Partout où il y avait un canapé, on y voyait trois femmes de ce genre. Bon nombre d'hommes étaient venus seuls ; ils s'étaient rassemblés par petits groupes, près du bassin, autour de la piste de danse, aux tables et surtout près du bar. Je pris un verre et me mis à errer, en quête d'une fille à qui parler. Mais toutes les jolies filles étaient très entourées, bien qu'il y eût moins d'hommes autour d'elles qu'autour de tel metteur en scène ou de tel gros bonnet du cinéma. Je ne savais trop comment me mêler aux conversations, qui avaient toutes un air confidentiel. J'avais pensé que mon aspect et mon uniforme me serviraient, mais la plupart des filles semblaient goûter surtout la conversation d'hommes mûrs, gras ou maigres. La palme revenait à un metteur en scène allemand à grosse panse, qui tenait par la taille deux starlettes à la fois.

Dans une espèce d'enclave formée par deux tables, près du bar, je trouvai Jennings James, en train de raconter une histoire drôle à quelques obscurs acteurs. Les yeux de Jay-Jay étaient troubles, derrière ses lunettes cerclées de métal. Lorsqu'il se tut, on raconta d'autres histoires, plus confuses les unes que les autres. Comme je m'éloignais, Jay-Jay me courut après.

— Quelle soirée sinistre, dit-il... Je suis ici en service commandé. Je dois m'occuper des photographes. (Il eut un renvoi.) Je les ai laissés au buffet. Les photographes aiment mieux manger que boire, figurez-vous !

Il s'accrocha à mon épaule, et je compris qu'il attendait que je l'escorte jusqu'aux toilettes.

— Vous connaissez ce vers ? commença-t-il. *J'ai vu le tombeau où repose Laure...*

Mais il perdit aussitôt le fil de son propos et me regarda d'un air stupide.

— C'est un beau vers, conclut-il...

Sur quoi, comme un gosse qui s'est accroché à un tramway pour monter une côte et en saute une fois arrivé au sommet, il lâcha mon épaule et pénétra dans les w.-c.

Je me remis à errer d'un groupe à l'autre.

Un metteur en scène achevait une histoire dont je n'entendis que la fin :

— ... Alors je me suis assis et je lui ai déclaré que, pour être une bonne actrice, elle devait penser avant tout à la vérité de son jeu, racontait-il d'un air assez content de lui-même. Elle m'a demandé de préciser ma pensée. Je lui ai dit que la vérité peut être définie comme le rapport exact existant entre les êtres... Vous avez vu ce que j'ai obtenu d'elle.

Il s'interrompit, et ceux qui l'entouraient approuvèrent, d'un air entendu.

— Quel précieux avis vous lui avez donné là, Mr. Steale, dit une fille — et les autres eurent un murmure approbateur.

— Howard, implora l'un d'eux, racontez-nous ce qui s'est passé avec Mr. Teppis.

— Cette histoire concerne surtout Herman, dit le metteur en scène, mais je sais qu'il ne m'en voudra pas. Je pourrais vous en raconter tant sur mes rapports avec lui... H. T. a un instinct presque infaillible. C'est pourquoi il est un grand bonhomme, un grand créateur...

— C'est bien vrai, dit la fille de tout à l'heure.

Je n'écoutai pas l'histoire annoncée, mais, un peu plus loin, faillis renverser son héros. Herman Teppis se tenait dans un coin, occupé à discuter avec deux hommes qui lui ressemblaient. On me les avait déjà indiqués comme étant Eric Haislip, directeur de la *Magnum,* et Mac Barrantine, de la *Liberty Pictures,* mais je l'aurais deviné tout seul, car ils se tenaient à l'écart de tous les autres. Si j'avais bu avec plus de modération, j'aurais tenu compte du privilège qui autorisait ces trois hommes à se parler entre eux, sans être entourés de curieux. Au lieu de quoi, je me plantai à côté du producteur Mac Barrantine. Ils poursuivirent leur entretien sans me prêter attention.

— Que pensez-vous faire avec *La Tigresse ?* disait Eric Haislip.

— De trois et demi à quatre, dit Herman Teppis.

— De trois et demi à quatre ? H. T., vous ne parlez pas à vos services de New-York... Vous aurez de la veine si vous rentrez dans votre argent.

— Je pourrais acheter votre studio avec ce que ce film rapportera, grogna Teppis.

Mac Barrantine dit lentement sans abandonner son cigare :

— Vous allez trop fort dans vos prévisions, mon vieux. Il fut un temps où je vous aurais dit : « Marchons ensemble, nous ferons un million. » Mais, aujourd'hui, comment savoir ? Un navet fait de l'argent, une comédie musicale classique, comme *Des filles et des chansons,* tombe à plat. Allez vous y retrouver !

— Savez-vous ce qui se passe ? dit Herman Teppis d'un air sentencieux. Aujourd'hui, les gens ont l'esprit confus et ils en viennent à aimer les films confus. Le jour où ils auront la tête complètement à l'envers, ils retrouveront le goût de la clarté.

— Ce qu'ils veulent, dit Eric Haislip, c'est du réalisme.

— Du réalisme ? explosa Teppis. Nous leur en donnons ! Mais, sous prétexte que dans les films italiens on leur montre des gens en train de vomir, faut-il que nous fassions la même chose ?

— C'est le règne de l'anarchie, dit Mac Barrantine. Les meilleurs metteurs en scène sont devenu cinglés.

— Charley Eitel vous a coupé la gorge, dit Haislip.

Teppis les regarda comme s'il se fût souvenu de circonstances où chacun d'eux avait tenté de lui faire subir le même sort.

— Tout le monde a essayé de me couper la gorge, dit-il. Mais j'ai une gorge qu'on ne coupe pas... Tout ça, c'est du passé. Je finis toujours par avoir raison...

— C'est l'anarchie, répéta Mac Barrantine... J'ai une vedette, dont je ne vous dirai pas le nom. Elle savait que nous allions mettre en chantier un grand film avec elle. Elle est venue me trouver, savez-vous pourquoi ? Pour me dire : « Mr. Barrantine, je vais avoir un enfant. J'ai six semaines de retard... » Je lui ai dit : « Un enfant, vous ? Et votre engagement ? D'ailleurs, je vous connais, vous êtes beaucoup trop égoïste pour vous soucier d'élever un gosse ! » Elle se lamenta : « Mr. Barrantine, que puis-je faire ? » Alors je lui ai dit : « Je ne suis pas là pour vous donner des conseils. Mais vous ferez aussi bien de faire ce qu'il faut... »

— On m'a dit qu'elle allait le tourner, ce film, dit Eric Haislip.

— Bien sûr, qu'elle va le tourner ! C'est une fille ambitieuse... Mais la discipline et le respect, bernique !

Eric Haislip me regarda.

— Qui êtes-vous ? questionna-t-il soudain, bien qu'il se fût avisé de ma présence depuis un bon moment. Que voulez-vous, mon garçon ?

— J'ai été invité, dis-je.

— Vous ai-je invité à vous asseoir sur mes genoux ? demanda Mac Barrantine.

— Vous seriez bien le premier, murmurai-je.

A ma surprise, Teppis intervint.

— Laissez ce garçon tranquille, dit-il. Je le connais. C'est un chic type.

Barrantine et Haislip me regardèrent fixement. Je leur rendis la pareille, et nous demeurâmes ainsi un instant, pareils à quatre camions à un carrefour.

— Ah ! la jeunesse ! dit Teppis aux autres... Vous croyez que vous savez tout ? Ecoutez plutôt la jeunesse. Ce garçon pourrait vous en apprendre long...

Barrantine et Haislip n'avaient pas l'air particulièrement

curieux de savoir ce que j'avais à leur apprendre. La conversation languit pendant quelques minutes, puis ils s'éloignèrent, sous prétexte d'aller remplir leurs verres.

— Je vais appeler le maître d'hôtel, suggéra Teppis.

Mais ils déclinèrent son offre. Ils avaient besoin de se dégourdir les jambes. Lorsqu'ils furent partis, Teppis me regarda d'un air malicieux, et j'eus l'impression qu'il n'était intervenu en ma faveur que pour leur faire affront.

— Des types de premier ordre, me dit-il. Je les connais depuis des années.

— Mr. Teppis, dis-je avec humeur, pourquoi m'avez-vous invité ?

Il éclata de rire et me posa une main sur l'épaule.

— Vous êtes un type culotté, dit-il. Vous n'avez pas la langue en poche. J'aime ça...

D'un air de conspirateur, il poursuivit de sa petite voix enrouée :

— Voyez le désert. C'est un endroit merveilleux pour se sentir bien vivant. Il me semble toujours y entendre de la musique... Oui, comme dans une opérette. Un désert plein de cow-boys et de ces types qui vivent seuls... comment les appelle-t-on ? Des ermites... Des cow-boys, des ermites et des chercheurs d'or... Vous qui êtes jeune, n'aimeriez-vous pas un film où il y aurait tout cela ?

Sans attendre ma réponse, il reprit :

— Il faudrait un grand réalisateur pour le tourner, un type qui connaisse le désert... Eitel, par exemple.

Et il ajouta brusquement, avec un regard inquisiteur :

— Est-ce qu'il se saoule toujours ?

— Pas trop, dis-je.

— Il faudra que nous ayons une longue conversation, vous et moi. J'aime bien Charley Eitel. Je voudrais qu'il n'ait pas à traîner un pareil boulet. La politique !... C'est idiot, n'est-ce pas ? Qu'en pensez-vous ?

— Je pense qu'il va faire le meilleur film de sa carrière, dis-je avec l'espoir d'inquiéter Teppis.

— Ouais, dit-il en se touchant le front du doigt... Pour les salles d'avant-garde. Cela ne viendra pas du cœur.

Passant une fois de plus du coq à l'âne, il déclara :

— Vous êtes trop sûr de vous pour réussir... Qui se soucie

de vos petites opinions ? Je vais vous dire la vérité : Eitel est fini.

— Pas d'accord, dis-je, en me rendant compte avec ravissement que j'étais la seule personne présente qui n'eût pas à être polie avec Herman Teppis.

— Pas d'accord ? Qu'est-ce que vous en savez ? Vous êtes un gamin...

Mais, tandis qu'il parlait, je devinais ce qui se passait en lui : Herman Teppis était en train de se demander s'il avait tort ou raison d'envisager de faire retravailler Eitel.

— Ecoutez, dit-il...

Mais une femme l'interrompit :

— Bonsoir, papa.

— Lottie ! dit Teppis avec chaleur en l'embrassant. Pourquoi ne m'as-tu pas téléphoné, ce matin ?

— J'ai dû oublier, dit Lottie Munshin. Je préparais les bagages.

Teppis se mit à l'interroger sur ses petits-enfants et me tourna presque le dos. J'observai avec curiosité la femme de Carlyle Munshin. C'était une de ces femmes qui vieillissent trop vite, mince, nerveuse, le visage crispé, avec des yeux pâles, un peu hagards. Elle portait une robe de prix et avait pourtant l'air mal fagotée. Elle avait des salières, et, eût-on dit, la chair de poule. Sa voix était pincée, comme si elle eût eu la gorge serrée.

— Je n'ai pu venir plus tôt, dit-elle. Doxy a eu des petits. Tu connais Doxy ?

— C'est un de tes chiens ? questionna Teppis, l'air mal à l'aise.

— Tu ne te la rappelles pas ? C'est elle qui a remporté le premier prix, au concours...

— Ah ! tant mieux, dit Teppis... Tant mieux ! Et maintenant si tu oubliais ces chiens pendant une semaine ou deux ? Tu as besoin de bonnes vacances, de te détendre, de prendre un peu de bon temps avec Collie.

— Je ne peux pas les abandonner pendant deux semaines ! dit-elle avec effroi. Salty doit mettre bas d'ici dix jours, et nous devons commencer à entraîner Blitzen et Nod pour les concours...

— Ah ! bon, dit Teppis... Eh bien ! à présent, j'ai quel-

84

qu'un à voir. Je te laisse avec ce jeune homme. Il te plaira...
Et n'oublie pas, conclut-il : il y a des choses plus importantes
que les chiens...

Je le regardai s'éloigner, assailli à chaque pas par des cour-
tisans, en entraînant parfois un à sa suite comme un parasite.
Un couple s'arrêta même de danser pour se précipiter vers lui.

— Vous aimez les chiens ? me demanda Lottie Munshin,
avec un rire bref, la tête penchée de côté.

Je commis l'erreur de dire :

— Vous les élevez vous-même, n'est-ce pas ?

Sa réponse n'en finit pas. Elle entra dans des détails et des
commentaires, en véritable fanatique de la question, et je
restai là à l'écouter, essayant de retrouver en elle la petite fille
qu'elle avait dû être.

— Collie et moi avons le plus beau ranch de la région,
dit-elle enfin de sa voix acide. Bien entendu, c'est moi qui
m'en occupe. Je peux vous assurer que ce n'est pas rien. Je
me lève chaque jour à six heures...

— Vous êtes matinale...

— Je me couche tôt aussi. J'aime me lever avec le soleil.
C'est une excellente habitude pour bien se porter. Vous êtes
encore jeune, mais pensez-y. Les hommes devraient vivre aux
mêmes heures que les bêtes, ils se porteraient aussi bien
qu'elles.

Par-dessus son épaule, je regardais la piste de danse et le
bassin, et j'étais partagé entre mon désir de la quitter et ma
répugnance à la laisser seule.

— C'est une espèce de vocation, dit-elle, d'élever des
chiens ; et je fais de la culture. Je me dis parfois que mon
père devait avoir le désir inavoué d'être fermier, et qu'il me
l'a transmis. Vous ne croyez pas ?

— Ah ! dis-je avec soulagement, voici votre mari.

Elle l'appela. Il était assez loin de nous, mais, au son de
la voix de Lottie, il tourna les yeux vers nous avec une surprise feinte et s'approcha. Lorsqu'il me reconnut, son expression changea pendant une seconde, mais il me serra la main
avec chaleur.

— Comme on se retrouve ! s'exclama-t-il.

— Carlyle, dit Lottie Munshin d'une voix soucieuse, je

85

voulais te demander si tu comptes essayer ce nouveau régime ?

— Je verrai, dit-il d'un air agacé. Et, me prenant le bras : Lottie, il faut que je parle à Sergius. Excuse-nous.

Sur quoi, sans plus de façon, il m'entraîna dans un coin, sous un yucca.

— Que faites-vous ici ? questionna-t-il.

Une fois de plus, j'expliquai qu'Herman Teppis m'avait invité.

— Eitel aussi ?

Je hochai la tête, et Munshin éclata :

— Je ne lui pardonnerai pas s'il amène Elena ici, dit-il avec indignation.

Je me mis à rire :

— Cette soirée est sinistre, dis-je. Cela fera une attraction...

Munshin m'étonna. Une expression malicieuse se peignit sur ses traits, et il m'apparut soudain comme un clown sagace et subtil.

— Je payerais gros pour savoir ce que H. T. a dans la tête, murmura-t-il comme pour lui seul, en me plantant là.

La soirée s'animait un peu. Des gens disparaissaient par couples, ou se rassemblaient en groupes bruyants... Dans un coin, on jouait aux charades. Les danseurs avaient envahi la piste. Un acteur connu faisait son petit numéro, et une discussion engagée à propos d'une pièce à succès couvrait presque la musique de l'orchestre. Un homme ivre avait réussi à grimper sur la plate-forme portant la camera de carton, et il y faisait le pitre tandis que sa femme riait bruyamment. Le maître nageur de l'hôtel se livrait à une exhibition de plongeon dans une partie du bassin spécialement aménagée, devant quelques rares spectateurs.

Je vidai encore un verre ou deux au bar et essayai sans succès de me mêler à l'un ou l'autre groupe d'invités. Finalement, je me résignai avec ennui à écouter un chanteur déguisé en cow-boy qui chantait de vieilles ballades folkloriques.

Quelqu'un me toucha l'épaule, un homme blond en qui je reconnus le moniteur de tennis du *Yacht-Club*. Il me souriait.

— Venez, dit-il. Je voudrais vous présenter quelqu'un qui souhaite vous connaître.

Il s'agissait de l'acteur Teddy Pope, un grand type au

visage ouvert. Une frange de cheveux bruns couvrait à demi son front. Lorsque le moniteur eut fait les présentations, Teddy Pope me dit :

— Cette soirée est assommante, vous ne trouvez pas ?

Nous échangeâmes un sourire. Je ne trouvais rien à dire. Marion Faye était assis près de Pope. Il avait l'air de s'ennuyer ferme et me fit seulement un petit signe de la tête.

— Vous jouez à la roulette ? me demanda le moniteur de tennis. Teddy est un *aficionado*...

— J'ai essayé de mettre au point une martingale. J'avais une théorie sur les nombres. Mais, du point de vue mathématique, c'était trop calé pour ma faible intelligence. J'ai engagé un statisticien pour faire le travail...

Il me regarda avec intérêt.

— Vous faites des haltères ? questionna-t-il.

— Non. Je devrais ?

Ma réplique devait être très amusante, car Pope, Marion Faye et le moniteur éclatèrent d'un rire bruyant.

— Je suis capable de courber une barre de fer, dit Teddy... Si elle n'est pas trop grosse, bien sûr. Je fais des haltères, pour ne pas engraisser. Ça ne m'empêche d'ailleurs pas de grossir. C'est dégoûtant...

Il se pinça la peau du ventre, comme pour illustrer ce qu'il disait. Il n'avait d'ailleurs pas une once de graisse.

— Vous m'avez l'air en pleine forme, dis-je d'un air embarrassé.

— Les haltères t'abiment les mains, dit le moniteur de tennis.

Teddy Pope ne répondit pas.

— Je vois que vous êtes aviateur, me dit-il. Est-il exact que la plupart d'entre vous ne vivent que pour boire et courir les filles ?...

Il suivit des yeux, avec un sourire bizarre, une fille qui passait.

— Voilà une beauté, dit-il. Aimeriez-vous la connaître ? Marion m'a dit que vous étiez un peu timide...

— Je me débrouille.

— Pourquoi ne l'aidez-vous pas, Teddy ? dit Marion d'un air railleur.

— Asseyez-vous, Sergei, dit le moniteur de tennis.

— Non, excusez-moi, dis-je. J'ai promis à quelqu'un de lui apporter à boire.

— Revenez si vous vous ennuyez, dit Teddy.

Près d'un autre yucca, je fus abordé par un petit homme chauve en complet tropical bleu ciel, qui tenait par la main une mince fille rousse.

— Ah ! je vous retrouve enfin, dit-il vivement... Permettez-moi de me présenter : Bunny Zarrow. Vous avez peut-être entendu parler de moi ? Je suis impresario.

Comme je le regardais avec surprise, il ajouta :

— Je vous ai vu causer avec Mr. Teppis. Puis-je vous demander de quoi vous parliez ?

— Il voulait avoir mon avis sur un film.

— Très intéressant ! Ça n'arrive pas souvent. Comment vous appelez-vous ?

— John Yard.

— Vous êtes sous contrat, j'imagine ?

— Bien sûr.

— Un contrat peut parfois être amélioré... Je serais heureux de m'occuper de vous. Le moment est mal choisi pour en parler, mais voulez-vous que nous déjeunions ensemble ? Je vous téléphonerai au studio.

Il me désigna la fille qui l'accompagnait :

— Je voulais vous présenter Candy Ballou.

La fille sursauta et essaya de sourire. Elle était complètement saoule. Bunny me prit à part :

— Prenez son numéro de téléphone, dit-il avec un clin d'œil. C'est une fille charmante. Je voudrais vous faire plaisir. Si je n'étais pas tellement occupé, je garderais son numéro pour moi, mais ce serait égoïste...

Il me ramena près de Candy Ballou et mit la main de la rousse dans la mienne.

— Je suis sûr que vous vous entendrez très bien, dit-il.

Et il s'en alla.

— Voulez-vous danser ? demandai-je à la fille.

— T'affole pas, mon joli, dit-elle.

Et, me regardant d'un œil vague, elle ajouta :

— Pour quel studio tu travailles ?

— C'était une blague, Candy, dis-je.

— Tu t'es fichu de Zarrow, hein ?

— Exactement.

— Qu'est-ce que tu fais, dans la vie ?

— Rien.

— Fauché, hein ? J'aurais dû m'en douter...

Sur quoi, elle esquissa un pas de rumba, vacilla et me dit d'une voix brisée :

— Si t'étais un gentleman, tu me conduirais aux toilettes...

En revenant, avec pour seul compagnon un nouveau verre plein, je vis enfin arriver Eitel.

Il était avec une femme. Je devinai que c'était Elena.

IX

ELENA ÉTAIT PRESQUE belle, avec ses cheveux bruns aux reflets auburn et sa carnation chaude. Sa démarche mettait son corps en valeur. J'avais toujours été attiré par ce genre d'allure, depuis mon entrée à l'Armée de l'Air et l'époque où, comme n'importe quel aviateur, quand j'allais danser, j'essayais d'impressionner des filles comme Elena avec mes records. Bien qu'elle fût très maquillée et portât des talons dignes d'une *show-girl,* il y avait en elle quelque chose de délicat et de fier. Elle réussissait à donner l'illusion qu'elle était grande, et sa robe du soir décolletée découvrait de belles épaules rondes. Dans son visage bien dessiné, au-dessus d'une bouche et d'un menton délicats, les narines de son nez long et mince me semblaient très éloquentes. Munshin, lorsqu'il l'avait décrite, était resté en dessous de la vérité.

Cela dit, elle n'était manifestement pas à son aise. Elle me faisait penser à un animal sauvage prêt à fuir. Son entrée en compagnie d'Eitel avait suscité une certaine émotion, et très peu de ceux qui les avaient reconnus savaient quelle contenance adopter. Plusieurs invités leur sourirent, quelques-uns inclinèrent la tête, certains se détournèrent, mais j'avais le sentiment que tous étaient affolés. Avant de savoir pour quelle raison Eitel avait été invité, ils redoutaient de commettre une gaffe, quoi qu'ils fissent.

On laissa donc Eitel et Elena seuls, et je les vis finalement s'asseoir à une table inoccupée, près du bassin. De loin, j'appréciai l'expression d'ennui qu'Eitel réussissait à arborer.

Je m'approchai de leur table.

— Puis-je me joindre à vous ? demandai-je sottement.

Eitel me sourit avec amitié.

— Elena, dit-il, je vous présente Sergius. C'est le garçon le plus sympathique qui soit ici, ce soir.

— Oh ! ça va... dis-je. Et, me tournant vers Elena : Excusez-moi, votre nom m'a échappé.

— Esposito, murmura Elena. C'est un nom italien...

Sa voix, un peu rauque, était étonnamment grave. Je rêvais d'une voix de ce genre depuis mon enfance.

— Vous ne trouvez pas qu'elle ressemble à un Modigliani ? dit Eitel avec enthousiasme... Elena, je parie qu'on a dû vous dire cela plus d'une fois.

— Oui, dit Elena. Quelqu'un me l'a déjà dit, en effet : votre ami...

Eitel négligea cette allusion à Munshin.

— Où avez-vous pris ces yeux verts ? poursuivit-il.

Je voyais les doigts d'Eitel tapoter nerveusement son genou.

— Ils me viennent de ma mère, dit Elena. Elle était à moitié Polonaise. Je suis pour un quart Polonaise et pour trois quarts Italienne — un mélange d'huile et d'eau.

Nous nous mîmes à rire, mais Elena ajouta d'un air gêné :

— Drôle de sujet de conversation...

Eitel regarda autour de lui.

— Savez-vous ce qui manque à cette soirée ? dit-il.

— Quoi donc ?

— Un scenic-railway...

Elena éclata de rire. Elle avait un rire charmant, qui découvrait ses dents blanches, mais elle riait trop bruyamment.

— J'adore le scenic-railway, reprit Eitel. A cause des descentes. Cela donne un avant-goût de la mort. C'est merveilleux !

Pendant un bon moment, il parla des charmes du scenic-railway, et je vis dans les yeux d'Elena combien il la captivait. Il était dans une forme excellente et avait trouvé en Elena une auditrice parfaite. Bien qu'elle ne lui répliquât que par un rire ou une réflexion par-ci par-là, je sentais qu'elle n'était pas sotte, rien qu'à la nature de son attention et de ses réactions.

— Tout cela confirme une de mes vieilles idées, dit Eitel. On monte dans un scenic-railway pour éprouver certaines émotions, et je me demande s'il n'en va pas de même en amour. Quand j'étais plus jeune, il me semblait moche, ignoble même, qu'un homme usât des mêmes mots avec plusieurs femmes successives. En fait, cela n'a rien d'anormal. Les êtres ne sont vraiment fidèles qu'à des émotions, qu'ils essayent de retrouver.

— Je ne sais pas, dit Elena. Je pense qu'un homme de ce genre n'aime pas vraiment la femme à qui il parle.

— Au contraire. A ce moment-là, il l'adore.

Elle protesta :

— Je veux dire... Un tel homme n'est pas vraiment attaché à la femme à qui il parle. Ce n'est pas à elle qu'il pense.

— Vous avez raison, dit Eitel d'un air amusé. Voilà qui donne, je pense, la mesure de mon pouvoir d'indifférence....

— Oh ! non, pas vous ! dit Elena.

— Si, ma chère, moi, répliqua Eitel avec un sourire qui ressemblait à un avertissement.

En fait, il n'avait pas l'air indifférent du tout en ce moment précis. Ses yeux brillaient, son corps se penchait vers celui d'Elena, il avait l'air comme électrisé.

— Ne vous fiez pas aux apparences, dit-il. Je puis vous dire...

Il s'interrompit. Munshin s'approchait de nous. Le visage d'Elena perdit toute expression, et Eitel arbora un sourire factice.

— Je ne sais pas ce qui se passe, dit Collie : H. T. m'a dit de venir vous dire bonsoir. Il vous verra plus tard.

Aucun de nous trois ne répondant, Mushin regarda Elena fixement.

— Comment allez-vous, Collie ? dit enfin Eitel.

— Il m'est arrivé d'aller mieux, répliqua l'autre en hochant de la tête. Beaucoup mieux.

Il regardait toujours Elena.

— Vous ne vous amusez pas ? questionna-t-elle.

— Non, je m'assomme.

— Où est votre femme ? insista Elena. Vous savez que je ne la connais même pas de vue ?

— Elle est par là, dit Munshin.

— Et votre beau-père ? vous disiez qu'il était ici.

— Quelle importance ? dit Munshin avec un regard humide qui signifiait : « Un jour, tu ne me haïras plus... »

— Bien sûr. Aucune importance. Je ne voudrais pas vous importuner, dit Elena d'une voix tendue.

Pour essayer d'arranger les choses, j'intervins :

— J'ai fait la connaissance de Teddy Pope, tout à l'heure. Que pensez-vous de lui ?

Entrant dans mon jeu, Eitel répondit :

— J'ai tourné plusieurs films avec lui. Ce n'est pas un mauvais acteur. Il pourrait même devenir très bon.

A ce moment, une jolie fille blonde en robe du soir bleu pâle surgit derrière Mushin et lui couvrit les yeux de ses mains.

— Qui est-ce ? dit-elle d'une voix de gorge.

J'avais déjà vu ce petit nez relevé, ce menton à fossette, cette bouche boudeuse. Lorsqu'elle vit Eitel, son visage changa.

— Lulu ! dit Munshin, se levant à demi de son fauteuil.

Se demandant visiblement si l'apparition de Lulu arrangeait les choses ou les rendait encore pires, il l'enlaça d'un bras paternel, en souriant à Elena et à Eitel. De sa main libre, que j'étais seul à voir, il tapotait le dos de Lulu comme pour lui faire comprendre que le terrain était mouvant.

— Miss Meyers, Miss Esposito, dit Eitel très calmement.

Lulu inclina la tête d'un air détaché et dit :

— Collie, il faut absolument que je vous parle.

Et elle ajouta, en adressant à Eitel un sourire suave :

— Charley, vous avez engraissé.

— Asseyez-vous donc, dit Eitel.

Elle prit place à côté de lui et Munshin s'assit également.

— On ne me présente pas l'Armée de l'Air ? reprit-elle en me regardant.

Les présentations faites, elle ne me quitta plus des yeux. Je me forçai à soutenir son regard.

— Vous êtes beau gosse, dit-elle.

(Elle-même ne devait pas avoir beaucoup plus de vingt ans.)

— Elle est magnifique ! s'extasia Munshin.

— Voulez-vous boire quelque chose ? demandai-je à Elena.

Elle n'avait pas dit un mot depuis l'apparition de Lulu, comparée à qui elle me semblait soudain moins séduisante que je ne l'avais d'abord trouvée.

Peut-être l'avait-elle senti ; elle répondit nerveusement :

— Oui, volontiers.

Comme je me levais, Lulu me tendit son propre verre.

— Voulez-vous me rapporter un autre petit martini ? dit-elle ne me regardant de ses yeux d'un bleu profond.

Je devinai qu'elle était aussi nerveuse qu'Elena, mais d'une autre manière. Elle s'installa plus confortablement dans son fauteuil. J'avais appris le même truc à l'école de pilotage.

Lorsque je revins, elle parlait à Eitel.

— Vous nous avez manqué, vieux brigand, disait-elle. Et elle expliqua : je ne connais personne avec qui il soit aussi agréable de se saouler qu'avec Eitel.

— Que voulez-vous ? dit celui-ci avec un sourire. J'ai repris la route...

— En ce qui me concerne, sans aucun doute, dit Lulu en regardant Elena.

— On m'a dit que vous alliez épouser Teddy Pope ? répliqua Eitel du tac au tac.

Lulu se tourna vers Munshin.

— Collie, dit-elle d'un air irrité, cette propagande doit cesser. Vous direz à H. T. de rentrer les tambours.

— Du calme, poupée, répondit Munshin avec un sourire lénifiant. Qui vous oblige à quoi que ce soit ?

— Ce mariage me semble une excellente chose, dit Eitel d'un air naïf.

Munshin lança :

— Charley, vous êtes insupportable.

Elena et moi nous regardâmes. Avec un sourire contraint, elle s'efforçait de comprendre ce qui se passait. Je me dis que je devais avoir la même attitude : nous n'étions « dans le coup » ni l'un ni l'autre.

— Je parle sérieusement, affirma Lulu. Vous pouvez dire à Mr. T. que j'épouserai plutôt ce beau gosse-là.

Elle me désignait du doigt.

— Vous ne m'avez pas demandé mon avis, dis-je.

Elena eut un rire amusé — un peu trop bruyant, cette fois encore — et les autres la regardèrent.

— Ne vous affolez pas, mon joli, dit Lulu avec une assurance que lui eût enviée Candy Ballou, ma rousse de tout à l'heure.

Puis, posant sa tête sur l'épaule de Munshin, elle se lamenta :

— J'ai le cafard, Collie.

— J'ai vu votre dernier film, dit Eitel.

— J'y étais épouvantable, non ? Ils me tuent. Qu'en avez-vous pensé, Eitel ?

Il sourit évasivement.

— Je vous en reparlerai, dit-il.

— Je sais ce que vous m'en direz. J'en « fais » trop, n'est-ce pas ? J'ai horreur de jouer la comédie...

Et, presque sans s'interrompre, elle se pencha en avant et questionna :

— Que faites-vous, dans la vie, Miss Esposo ?

— Esposito, rectifia Eitel.

Elena avait l'air mal à l'aise.

— J'ai été... pas exactement une danseuse...

— Mannequin ? dit Lulu.

— Non, bien sûr que non... j'ai fait différentes choses...

Lulu la lâcha pour revenir à moi :

— Et vous ? Vous êtes le dernier poil de la crinière d'Eitel ?

Je me sentis devenir très rouge, tant l'attaque avait été prompte.

— On dit que vous êtes fini, Charley, poursuivit-elle.

— Ce qui prouve qu'on parle encore de moi, répliqua-t-il.

— Moins que vous ne pensez. Le temps passe.

— On se souviendra toujours de moi en tant que votre deuxième ex-mari...

— C'est exact. Lorsque je pense à vous, c'est toujours en tant que « numéro deux ».

Eitel sourit joyeusement.

— Si c'est un petit jeu, ma chère, à vous le coquetier...

Il y eut un silence, puis elle lui retourna son sourire.

— Je vous demande pardon, Charley, excusez-moi...

Sur quoi elle se tourna vers nous et, de cette voix rauque qui allait si bien avec ses cheveux blonds et ses yeux bleus, elle dit :

— Il y avait une horrible photo de moi dans les journaux de ce matin.

— Ça va s'arranger, Lulu, dit Munshin rapidement. J'ai convoqué les photographes pour ce soir.

— Je refuse de poser avec Teddy Pope !

— Qui vous oblige ?

— Pas de blague, Collie !

— C'est promis, dit Munshin en s'épongeant.

— Pourquoi transpirez-vous ainsi ? questionna Lulu.

Se levant soudain, les bras tendus, elle s'écria :

— Jay-Jay !

Jennings James, qui s'avançait vers nous, la serra contre lui :

— Mon seul amour ! dit-il très haut.

— Jay-Jay, votre article sur moi, avant-hier, était infect !

— Mon cœur, vous êtes paranoïaque, dit Jay-Jay. Je l'ai écrit comme un poème d'amour...

Il nous salua collectivement.

— Comment allez-vous, Mr. Munshin ? demanda-t-il.

Son passage aux toilettes semblait l'avoir rendu à la vie.

— Asseyez-vous, Jay-Jay, dit Munshin. Je vous présente Miss Esposito.

Jennings James s'inclina pompeusement.

— Je rends hommage en vous à toutes les femmes d'Italie, Miss Esposito, dit-il. Comptez-vous rester quelque temps parmi nous à Désert d'Or ?

— Je repars demain, dit Elena.

— Oh ! mais non ! dit Eitel.

Elle corrigea :

— Enfin, ce n'est pas certain...

Jay-Jay se tourna vers Lulu.

— Les photographes vous attendent, ma chérie.

— Eh bien, qu'ils attendent, dit Lulu. J'ai soif.

— Mr. T. a spécialement insisté pour que vous veniez.

— Allons-y, dit Munshin. Tous.

Je pense que s'il nous incluait, Elena, Eitel et moi-même, dans cette invitation, c'était pour empêcher Lulu de rester en notre compagnie. Une fois debout, il prit sa main et l'entraîna le long du bassin, vers l'endroit où se tenaient les photographes, rassemblés près de la camera de carton.

Jay-Jay me retint un instant en arrière :

— Cette Esposito, dit-il... On m'a dit que c'était la petite amie de Munshin ?

— Je ne sais pas.

— En tout cas, c'est une fille du tonnerre... Je n'en ai jamais tâté, mais j'en connais qui l'ont fait. Quand ce vieux Charley en aura assez, vous devriez prendre la suite, mon vieux...

Il me donna certaines précisions sur les talents supposés d'Elena.

— ... et puis elle a l'air d'une brave gosse, ajouta-t-il galamment. C'est dur, pour une fille, de vivre à Hollywood. Je serais le dernier à leur faire des reproches. Ainsi, Teppis lui-même, ce fils de p...

Mais Jay-Jay n'eut pas le loisir de continuer : nous étions devant les photographes. Teddy Pope s'approcha à son tour, toujours flanqué de son joueur de tennis. Ils riaient très fort.

— Lulu chérie ! dit Pope.

Il se serrèrent la main mollement et demeurèrent côte à côte. Jay-Jay se précipita pour donner ses ordres aux trois photographes qui attendaient paisiblement.

— Voilà, les gars... Nous voudrions quelques photos très simples. Rien de trop préparé. Vous voyez ce que je veux dire ? Il s'agit de montrer comment les gens du cinéma vivent et s'amusent entre eux...

Les autres invités se rapprochaient peu à peu, faisant cercle.

— Tu es merveilleuse, mon chou ! cria Dorothea O'Faye, et Lulu lui sourit.

— Merci, chérie ! répondit-elle.

— Eh ! Teddy, dit un homme, je peux avoir un autographe ?

Teddy rit. Maintenant qu'il avait un public, son attitude avait changé. Il avait l'air plus jeune, plus simple.

— Voilà, Mr. T., dit-il très haut, et, avec un regard de mépris impérieux pour ceux qui l'entouraient, il se mit à applaudir.

Une bonne douzaine de personnes l'imitèrent. Teppis leva la main.

— Ce soir, dit-il, nous allons prendre quelques photos de

Teddy et de Lulu, non seulement en pensant à leur film —
ou plutôt, si je puis dire, à *notre* film, *Un doigt de ciel* —
mais aussi comme un souvenir, je dirai même un symbole
de cette soirée et du plaisir que nous avons tous à être
ensemble...

Il toussota et sourit aimablement. Son apparition avait
attiré le reste des invités, et, pendant un moment, tout le
monde s'affaira. Les photographes préparaient leurs appareils, donnaient des instructions, déplaçaient les assistants.
Puis ils se mirent à opérer dans un feu d'artifice de flashes.
Ils prirent Teppis entre Teddy et Lulu, Lulu entre Teppis et
Teddy, Teddy et Lulu ensemble, Lulu et Teddy séparément,
Teppis tenant la main de Lulu d'un air paternel, Teppis avec
la main sur l'épaule de Teddy. Ils m'impressionnaient par
leur aisance et leur talent : Teddy souriant, heureux, sûr de
lui, et Lulu adorable, Lulu réservée, Lulu complaisante, le
tout avec un naturel qui mettait en valeur la fierté d'Herman Teppis. C'était parfait. Teddy Pope obéissait sagement
aux instructions des photographes, il avait l'air parfaitement
naturel, et son sourire semblait ravir ceux qui l'entouraient.
Il leva les mains à la manière d'un champion, il enlaça Lulu,
il l'embrassa sur la joue, et Lulu s'appuya contre lui d'un
air à la fois tendre et alangui. Elle avait l'air de danser sur
place et riait aux bons mots de tout le monde. Je ne me
souvenais pas d'avoir jamais vu fille plus séduisante.

Lorsque les photographes eurent fini d'opérer, Teppis fit
un nouveau petit speech.

— Je voudrais vous dire quelque chose : la *Supreme Pictures* est une grande famille... Voici : à mon humble avis,
ces deux petits ne viennent pas de jouer la comédie...

Et, les poussant l'un vers l'autre, de telle manière qu'il
leur fût impossible de s'écarter, il ajouta, très haut :

— Savez-vous, Lulu, ce que m'a dit mon petit doigt ? Que
Teddy et vous, vous vous entendiez très bien...

Tous les assistants rirent avec complaisance.

— Oh ! Mr. Teppis ! dit Lulu de sa voix la plus douce.
Vous auriez dû diriger une agence matrimoniale !

— C'est un compliment, dit Teppis. Je le prends comme un
compliment... Un producteur passe sa vie à faire des
mariages : l'art et la finance, le talent et le public...

98

Sur quoi, s'adressant à tous les assistants, il demanda :
— Etes-vous tous contents de votre soirée ?
Tout le monde lui assura que oui, c'était tout à fait réussi.
— Occupez-vous des photographes, dit-il encore à Jay-Jay, et il s'éloigna, Lulu à son bras.

Tandis que les invités se dispersaient, je le vis s'arrêter pour parler à Eitel — et tout en parlant il regardait Elena. Je devinai qu'en entendant son nom, lorsque Eitel la lui présenta, Teppis comprit qui elle était, car sa réaction fut très nette. Il se raidit, son visage parut se gonfler, il dit quelques mots qui firent s'éloigner Eitel et Elena immédiatement.

Teppis s'épongea le front avec un mouchoir de soie, et je l'entendis dire à Lulu, comme je m'approchais d'eux :
— Allez danser avec Teddy. Je vous le demande comme une faveur personnelle.

Eitel et Elena avaient disparu parmi les autres invités.

Lulu me regarda.
— Mr. T..., dit-elle vivement, je voudrais d'abord danser avec Sergius...

Elle me prit la main et m'entraîna vers la piste.

Je l'enlaçai étroitement. L'alcool que j'avais bu tout au long de la soirée commençait enfin à faire son effet. Je dis à l'oreille de Lulu :
— Quand commencerez-vous à vous occuper de Teddy ?
A ma grande surprise, elle ne se fâcha pas.
— Vous ne savez pas ce qui m'en empêche, dit-elle.
— Et vous ? Le savez-vous ?
— Taisez-vous, Sergius. Vous me plaisez. C'est plus compliqué que vous ne pensez...

Et soudain, tant il y avait en elle de douceur, je revisai la première impression qu'elle m'avait faite. Elle m'apparaissait brusquement très jeune ; peut-être gâtée, mais très douce... Nous dansâmes un moment en silence, puis je lui demandai :
— Qu'est-ce que Teppis a dit à Eitel ?
Elle ricana.
— D'aller au diable.
— Je pense que cela vaut aussi pour moi...
— Certainement pas.
— Si : Eitel est mon ami.

Elle me pinça l'oreille.

— Vous êtes merveilleux. Charley sera touché. Je le lui dirai, quand je le verrai.

— Partons ensemble, dis-je.

— Pas encore.

Je m'arrêtai de danser.

— Si vous voulez, je demanderai sa permission à Mr. T.

— Vous pensez que j'ai peur de lui ?

— Non, vous n'avez pas peur de lui. Mais il faut que vous dansiez avec Teddy.

Elle rit.

— Je ne vous voyais pas sous ce jour.

— C'est l'alcool.

— Oh ! J'espère bien que non !

Elle me laissa l'entraîner loin de la piste.

— Ce que nous faisons est idiot, soupira-t-elle.

Lorsque nous passâmes devant Teppis, pourtant, elle n'eut pas l'air impressionné. Pareil à un majordome faisant l'inventaire d'un mobilier, il se tenait près de l'entrée, surveillant ses invitées. Il attrapa Lulu par le bras.

— Où allez-vous, fillette ? demanda-t-il.

— Oh ! Mr. T., dit Lulu d'un air d'enfant sournois... Sergius et moi avons un tas de choses à nous dire.

— Nous avons envie de prendre un peu d'air, dis-je avec insolence.

— Un peu d'air ! répéta-t-il d'un air intrigué, en levant les yeux au ciel.

Derrière nous, la camera de carton continuait de tourner sur sa plate-forme de bois et les projecteurs de fouiller le ciel. La soirée était au point mort. Des couples s'étaient formés sur les canapés. C'était l'heure où l'alcool rendait n'importe quoi possible, où n'importe qui désirait n'importe qui.

— Vous direz à Charles Eitel qu'il est liquidé, me cria Teppis. Liquidé ! Il a gâché sa dernière chance !

Sa voix rageuse fit rire Lulu, et nous nous éloignâmes.

Un peu avant le parc à voitures, je l'arrêtai sous une lanterne japonaise pour l'embrasser, mais elle riait trop fort et nos lèvres ne se rencontrèrent pas.

— Je vous apprendrai, dit-elle.

— J'ai horreur des professeurs, répliquai-je, en l'entraînant.

Nous discutâmes un instant sur le point de savoir quelle voiture nous prendrions. Elle tenait à ce que ce fût sa décapotable.

— J'étouffe, Sergius, dit-elle. J'ai envie de conduire.

— Vous conduirez aussi bien la mienne.

Mais elle s'entêta.

— Si c'est ainsi, je retourne à la soirée !

— Vous avez peur ?

— Non.

Elle conduisait mal, incapable de laisser son pied sur la pédale de l'accélérateur. J'avais beau être saoul, je me rendis compte du danger. Mais ce n'était pas ce qui me préoccupait le plus.

— Je suis idiote, dit Lulu.

— Arrêtons-nous, idiote, répliquai-je.

— Avez-vous déjà vu un psychiatre ?

— Vous n'en avez pas besoin.

— Je ne sais pas de quoi j'ai besoin, dit-elle, en faisant faire à la voiture une dangereuse embardée.

— Arrêtons-nous, répétai-je.

Mais nous ne nous arrêtâmes que lorsqu'elle en décida elle-même...

J'avais abandonné tout espoir, et j'étais résigné à me laisser poliment emmener à cent à l'heure à travers les cactus et la boue du désert. Pourtant, Lulu choisit de ne pas mettre tout de suite un terme à notre existence. Empruntant une petite route de traverse, elle arrêta la voiture dans un coin isolé, d'où nous voyions tout l'horizon nocturne.

— Fermez les vitres, dit-elle.

— Nous allons mourir de chaleur !

— Non. Faites ce que je vous dis.

J'obéis — et elle se laissa aller dans mes bras. Je l'embrassai. Pour la première fois depuis près d'un an, je sus que tout se passerait bien.

Pourtant, ce ne fut pas si simple... Lulu s'abandonnait à mes lèvres et à mes mains, prête à se livrer, mais soudain elle se redressa, regardant au loin d'un air effrayé.

— Quelqu'un vient, murmura-t-elle, ses ongles s'enfonçant dans ma main.

Je regardai à mon tour.

— Mais non, il n'y a personne.

— J'ai peur, dit-elle en me donnant à nouveau sa bouche.

Ce jeu dura une éternité. Elle m'attirait contre elle, me repoussait, me laissait soulever sa robe, puis écartait ma main comme une vierge effarouchée. Nous ressemblions à deux enfants maladroits. Mes lèvres étaient meurtries, mon corps ankylosé, mes doigts gourds, et si je réussis finalement à lui ôter son slip, ce fut sans obtenir qu'elle quittât sa robe. Elle laissa pourtant mes mains s'égarer une seconde — mais ensuite elle me repoussa et dit à nouveau, en regardant au dehors :

— Il y a quelqu'un sur la route...

Une heure entière s'écoula durant laquelle, en dépit de mes efforts, je ne parvins pas à regagner le terrain perdu. Finalement, l'aube était sur le point de se lever lorsque, épuisé, découragé et presque indifférent, je fermai les yeux et, me laissant aller en arrière sur mon siège, je dis :

— Vous avez gagné...

Alors Lulu m'embrassa tendrement sur les yeux, ses doigts caressèrent ma joue et, comme s'il ne s'était rien passé, elle murmura :

— Vous êtes gentil... Embrassez-moi, Sergius.

L'instant d'après, presque sans y croire moi-même, je découvrais la mystérieuse complexité d'une âme de star de cinéma. Lulu se donna à moi gentiment, avec délicatesse, avec amour, adorable jusque dans la pudeur avec laquelle elle murmura que tout cela était parfaitement imprévu, et me demanda de faire attention...

Un peu plus tard, elle dit :

— Tu es merveilleux...

— Oh ! non, répondis-je. Je ne suis qu'un amateur...

— Non, tu es merveilleux... Ooooh, tu me plais... toi...

Pour rentrer à Désert d'Or, je pris le volant. Lulu était lovée contre moi, sa tête sur mon épaule. Nous avions ouvert la radio et fredonnions avec elle.

— J'ai perdu la tête, cette nuit, dit Lulu.

Je l'adorais, et davantage encore en évoquant son attitude au cours de la soirée. Avant notre halte, je m'étais dit qu'il fallait absolument que je sois à la hauteur, et le sentiment d'y avoir réussi était merveilleux. Je me sentais à présent en pleine forme. J'étais prêt... je ne savais trop à quoi. J'avais réussi... et avec quelle fille !

Lorsque nous fûmes devant sa porte, Lulu m'embrassa.

— Laisse-moi rester, dis-je.

— Non, pas cette nuit.

Elle regarda autour d'elle, pour s'assurer que personne ne venait.

— Viens chez moi, alors ?

— Je suis claquée, Sergius, dit-elle d'une voix de petite fille, en m'embrassant sur le nez.

— Bon. Je te verrai demain.

— Oui. Téléphone-moi.

Elle rentra chez elle en me lançant un dernier baiser du bout des doigts, et je me retrouvai seul dans le labyrinthe du *Yacht-Club,* alors que le soleil allait se lever et que l'aube pâle évoquait la couleur de la robe de Lulu.

La chose peut paraître extravagante, mais j'étais plein d'un tel enthousiasme que j'éprouvais le besoin de le faire partager à quelqu'un, sans imaginer que ce quelqu'un pût être un autre qu'Eitel. L'idée ne me venait même pas qu'il était peut-être encore avec Elena, ou qu'en tant qu'ex-mari de la petite Lulu il pourrait ne pas prendre un extrême plaisir à écouter mes confidences. A vrai dire, je ne jurerais même pas que je me souvenais encore de ce détail. D'une certaine manière, Lulu n'existait pas, à mes yeux, avant cette nuit — et à cet instant encore c'était surtout à moi-même que je pensais avec amour...

Dans le petit matin qui se levait, je me mis à penser à d'autres petits matins, où je gagnais les hangars sombres, un goût sirupeux de café dans la bouche, avant de prendre mon envol. Nous décollions une heure avant l'aube, et nous étions déjà à sept mille mètres lorsqu'une lumière d'or et d'argent commençait à colorer les nuages nocturnes. A ce moment-là, je me donnais l'illusion d'être un magicien obligeant le jour à se lever, et il y avait d'ailleurs une sorte de magie dans le fait de piloter un avion. C'était un peu comme une drogue.

Nous le savions, quoi qu'il se passât sur la terre ou en nous-mêmes, si petits que nous fussions, ces deux heures viendraient toujours où nous nous retrouverions dans le ciel ; et, quoi qu'il arrivât, tout s'arrangerait lorsque reviendrait le moment de prendre notre envol.

J'avais essayé d'oublier tout cela, que j'avais trop aimé, et il n'avait pas été facile de penser que je n'en retrouverais probablement jamais la magie. Mais, ce matin, avec l'odeur et le goût de Lulu encore collés à moi, je savais que j'avais découvert quelque chose d'autre, quelque chose qui me ferait oublier les avions.

C'est en pensant à cela que je marchais vers l'endroit où j'avais parqué ma voiture. A mi-chemin, je m'assis sur un banc, gonflant mes poumons d'air pur. Autour de moi tout reposait. Et soudain, dans un cottage proche, j'entendis des éclats de voix. Une porte s'ouvrit, et j'en vis sortir Teddy Pope. Il portait un chandail et un pantalon de toile, mais ses pieds étaient nus.

— Espèce de putain ! cria-t-il en direction de la porte.

— Fous le camp ! répliqua la voix du joueur de tennis. Je ne te le répéterai pas deux fois !

Teddy se mit à jurer, d'une voix si haute qu'il dut réveiller tous les voisins. La porte se rouvrit et Marion Faye parut à son tour.

— Tire-toi, Teddy, dit-il d'un ton très sec, puis il rentra et referma la porte derrière lui.

Teddy passa devant moi et me regarda d'un air hagard — ou peut-être ne me vit-il même pas du tout. Malgré moi, je le suivis à quelque distance.

Un peu plus loin, il s'arrêta dans l'un des patios secondaires du *Yacht-Club*, où il y avait une cabine téléphonique. Je m'approchai davantage et l'entendis dire dans l'appareil :

— Je ne peux pas aller me coucher comme ça. Il faut que je parle à Marion.

A l'autre bout du fil, une voix lui répondit quelque chose,

— Ne raccroche pas ! cria Teddy Pope.

Pareil à un veilleur de nuit faisant sa ronde, Herman Teppis apparut, s'approcha de Teddy, lui arracha l'appareil des mains et le raccrocha.

— Vous êtes un pauvre type, dit-il.

Sur quoi, il s'éloigna sans rien ajouter. Teddy Pope fit quelques pas et s'appuya contre un arbre. Puis il se mit à pleurer. Je n'avais jamais vu un homme saoul à ce point. Il sanglotait et hoquetait, le visage appuyé contre le tronc de l'arbre. Je m'éloignai à mon tour, peu désireux qu'il me vit. De loin, j'entendis Pope crier dans le silence de l'aube :

— Vous êtes un salaud, Teppis ! Un sacré salaud !

Je rentrai lentement chez moi.

Je n'avais plus envie de voir Eitel.

TROISIÈME PARTIE

X

LES FEMMES A QUI
il fut donné de bien me connaître m'ont toutes, tôt ou tard,
accusé d'avoir le cœur sec, et bien que ce soit là une opinion
féminine, et qu'une femme sache rarement ce qui se passe
dans le cœur d'un homme, cela ne me semble pas dénué de
vérité. Somerset Maugham, le premier bon écrivain anglais
que j'aie lu, a écrit queque part : « Personne n'est meilleur qu'il ne devrait être. » Cela correspondait exactement
à ma pensée, aussi l'avais-je repris à mon compte. Même à
mes yeux, cependant, la règle comptait des exceptions, car il
me semble que certains hommes sont un peu meilleurs, et
d'autres un peu plus mauvais qu'ils ne devraient être, autrement le monde serait une mécanique trop bien réglée. Quoi
qu'il en soit, je n'irai pas jusqu'à dire que je suis un grand
sentimental.

Chacun de nous porte en lui plusieurs personnages. Je
pense parfois au chroniqueur que j'aurais pu être. Peut-être
aurais-je fait un mauvais journaliste (j'ai un penchant naturel à l'honnêteté), mais j'aurais été le premier à considérer
ce métier comme un art. J'ai souvent pensé qu'un journaliste
est un homme qui ne cherche la vérité que pour en tirer des
mensonges, tandis qu'un romancier, esclave de son imagination, peut atteindre à la vérité à travers elle. C'est donc à
mon imagination que je ferai appel pour relater une bonne
partie de ce qui va suivre — et notamment ce qui concerne
l'aventure d'Eitel et d'Elena Esposito.

Depuis mon séjour à Désert d'Or, j'ai appris pas mal de choses, mais Eitel est très différent de moi et je ne sais si je serai capable de retrouver son style particulier. Suffit : j'ai la prétention de *savoir* ce qui s'est passé — et, en tout cas, chacun à Désert d'Or put se rendre compte que cette aventure commençait bien.

Lorsque Teppis lui eut enjoint de quitter le *Yacht-Club*, Eitel se sentit d'excellente humeur. C'était un trait de son caractère : pour mériter sa propre estime, il fallait qu'il fît quelque action qui allât à l'encontre de ses intérêts. Tandis qu'il regagnait sa voiture, Elena à son bras, il s'amusa donc à la faire rire en imitant les gens à qui ils avaient parlé au cours de la soirée.

Elle le suivit chez lui tout naturellement. Il sortit des verres, les remplit, et s'assit à côté d'elle, sur un divan, se disant que la meilleure manière de la remonter était encore de lui faire gentiment la cour, de lui exprimer l'affection qu'elle lui inspirait réellement. Pourtant, son cœur battait un peu plus vite qu'il n'eût été normal...

— J'ai l'impression de vous avoir déjà vue, dit-il après un silence.

Elena hocha la tête.

— Bien sûr, dit-elle. Mais vous ne m'avez même pas regardée.

— C'est impossible !

— Mais si... J'ai travaillé à la *Supreme*, comme habilleuse. Une fois, je vous ai présenté des costumes — mais vous ne m'aviez pas remarquée : vous ne regardiez qu'eux.

— Je croyais que vous étiez danseuse ?

— J'aurais bien voulu... De temps à autre, mon agent me procurait un engagement pour quelques soirs. Mais ça n'allait pas plus loin.

Eitel imaginait sans peine les hommes à qui elle avait dû avoir affaire : agents miteux, acteurs sans emploi, affairistes minables, musiciens, un ou deux amants de passage qui peut-être lui ressemblaient, à lui. Il lui déplaisait de parler de Munshin, mais sa curiosité l'emporta :

— Collie m'a dit qu'il vous avait rencontrée à un gala, dit-il.

Elle rit.

— C'est bien de lui ! Collie aime à inventer des histoires. En fait, il ne m'a même jamais vue danser. Il m'intimidait trop.

— Alors comment vous êtes-vous connus ?

— Collie n'était pas comme vous, dit-elle gentiment : il m'a remarquée, un jour que j'avais à lui présenter des costumes... Il m'a invitée à dîner. Savez-vous pourquoi je lui en veux ? Il m'a fait renoncer à mon travail et m'a loué un appartement. Il disait qu'il ne pourrait continuer à me voir si je travaillais à la *Supreme*... C'est comme ça qu'il m'a eue. Je suis paresseuse.

Eitel étudiait son visage, avec l'arrière-pensée de lui donner un petit rôle dans son film. Mais non, cela n'irait pas... Elle avait le nez trop long, et la camera accuserait encore la sensualité de ses narines.

Il changea de sujet :

— Avez-vous déjà fait du ski ?

— Non.

— Il faudra que nous en fassions. C'est passionnant, dit-il comme si, dans l'heure qui venait, ils eussent pu prendre l'avion pour gagner quelque station de sports d'hiver.

— Vous savez, je n'ai pas fait grand-chose...

— Ça m'étonnerait, dit Eitel à voix basse. J'ai toujours pensé que tout ce qu'on apprend on l'apprend en surmontant ses propres timidités...

Ils vidèrent leurs verres.

— Je vais essayer de trouver de la musique espagnole à la radio, dit Eitel. Vous accepteriez de danser pour moi ?

— Pas cette nuit.

— Et un autre jour ?

— Je ne sais pas...

— J'aimerais vous voir danser. On m'a dit que vous dansiez admirablement le flamenco...

— Vous êtes gentil...

Elle jouait nerveusement avec la main d'Eitel. Elle s'appuya contre lui et, avec un petit sourire triste, l'embrassa.

Plus tard, alors qu'ils étaient dans la chambre à coucher, Eitel se laissa aller à sa surprise. Il ne s'était pas attendu à la trouver aussi avertie. Il y avait bien eu un court instant où elle avait essayé de le repousser, où elle avait crié « Non, Non… » et où il l'avait fait taire avec une brutalité qui accrut encore l'état d'excitation où elle se trouvait, mais jamais il n'avait vu une femme donner autant d'elle-même une première fois. Pour Eitel, qui avait plus d'une fois constaté qu'assez peu de femmes savent faire l'amour et que très peu aiment à faire l'amour, Elena était une indéniable découverte. Il avait mis la main sur un trésor. C'était l'une des expériences les plus réussies de sa vie. Et alors que, son enthousiasme calmé, il la caressait doucement avec tout l'art et la technique dont il était capable, il évoqua le visage rond et triste de Munshin : « Même toi, vieil ami », disait Munshin. Cette pensée renouvela son appétit.

Elena prenait toutes sortes d'initiatives, et elle encourageait les siennes. Il se sentait plein d'imagination. Eitel avait toujours pensé que la manière dont une femme fait l'amour vous apprend aussi long sur sa personnalité que n'importe quelle confidence. A la distance d'un centimètre, Elena était d'une beauté exceptionnelle. Il n'avait jamais été témoin d'une telle métamorphose. Autant elle était timide en public, autant elle était audacieuse dans l'amour, et ses gestes les plus hardis se paraient d'une espèce de grâce.

Lorsqu'ils eurent épuisé toutes les ressources du plaisir, ils se retrouvèrent allongés côte à côte et se souriant :

— Tu es… commença Elena, qui acheva sa phrase en usant d'un mot assez inattendu… tu es un roi…

Et, se détournant de lui, elle ajouta d'une voix rauque :

— Je n'ai jamais… tu sais… je n'ai jamais été… ainsi.

Depuis sa vaine tentative de conquête sur la plage, Eitel doutait de lui-même. Avec l'âge, il était devenu plus sensible aux réticences des femmes, et elles le blessaient. Il se disait parfois que c'en serait bientôt fini de sa vie amoureuse — et trouvait d'autant plus agréable de croire ce que lui disait Elena, non seulement parce que cela le flattait, mais parce que son instinct lui disait qu'elle ne mentait pas. Il avait souvent entendu des propos de ce genre, sincères ou non, et, non sans quelque raison, considérait sa maîtrise en amour comme son art le plus précieux. « Pour être un bon amant, m'avait-il dit un jour, il faudrait être incapable de *tomber* amoureux... » Mais avec Elena, c'était autre chose. Se donner comme elle l'avait fait impliquait plus que de la complaisance. Il avait eu des aventures nullement méprisables, mais jamais, non, jamais une première nuit n'avait été si réussie. Ce n'était pas si mal, se disait-il, d'être qualifié de « roi » par une fille qui devait avoir une expérience allant de l'acrobate au danseur professionnel... Sur quoi, content de lui, heureux de sentir le corps d'Elena lové contre le sien, Eitel ferma les yeux, constatant avec ravissement que si, d'habitude, il avait hâte de se retrouver seul une fois les choses accomplies, cette nuit il souhaitait non seulement dormir auprès d'Elena, mais encore la serrer dans ses bras. Il s'endormit heureux...

Le lendemain matin, ils s'éveillèrent déprimés. Ils étaient toujours deux étrangers l'un pour l'autre, après tout...

Eitel laissa Elena au lit et s'habilla dans le living-room. Il ne restait qu'un peu d'eau dans le seau à glace et c'est donc d'une gorgée d'alcool pur qu'il se nettoya la gorge. Lorsque Elena apparut, en robe du soir, sans maquillage, ses longs cheveux pendant sur ses joues, il faillit rire. Si belle qu'elle eût été au cours de la nuit, elle n'avait, à cet instant, plus rien de séduisant.

— Déjeunons, dit-il en se forçant à lui sourire.

Il alla préparer des œufs brouillés et du café. De la cuisine, il lui cria :

— Lorsque nous aurons mangé, nous nous sentirons mieux. Ensuite, j'irai te chercher d'autres vêtements à ton hôtel.

— Pas la peine, dit-elle d'une voix aigre, je vais partir.

Elle sentait qu'il avait envie d'être débarrassé d'elle. Il voulut être gentil.

— Mais non ! Nous passerons la journée ensemble...

Elle s'adoucit :

— Je suis toujours de mauvaise humeur le matin, dit-elle.

— Oh ! moi aussi... Nous nous ressemblons, je te l'ai dit.

Il s'approcha pour l'embrasser. Elle lui tendit la joue.

Après le petit déjeuner, il se sentit mieux.

— Si nous allions nous baigner au *Yacht-Club* ? suggéra-t-il.

— Là ?

Elle se demandait manifestement ce que penseraient les gens en les voyant ensemble, après la soirée de la veille.

— Je ne sais pas..., reprit-elle.

Il insista avec bonne humeur :

— Tu verras leur tête... Si Teppis se montre, nous le flanquerons dans la piscine.

— C'est un homme horrible, dit Elena. Il est féroce. La manière dont il t'a parlé...

—. C'est le seul langage qu'il connaisse.

Mais, en même temps, une nouvelle vague de mauvaise humeur envahissait Eitel. Il n'avait pas su répondre à Teppis. Il aurait *pu* lui dire pas mal de choses, mais il s'était tu, se contentant de sourire et d'emmener Elena... Il écarta ces pensées désagréables.

— J'ai une autre idée, dit-il. Il y a une espèce d'oasis dans le désert : une mare et quelques cactus. Pourquoi n'irions-nous pas nous baigner là ?

— Je crois que je vais prendre le car et rentrer chez moi, dit-elle tranquillement.

— Tu n'y penses pas ?

— Si. J'ai envie de rentrer... Tu as été très gentil, ajouta-t-elle, et il vit qu'elle se mettait à trembler.

— Ecoute, Esposito... commença-t-il d'un ton badin — mais des larmes brouillèrent les yeux d'Elena, et elle sortit de la pièce.

Il l'entendit pleurer dans la chambre à coucher.

— C'est idiot, s'écria-t-il, sans trop savoir si cela s'adressait à elle ou à lui-même.

Il se dit qu'elle s'était donnée à lui uniquement pour humilier Munshin, et qu'à présent c'était elle-même qui se sentait humiliée. Il la rejoignit dans la chambre et s'assit à côté d'elle, sur le lit.

— Ne pleure pas, dit-il tendrement.

Soudain elle lui était très chère.

— Ne pleure pas, petit singe...

Il lui caressa les cheveux, ce qui déclencha un nouveau déluge de larmes. Mi-amusé, mi-ennuyé, il la serra contre lui, non sans pitié, et il lui murmura à l'oreille :

— Tu es gentille.

— Non, sanglota Elena... C'est toi... qui es... gentil avec moi.

Après un moment, elle se leva pour aller se regarder dans le miroir, eut un gémissement horrifié et murmura :

— Quand tu m'auras rapporté des vêtements, nous irons à la piscine.

Et, comme il voulait l'enlacer, elle implora :

— Ne me regarde pas ! Pas avant que je me sois arrangée.

Il obéit. Elena lui donna la clef de sa chambre et le prévint qu'il y trouverait un désordre épouvantable. Eitel jura qu'il s'en fichait et se rendit en voiture à l'hôtel.

Elle occupait une petite chambre, éclairée seulement par une minuscule fenêtre — la plus petite fenêtre de Désert d'Or, se dit Eitel. Elena n'avait qu'une seule valise, mais elle avait trouvé moyen d'éparpiller tout son contenu. Elle était de toute évidence désordonnée et, vu la classe de l'hôtel, la femme de chambre s'était bornée à faire le lit. Eitel contempla tristement ce désordre, en allumant une cigarette. « Il faut que je m'arrange pour qu'elle prenne le car ce soir », pensa-t-il.

Il n'en fit rien.

L'après-midi fut très amusant. Personne ne leur adressa la parole, et Eitel en fut ravi. Il était partagé entre la mélancolie et l'excitation. Dans un sens, il était enchanté que sa dispute avec Teppis fût déjà de notoriété publique. « Qu'ils me fichent la paix, se dit-il. Qu'ils *nous* fichent la paix... » La présence d'Elena lui faisait plaisir. Elle était ravissante en maillot de bain, et il lui plaisait de penser que, dans quelques heures, elle serait de nouveau à lui. Elle riait joyeusement, cela la rendait plus jolie, et il faisait tout pour la faire rire. Elle savait qu'on les regardait, cela la gênait un peu, mais elle réussissait à n'en rien montrer. Eitel admira sa grâce, sa dignité. « Je pourrais faire quelque chose de cette fille », pensa-t-il. Ce ne serait pas tellement difficile. Il pourrait lui apprendre à parler sans agiter les mains, à user de sa voix grave sans vulgarité. Il se sentait amoureux d'elle. Tout était bien... « Charles Francis contre le monde », se dit-il avec une ironie prudente, mais non sans une certaine excitation. Il pensait aux années qu'il avait passées dans une université de l'Est, pour complaire aux ambitions de ses parents, et se souvenait de sa sottise, en ce temps déjà lointain. Avec quelle envie et quelle haine, alors, il regardait les étudiants riches conduire leurs conquêtes à des soirées auxquelles il n'était jamais invité ! Et quel mépris il avait pour ses propres aventures avec des filles de l'endroit, de petites ouvrières ou quelque étudiante sans attrait ! Il avait quitté l'université brûlant du désir de surmonter ces humiliations, et peut-être était-ce là ce qui l'avait poussé à tourner ses premiers films. Ne devait-il pas sa réussite à cette envie et à cette amertume ? Mais n'était-ce pas aussi ce qui l'avait poussé à gaspiller son talent, usant à d'autres fins une énergie digne d'un meilleur emploi ? Près d'Elena, évoquant ces lointains débuts, il se disait que peut-être il saurait retrouver ce talent. Elle l'aiderait. A présent, il était capable de vivre avec une femme comme elle. Elle lui avait tant donné, la nuit précédente, et cela était nécessaire à sa confiance en lui.

— Tu es magnifique ! lui dit-il comme un enfant, s'étonnant presque de la voir le regarder d'un œil dubitatif.

Spontanément, elle se mit à parler de Munshin, et il se réjouit de voir la manière dont elle le considérait.

— Il n'est pas méchant, dit-elle. Il aime qu'une femme soit amoureuse de lui. Je lui ai laissé croire que je l'aimais vraiment. C'est ma faute...

Sa franchise plut à Eitel.

— Collie t'a cru amoureuse de lui ?

La réponse d'Elena le surprit :

— Je ne sais pas. Il est lucide, tu sais...

— Oui, bien sûr.

— Mon psychanalyste m'a conseillé de tenter cette aventure avec lui.

— Et maintenant, c'est fini ?

— J'ai interrompu ma psychanalyse. Je ne crois pas que mon transfert se soit effectué comme il fallait...

Ces mots semblaient étranges, prononcés par une telle bouche...

— Mon médecin ressemblait à Collie, poursuivit-elle. Je crois que beaucoup des choses que j'ai faites avec des hommes, c'était pour l'étonner, pour qu'il me considère comme un « cas » inhabituel, tu comprends ?

Eitel s'efforça de ne pas tiquer.

— Et comment Collie prenait-il tout cela ?

— Je le hais, dit-elle brusquement. Je crois qu'il m'aurait tout pardonné, si je l'avais laissé... regarder. C'est un vicieux. Je me demande comment j'ai pu rester si longtemps avec lui.

— Il n'a pas montré beaucoup d'empressement à divorcer, dit Eitel.

— Oh ! c'était impossible... Je me dégoûte moi-même. Collie est un drôle de type. Il a un tel complexe du culpabilité...

« Encore ce jargon ridicule », pensa Eitel, à qui ces propos rappelaient désagréablement d'autres aventures. Tant de femmes déjà lui avaient rebattu les oreilles avec ces histoires de psychanalyse ! Chaque fois, il avait l'impresion de faire partie d'un *ménage à trois* (1) d'une nouvelle espèce... Mais Elena suivait ses propres pensées :

— Collie est très compliqué, reprit-elle. Il ne se veut ni égoïste, ni bon. Il n'est heureux que lorsqu'il se croit à la fois altruiste et odieux. Tu comprends ?... Je ne sais pas comment expliquer...

— Je ne m'en tirerais pas mieux que toi, dit Eitel d'un ton léger.

— Ce n'est pas que je le haïsse vraiment, non. Mais j'ai honte...

— Pourquoi ?

— Parce que...

— Parce que tu sais que tu vaux mieux que lui, dit-il avec un sourire.

— Ma foi... Oui, je crois bien que c'est cela.

Elle rit.

— Tu es magnifique, répéta Eitel.

La nuit qui suivit fut digne de la précédente, peut-être plus réussie encore, car Eitel avait passé la journée à désirer Elena, et elle lui plut encore davantage. A nouveau, elle l'émerveilla par son déchaînement voluptueux.

(1) En français dans le texte. (N. du T.)

— Cela ne m'était jamais arrivé, lui dit-elle. Avec les autres, je jouais presque toujours la comédie...

A Eitel, la chose était déjà arrivée. Il avait connu d'autres femmes à qui il avait révélé le plaisir, et il en avait tiré vanité — mais jamais lui-même ne s'était à ce point pris au jeu. Il avait toujours considéré comme un don exceptionnel sa faculté de connaître une femme et de savoir la faire vibrer, en même temps qu'il en tirait lui-même le maximum de plaisir. « Je suis une espèce d'onaniste perfectionné », se disait-il. Mais Elena le confondait, lui rendait des points. Leur complicité était sans défaut.

Eitel sombra enfin dans un profond sommeil. Comme beaucoup de cyniques, il attachait une valeur sentimentale aux choses du sexe. Son rêve se réalisait enfin, faisant de lui l'homme qu'il aurait voulu être. Pour la première fois depuis de longues années, la présence d'une femme à son côté lui donnait envie d'accomplir de grandes choses.

Lorsqu'il se réveilla, il se dit qu'Elena et lui pourraient beaucoup l'un pour l'autre. Il se sentait plein de tendresse pour elle. Elle était adorable.

— Réveille-toi, petit singe, lui murmura-t-il à l'oreille...

Durant toute la journée, il caressa l'idée qu'ils pourraient vivre ensemble. Bien sûr, il était beaucoup trop prudent pour le lui dire avant d'en être lui-même convaincu... Mais les choses étaient en bonne voie.

Ils en étaient toujours à parler du passé, de leurs anciennes aventures. Le sujet passionnait Eitel, qui découvrait Elena non seulement friande de détails, mais aussi curieuse de toutes les complications possibles :

— Tu sais ce qu'on appelle faire l'amour « en sandwich » ? lui demandait-elle par exemple.

Il le savait. Elle insistait pour qu'il entrât dans certaines précisions, et elle écoutait avidement.

— Nous pourrions essayer... proposait-elle.

— Peut-être.

— Oh ! quelle conversation ! disait-elle.

Mais elle revenait à la charge, d'un air affamé.

Les yeux allumés, elle lui demanda s'il avait déjà pris part à une partouze. Eitel n'était pas très porté sur cette sorte de plaisir, mais il avoua qu'il connaissait à Désert d'Or des gens qui s'y adonnaient. Cela intéresserait-il Elena ? Oui, cela l'intéressait. Il faudrait qu'ils essaient, un jour ou l'autre...

Elle lui confia qu'elle avait parfois couché avec des femmes.

— Je l'ai dit à Collie. Il m'a presque tuée...

— Espèce de petit démon ! dit Eitel. Avoue que tu l'avais fait uniquement pour pouvoir le lui raconter ?...

— Non, il a dû me forcer à le lui dire... Oh ! je suis horrible !

— Et moi ? dit Eitel. Que suis-je donc ? Comment parleras-tu de moi, plus tard ?

— Je ne parlerai jamais de toi. Jamais je ne pourrai... Parleras-tu de moi, toi ?

— Non, bien sûr... Tu es absolument fantastique, ajouta-t-il. La femme la plus étonnante que j'aie jamais connue. Tu es un drôle de ouistiti...

Sans même s'en rendre compte, il demanda :

— Et à présent, de qui es-tu amoureuse ?

— De toi, dit-elle en regardant ailleurs... Non... de personne.

Sans transition, il se lança dans une nouvelle histoire.

La journée passa agréablement, et ce n'est qu'au soir qu'ils parlèrent de ce qu'Elena allait faire. Elle répéta qu'elle regagnerait Hollywood le lendemain, et Eitel répéta qu'il n'en était pas question. Au bout d'une heure de discussion, il lâcha le grand mot :

— Restons ensemble définitivement !

A sa surprise, elle lui parut plus hésitante qu'heureuse.

— Je ne crois pas, dit-elle tranquillement.

— Pourquoi ? ❖

— J'ai vécu si longtemps avec Collie...

— Pas vraiment, dit Eitel.

— Non, mais maintenant que je suis libre, je n'ai pas envie de recommencer... Je veux dire que je voudrais voir si je puis vivre par moi-même.

— Ce n'est pas la vraie raison.

— Si, dit-elle en le regardant... D'ailleurs, ça ne marcherait pas.

— Pourquoi ne pas essayer ?

Elle répliqua nerveusement :

— Oui, bien sûr, pourquoi pas ? Tu n'as rien à perdre, n'est-ce pas ?

Il fut sur le point de dire : « Et toi ? », mais il se tut.

Ils se mirent d'accord sur un compromis : Elena resterait à Désert d'Or et ils se verraient quand ils en auraient envie, chaque jour, même, si cela « marchait ».

— Nous serons entièrement libres, tous les deux, insista Elena.

— Parfait, conclut Eitel. Si tu as besoin d'argent...

— J'en ai assez pour voir venir, dit-elle simplement.

Les choses se présentaient mieux encore qu'Eitel ne l'avait pensé. Elle serait à lui sans qu'il eût à sacrifier sa solitude. Il se dit qu'elle était sage, qu'elle savait comment ne pas gâcher les choses. Il insista pour payer au moins sa chambre d'hôtel.

Ce soir-là, elle rentra à son hôtel, et il dormit seul. Lorsqu'elle le quitta, il se rendit compte qu'il était heureux de se retrouver seul, et lui sut gré de l'avoir compris.

En s'endormant, il s'émerveilla de constater combien aisément il trouvait le sommeil — mais il se réveilla trois heures plus tard et ne put se rendormir. L'odeur d'Elena collait encore à son corps. Il se sentit gagné par un énervement croissant, quasi douloureux. Comme il était trop tard pour prendre un somnifère, il se leva et se mit à boire, sans autre effet que de se sentir un peu plus calme.

Puis l'idée lui vint de téléphoner à Elena, de lui demander de venir le retrouver. La pensée de l'avoir près de lui était plus que plaisante : elle lui apparaissait à présent comme une nécessité. Il ne *pourrait* pas attendre jusqu'au lendemain... Et, tandis qu'il appelait l'hôtel, il comprit que, si elle n'y était pas, ce serait tragique.

Lorsqu'elle répondit, il eut vaguement l'impression qu'elle feignait de paraître endormie.

— Que se passe-t-il, chéri ? questionna-t-elle.

— Rien, dit Eitel... Je voulais seulement entendre ta voix.

— Voyons, Charley ! A cette heure !

Eitel alluma une cigarette avant de demander prudemment :

— Ecoute... Si je te demandais de venir me rejoindre ?

Elle ne répondit pas tout de suite.

— Chéri, je suis si fatiguée, murmura-t-elle enfin.

— Bon, n'en parlons plus.

— Tu n'es pas fâché ?

— Non, bien sûr...

— Je tombe de sommeil...

— Je n'aurais pas dû t'appeler.

— Tu m'as manqué, ce soir, dit encore Elena... Mais ce sera délicieux de se retrouver, demain.

— Oui, demain, répéta Eitel... Tu m'as manqué aussi...

Il raccrocha et resta assis là, à regarder le téléphone. Incapable de s'empêcher de penser qu'il y avait un homme dans la chambre d'Elena.

Avec ahurissement, Eitel découvrait qu'il était jaloux... Cela ne lui était plus arrivé depuis tant d'années que le phénomène lui parut intéressant en soi. Mais, en même temps, il souffrait. La pensée d'Elena criant de plaisir dans les bras d'un autre lui donnait la chair de poule.

Il lutta toute la nuit, héroïquement, contre la tentation de reprendre le téléphone. Les histoires que lui avaient racontées Elena lui revenaient l'une après l'autre à l'esprit, fouaillant sa jalousie... Il lui suffisait d'évoquer un nom d'homme, cité par elle, et le commentaire occasionnel dont elle l'avait accompagné (« Ce que je pouvais être saoule... ») pour la voir se donner comme elle s'était donnée à lui, gémissante, ronronnante, criant, ivre et lucide en même temps, pour imaginer des gestes à elle et les gestes de l'autre... C'en était trop ! Il avait écouté jadis les confidences de ses autres maîtresses et s'en était diverti — mais à présent il eût été capable de tuer tous les hommes qu'Elena avait connus, tous ces hommes dont le crime avait été de ne pas apprécier Elena plus qu'elle ne s'appréciait elle-même. Comme tous les jaloux, il lui en voulait de ne pas reconnaître suffisamment ses droits sur elle. Elle n'était pas, elle ne serait que ce qu'il ferait d'elle, et s'il était jaloux de son passé, c'était parce que ce qu'elle avait fait avant de le connaître prenait un sens nouveau à la lumière du présent. Les mots qu'elle avait dits à d'autres apparaissaient à Eitel comme autant de démentis à ceux qu'elle lui disait, aujourd'hui. Il se souvenait avec horreur des propos qu'il avait lui-même tenus sur elle : « Quand Collie n'est pas là, sa petite souris danse... Des acteurs qui ont travaillé pour moi m'ont parlé d'elle... Il paraît qu'au lit elle est extraordinaire... » Il la haïssait de ne pas l'avoir attendu, de n'avoir pas deviné qu'il la découvrirait.

Les quelques jours qui suivirent furent insupportables. Eitel passait son temps à attendre la venue d'Elena et, lorsqu'elle arrivait, il se jetait sur elle avec une hâte dont il se serait cru délivré à jamais. Lorsqu'elle n'était pas là, il buvait, il allait s'asseoir au *Yacht-Club,* il roulait en voiture, il passait devant son hôtel, faisait le tour de la ville et repassait encore devant son hôtel.

La première fois que j'allai le voir, après la soirée que l'on sait, je le trouvai débordant d'énergie. En une heure, il me raconta vingt histoires, dont il incarnait tour à tour tous les personnages. J'avais retardé le moment de le revoir et de lui raconter ce qui s'était passé avec Lulu, redoutant que cette histoire ne compromît notre amitié, mais elle l'amusa, au contraire, follement.

— Je savais que cela arriverait ! dit-il en riant. Bon sang, je l'aurais juré !

— Pourquoi ?

— Oh ! j'ai éveillé quelque chose en elle... Et je savais qu'elle était prête désormais pour une aventure de ce genre, avec un gentilhomme d'épée de votre espèce !

— Un gentilhomme, moi ? Mais je ne suis qu'un chat de gouttière !

Pourtant, j'étais content d'entendre Eitel parler ainsi. J'ajoutai d'un air désinvolte :

— Dites-moi quelle femme c'est ?

Incapable de rester en place, il se leva et se mit à marcher de long en large.

— Oh, non ! dit-il. Vous me prenez pour un Collie Munshin ? Découvrez-la vous-même, mon vieux !

Huit jours plus tard, alors qu'il avait cessé de croire sa jalousie justifiée et ne la cultivait plus que comme un plaisir raffiné, Eitel apprit qu'Elena l'avait trompé.

Ce jour-là, elle entra tranquillement chez lui, l'embrassa distraitement, se montra d'une gentillesse un peu distante et dit enfin :

— J'ai rencontré un vieil ami à moi, tout à l'heure. Quelqu'un que tu connais...

Eitel ne dit rien, mais son cœur se mit à battre plus vite. Elena ajouta :

— Marion Faye.

— Marion Faye ? Comment le connais-tu ?

— Oh ! je le connais depuis des années...

Jusqu'alors, Eitel avait su dissimuler sa jalousie. Mais il en fut soudain incapable.

— Un vieil ami à toi ?... Dis-moi, aurais-tu par hasard été putain ?

Elle le regarda d'un air sournois.

— De quoi parles-tu ?

— Marion Faye est un maquereau.

— Non ? Je l'ignorais. Franchement !... Pour moi, ce n'est qu'un ancien amoureux.

— Un ancien ou un nouveau ?

— Non.

— Tu n'as fait que lui parler ?

— Ma foi... un peu plus.

— Tu veux dire... *beaucoup* plus ?

— Oui.

Eitel, les genoux tremblants, se sentit envahi par une espèce de joie terrible. Il lança :

— Je vois : je ne te suffisais plus !

— Charley !

— Ben voyons ! Tu en voulais davantage.

— Non, ce n'est pas cela...

— Vous vous êtes bien amusés ?

— Tu te moques de moi...

— Pardonne-moi, dit-il, contenant avec peine son désir de la frapper... Elena, pourquoi as-tu fait cela ?

Elle le regarda d'un air de défi.

— Une idée comme ça... J'étais curieuse.

— Tu as toujours été curieuse, pas vrai ?

— Je voulais savoir...

— Je sais. Ne dis rien. Je suis expert en matière de psychologie féminine.

— Ecoute-moi donc. Je *devais* savoir si...

— ... Si j'étais seul capable de te donner du plaisir, ou si tu en aurais autant avec n'importe qui ? C'est bien ça ?

— Oui, à peu près.

— A peu près... Je te tuerai, gronda-t-il.

— Il fallait que je sache, murmura Elena.

— Et l'expérience a été concluante ?

— Oui. C'est ce que je voulais te dire... Avec Marion, je suis restée de glace.

— Si l'on peut dire...

— J'ai pensé à toi tout le temps.

— Tu es ignoble !

Elle se raidit.

— Si tu veux, je m'en irai.

— Reste ici !

— Je pense qu'il vaudrait mieux en finir, dit-elle... Je te rembourserai ma note d'hôtel.

— Avec l'argent de Faye ?

— Je n'avais pas pensé à lui en demander... Mais c'est une idée.

A son propre étonnement, Eitel se jeta sur elle et se mit à la secouer. Elena commença à pleurer. Il la lâcha.

— Ce que j'ai fait t'est bien égal, dit-il. Tu ne te soucies pas vraiment de moi. C'est ton orgueil qui est blessé.

Il essaya de se maîtriser.

— Elena, pourquoi avoir fait cela ?

— Je sais, dit-elle en pleurant plus fort.. Tu me prends pour une imbécile... Je ne suis qu'une distraction pour toi... Je sais...

— Ne dis pas de bêtises. Réponds-moi. Pourquoi ?

Elle le défia à nouveau.

— Quand une femme le trompe, un homme la trouve toujours plus désirable...

— Cesse de réciter tes leçons, idiote ! s'écria Eitel en l'attirant à lui.

— C'est vrai ! Je le sais bien !

Et, soudain, il comprit qu'elle souffrait réellement — et qu'elle avait raison. Jamais encore elle ne lui était apparue plus désirable...

— Idiote, répéta-t-il... Ne comprends-tu pas que je t'aime ?

Et, tout au fond de lui-même, il entendit une voix lui dire :
« Cette fois, tu es dans le bain, mon petit père... »

— Non, tu ne m'aimes pas, dit Elena.

— Si, je t'aime...

Elena recommença à pleurer.

— Je t'adore, sanglota-t-elle... Personne ne m'a jamais traitée comme toi...

Elle se mit à lui embrasser les mains et dit, complètement perdue :

— Je n'ai jamais aimé personne comme je t'aime...

C'est ainsi que leur aventure commença vraiment, et qu'Elena accepta de vivre avec Eitel.

XI

Durant les pre-
mières semaines de leur vie en commun, Elena calqua son
attitude sur celle d'Eitel, faisant siennes ses humeurs, heureuse
lorsqu'il était gai, morose lorsqu'il était sombre. Lui seul au
monde existait à ses yeux. Je n'aime pas m'avancer, mais je
crois que cela était vrai.

De ce qu'elle lui avait raconté de sa propre vie (elle était
toujours vague touchant des détails), Eitel avait déduit que
ses parents tenaient une confiserie dans le centre de Hollywood, que leur union n'avait pas été heureuse, que son père
avait été jockey jusqu'au jour où il s'était brisé une jambe,
que c'était un petit homme prétentieux et brutal, et sa mère
une jolie mégère, calculatrice et violente, elle aussi. Elle avait
à la fois choyé et bousculé Elena, s'occupant d'elle sans cesse
tout en la négligeant, lui donnant des ambitions qu'ensuite
elle réprouvait. Le père, déçu par les chevaux, excédé par ses
cinq enfants, n'aimait pas Elena, la cadette, venue trop tard.
La famille comptait encore des frères, des oncles, des sœurs,
des tantes, des cousins et des grands-parents, dont la réunion
donnait lieu à de véritables batailles. Le père d'Elena était un
dandy et ne pouvait se trouver seul en compagnie d'une femme
sans lui faire la cour, mais il avait aussi un côté moralisateur
et il aimait faire des sermons. La mère d'Elena était coquette,
cupide et jalouse ; elle en voulait à la vie d'avoir fait d'elle
une boutiquière.

— Elle était drôle avec moi, disait Elena. Quand j'étais
gosse, elle me disait : « Si même tu ne fais jamais rien
d'autre, arrange-toi pour partir de cette sacrée rue. » Mais,
cinq ou dix minutes plus tard, elle me battait comme plâtre.

Parfois, lorsque je refusais de leur obéir, ils me disaient que je n'étais pas leur fille, qu'ils m'avaient achetée à mes vrais parents et allaient me rendre à eux. C'était moche, Charley...

Elle avait passé son enfance à écouter leurs scènes de jalousie, pleurant dans les coins tandis qu'ils se lançaient des insultes. C'est pourquoi elle avait quitté la maison avant même d'avoir vingt ans. Elle avait loué une chambre meublée et lié amitié avec des filles qui travaillaient à la *Supreme Pictures,* de jeunes comédiens sans emploi, des étudiants. Ainsi avait-elle découvert la vie de bohème, suivant des cours de soir et apprenant la danse en même temps qu'elle posait dans des écoles de dessin et tenait le vestiaire dans quelque restaurant de troisième catégorie. Puis ç'avait été sa rencontre avec Collie et l'appartement meublé près du studio.

Eitel s'attendrissait en évoquant cette vie passée d'Elena. Personne, depuis des années, ne l'avait touché à ce point. Bien qu'elle n'eût pas revu sa famille dix fois en six ans, elle y pensait sans cesse. Une de ses tantes lui écrivait régulièrement : c'était le seul contact qu'elle eût gardé avec les siens. Elle-même répondait par de longues lettres dans lesquelles elle posait mille questions sur le mariage de telle de leur connaissance, sur la maladie d'un cousin, sur l'entrée de son frère dans la police, sur les études de sa sœur. Et elle parlait de tous à Eitel, qui ne les connaîtrait jamais. Bien sûr, si elle était retournée chez elle, on l'y eût accueillie — mais elle ne l'envisageait même pas. La dernière fois qu'elle était allée voir ses parents, ni eux ni elle n'avaient rien trouvé à se dire. Au milieu du repas, on l'avait prise à partie sur la manière dont elle vivait et elle était ressortie aussitôt.

A présent, sans famille, sans amis, elle s'en remettait entièrement à Eitel. Collie s'était arrangé pour la faire rompre avec ses rares amis. D'ailleurs, elle n'était pas très liante. Bavarde comme une enfant lorsqu'elle était seule avec Eitel, les rares fois qu'ils sortaient et qu'ils voyaient des gens, elle se repliait sur elle-même. Mais Eitel se souciait peu de ce qu'on pouvait dire à leur sujet, et d'ailleurs on ne les invitait guère.

Trois jours après qu'Elena se fut installée chez lui, l'hebdomadaire local publia un écho ainsi conçu :

Est-il exact que Charley Eitel, dont on sait les petits ennuis

que lui a valus son flirt avec les « rouges », joue les Pygma-
lion de boudoir avec l'ex-protégée d'un producteur bien
connu ?...

Que ce fût ou non une coïncidence, on le pria peu après de
ne plus mettre les pieds au *Yacht-Club* — et je pus mesurer
la signification du fait à la colère qui s'emparait de Lulu
chaque fois que j'allais leur rendre visite. Eitel, lui, se borna
à rire lorsque je lui en parlai.

— Au fond, Lulu vous admire, me dit-il. Dites-lui qu'elle
sera toujours la bienvenue chez moi...

C'est ce soir-là qu'il m'exposa sa théorie et, bien que je ne
désire pas entrer ici dans un exposé théorique, je crois qu'elle
éclaire assez bien le personnage. Je pourrais la rapporter mot
pour mot, mais cela nous entraînerait trop loin. Eitel, donc,
se référant à des gens et à des livres célèbres, mais dont jusqu'alors je n'avais jamais entendu parler, m'expliqua que,
selon lui, les êtres avaient une personnalité profonde (qu'il
appelait « le noble sauvage ») que la vie s'employait à transformer, à modeler, à déformer jusqu'à ce qu'il n'en restât
presque rien. Pourtant, si ces êtres avaient de la chance et un
certain courage, ils rencontraient parfois un autre être qui,
dans le secret de lui-même, leur ressemblait — et c'était là
une source de bonheur et de force. Au moins jusqu'à un certain point, car beaucoup de facteurs entraient en jeu, et si
chacun portait en lui cette personnalité cachée, chacun avait
aussi en lui un snob, qui était généralement le plus fort et
pouvait devenir un véritable tyran.

Cependant, les jours s'écoulaient paisiblement et les nuits se
suivaient, toutes pareilles. Eitel s'était embarqué pour un
voyage souvent entrepris et aussi souvent interrompu. A ses
yeux, Elena était davantage une femme née de son imagination qu'une fille nantie d'un passé. Leurs étreintes étaient
devenues tendres et sans passion, sans plus rien de l'extrava-
gance de leurs premières nuits, qui le faisaient penser à des
séances dans un gymnase. Eitel découvrait une espèce de séré-
nité à la fois physique et spirituelle, comme si Elena n'eût
pas été seulement sa femme, mais le baume dont avaient besoin
ses nerfs usés. Il espérait ne pas l'oublier, il espérait que le
vieux snob qui était en lui ne se réveillerait pas, ne viendrait
plus le harceler en lui rappelant les petits défauts d'Elena, son

inculture, son incapacité d'être autre chose qu'une partenaire. Il resterait avec elle, il reprendrait des forces, il travaillerait — après quoi il pourrait à nouveau engager le combat.

Ces semaines l'enchantèrent. Elles étaient pour lui comme une convalescence heureuse, où il eût retrouvé énergie et appétit. Il passait de longues heures sur le patio de leur bungalow à rêver, à penser, à emmagasiner des forces. Et la nuit venue, lorsqu'ils se couchaient pleins de la chaleur du soleil diurne, ils retrouvaient leurs corps avec le même plaisir, le même ravissement, leur entente leur paraissant chaque fois plus parfaite. « Une mauvaise mémoire est indispensable aux amants passionnés », pensait Eitel avec un sourire intérieur.

Il lui semblait parfois vivre le rêve d'un fumeur d'opium, car rien ne lui paraissait vrai en dehors de l'attente de la nuit et du moment où, conduits par de nouveaux désirs, cherchant de nouveaux plaisirs, ils se retrouveraient et pousseraient un peu plus avant l'exploration de ce royaume enchanté. Sans doute se répétait-il que rien ne dure éternellement et que la douceur dont il se sentait envahi pouvait avoir moins d'attrait pour Elena (après tout, la flambée de leurs premières nuits avait été assez différente de ce qui les liait à présent) — mais Elena avait une imagination aussi complexe que la sienne, ce qui lui donnait la conviction que, s'ils changeaient, ce serait ensemble.

Bien sûr, il leur arrivait de se quereller, d'avoir de petits litiges, mais ils s'en divertissaient. Elena avait insisté pour qu'il congédiât sa femme de ménage et la laissât s'occuper de la maison. Eitel avait accepté, à la fois heureux de son offre et de l'économie que cela représentait pour lui. Mais Elena était une bien mauvaise ménagère, et Eitel détestait le désordre. Il en résulta des disputes du genre le plus classique, dont la nouveauté, cependant, amusa Eitel. Dans le passé, ses discussions avec d'autres femmes s'achevaient dans un silence aigre ; il préférait ses querelles avec Elena. Elle ne supportait pas d'être critiquée. Lorsqu'il le faisait, elle perdait aussitôt son sang-froid.

— Tu en as assez de moi, disait-elle. Tu ne m'aimes pas.

— C'est toi qui ne m'aimes pas, répliquait Eitel. Il suffit

que je laisse entendre que tu n'es pas parfaite pour que tu aies envie de me tuer...

— Je sais... Tu ne me trouves pas digne de toi... Tu te rappelles cet écho dans le journal ? Tu me dis que je ne t'aime pas parce que c'est toi qui ne m'aimes pas... Très bien, je m'en, irai...

Et elle faisait un pas vers la porte :

— Pour l'amour de Dieu, viens ici, lui ordonnait Eitel — et cinq minutes plus tard tout était oublié.

Il savait ce qui se passait en elle. Il savait qu'au fond elle ne croyait pas que leur bonheur pût durer et s'attendait toujours à le voir se briser. Pour elle, le danger ne résidait pas dans la dispute elle-même, mais dans la manière dont il la suscitait. Parfois, tout cela accablait Eitel, l'agaçait, lui donnait l'impression de vivre avec un animal sans cesse aux abois, tant elle réagissait à ses moindres propos.

Il n'y eut entre eux qu'une scène de jalousie, et c'est Eitel qui la provoqua. Dans un bar, ils rencontrèrent Marion Faye, qui s'assit à leur table et se montra très aimable avec Elena ; lorsqu'ils s'en allèrent, celle-ci l'invita à aller les voir chez eux. Eitel était convaincu qu'elle ne portait aucun intérêt à Marion, mais, lorsqu'ils se retrouvèrent à la maison, il accusa Elena d'avoir encore envie dudit Marion. En même temps, il savait que ce n'était pas vrai, qu'elle était ainsi faite qu'elle oubliait ses propres infidélités. Mais lui ne pouvait chasser leur souvenir, et il se disait tout bas que renoncer à sa jalousie équivaudrait à oublier le mal qu'Elena pouvait lui faire — tout en bénissant cette femme capable de le faire souffrir, ce dont aucune avant elle n'avait jamais pu se vanter.

Il y avait autre chose encore. Aujourd'hui qu'il avait découvert un amour véritable, il pensait à tous les films qu'il avait rêvé de faire et n'avait jamais faits. En trahissant cet amour-là, en le méconnaissant, il s'était trahi lui-même. L'artiste, se disait-il, est toujours partagé entre son désir de « réussir » et son désir de s'accomplir lui-même dans son œuvre. Avec Elena, il ne pouvait être question de s'affirmer dans le monde, *sauf* par son art. Durant ces semaines paisibles, où tout allait bien et où le seul fait de s'asseoir près d'Elena, au soleil, lui rendait des forces et sa propre estime, il se sentait plein d'indifférence à l'égard de ce monde qu'il avait eu tant de mal à quitter. D'en avoir été chassé le remplissait d'aise, à présent, et l'idée lui réchauffait le cœur que, pour la première fois, il était utile à un être et n'abîmait pas tout ce qu'il touchait. Sa liaison avec Elena le remplissait d'espoir. Il lui apprendrait toutes les petites choses qu'elle devait savoir — cela ne comptait guère. Ce qui était plus important, c'était qu'elle comprît tout le reste. Eitel la voyait devenir un jour la maîtresse avisée de son foyer. Il devinait ce qu'elle pourrait lui apporter. Et ainsi le rêve qu'il vivait aboutissait à son retour dans le monde.

Il parlait sans cesse de l'avenir, de ce qu'ils feraient dans un an, dans deux ans.

— Un jour, nous irons en Europe, disait-il. Tu aimeras beaucoup l'Europe... Quand j'aurai terminé mon film, peut-être que...

— Peut-être que quoi ?

— Nous ne pourrons pas toujours vivre ainsi, n'est-ce pas ? Elle était tendue, troublée.

— Je n'y pense jamais. Pourquoi y penses-tu, toi ?

— Tu es une femme. Il faut que tu y penses... Songe à tous ces gens qui guettent notre rupture.

— Ce sont des brutes. Je ne m'occupe pas d'eux. (Le mot faisait partie de son système de défense ; lorsque Eitel était jaloux, lui aussi était « une brute »...) Si je te quittais parce que tu ne m'épouses pas, ajouta-t-elle tranquillement, cela signifierait que je ne t'aimerais pas vraiment.

Il l'adora de parler ainsi. Elle avait de la dignité. S'il réussissait à faire son film, ce serait grâce à elle. De toute manière, il se conduirait bien avec elle — il se le jura tout bas.

Durant la même période, Eitel pensait au film qu'il rêvait de faire depuis des années et au scénario qu'il avait commencé à écrire à plusieurs reprises au cours des derniers mois. Certaines nuits, il n'arrivait pas à dormir, l'esprit occupé à imaginer des scènes entières et se redressant parfois sur son lit pour jeter des notes sur le carnet qui ne quittait pas sa table de chevet. Ce carnet se remplissait rapidement, et Eitel voyait approcher le moment où il serait prêt à se mettre au travail. Il pensait à ce film avec orgueil, comme un père à son enfant, supputant avec impatience le temps qu'il lui faudrait pour terminer son scénario, pour trouver de l'argent et un producteur.

Une nuit, il se releva même pour rédiger un topo, ébauchant les grandes lignes de son œuvre. Il me le donna à lire le lendemain. Le voici :

« Mon dessein est de raconter l'histoire d'un saint moderne. Mon héros est un homme qui s'est élevé dans le monde en tirant parti des ennuis d'autrui. Il anime à la télévision un programme au cours duquel des gens sont invités à venir exposer leurs problèmes et à écouter ses conseils. Il fonde ainsi son succès sur les confidences d'inconnus touchant leurs drames familiaux, les maladies incurables de leurs proches, les fugues de leurs enfants, sur les malheurs des victimes de l'amour, les jaloux, les abandonnés, les solitaires. A tous, mon héros dispense des conseils au cours d'émissions dont la faveur est énorme, faisant de leurs souffrances de véritables sketches dramatiques.

» Je voudrais souligner que tout cela est une manière de conte de fées — car vient le moment où mon héros ne supporte plus d'écouter toutes ces histoires. La souffrance des autres, qui a fait sa fortune, finit par l'accabler. Une petite porte s'ouvre dans son cœur, mais par cette porte s'engouffre toute la douleur des hommes. Mon héros essaie alors de donner à ceux qui s'adressent à lui des conseils sincères — et, du coup, son émission perd tout son intérêt. D'où conflit avec la direction des programmes, bagarres, tentatives de pression, le tout aboutissant à la suppression de l'émission.

» Mon héros quitte alors le monde où il vivait, pour partir à la découverte d'un autre monde, celui des taudis, des soupes populaires, des bistrots de dernière catégorie, s'enfonçant dans les zones d'ombre de la ville dont il a été un des rois. Il s'emploie à venir en aide à ceux qu'il y rencontre, à leur apporter le réconfort — mais sans y réussir, car il a trop longtemps prêché un faux réconfort et récolte à présent le fruit de son triste enseignement. Dans l'exaspération de sa défaite, il se détruit lui-même avec une espèce de fureur douloureuse — et de sa « sainteté » ne subsiste que le souvenir accablant de ses fautes.

» Je voudrais réussir à faire sentir la beauté cachée d'un tel destin — celui d'un homme qui s'ouvre à une immense pitié, mais est lui-même submergé par elle. Je voudrais obliger le monde à reconnaître dans ce miroir son visage hypocrite et féroce, lui rappeler que le malheur existe, même s'il l'a oublié et s'il a renoncé à lutter contre lui.

» Première remarque (favorable) : si j'atteins mon but, mon héros pourrait être très émouvant, et le film un chef-d'œuvre.

» Deuxième remarque (défavorable) : on ne réalise pas un chef-d'œuvre, d'ordinaire, en partant de l'idée qu'on va en faire un...

» Tout cela serait-il seulement le fruit d'un enthousiasme nocturne ?

» C. F. E. »

Je rendis son texte à Eitel en lui disant que je croyais comprendre ses intentions.

— Bien sûr, dit-il, condensé en deux pages, cela peut sembler un peu ridicule, mais je *vois* ce film.

Il rit en ajoutant :

— Elena trouve mon idée magnifique, mais elle est de parti pris...

— Ne plaisante pas à propos de tout cela, dit Elena.

Le démon d'Eitel le poussa à insister :

— Figurez-vous, mon cher Sergius, dit-il avec un sourire ambigu, qu'elle s'imagine que je vous ai pris pour modèle de mon personnage...

— Tais-toi, implora Elena sans me regarder.

— Ecoutez, Charles Francis ! dis-je en feignant l'indignation. J'ai déjà posé pour un magazine d'athlétisme... Maintenant, c'est vous qui vous servez de moi comme modèle. Vous vous rendez compte ? Quelle carrière en perspective !

Nous éclatâmes tous les trois de rire et je regardai Elena, qui commençait à me donner à penser. Sans jamais nous l'être dit, nous avions de la sympathie l'un pour l'autre, et plus d'un goût en commun. Je ne fus pas surpris de voir le regard d'Elena répondre au mien. Elle me sourit, et je crois qu'à cet instant précis nous conclûmes une sorte d'accord tacite, aux termes duquel nous serions désormais des amis, sans aucune arrière-pensée — du moins aussi longtemps qu'elle partagerait la vie d'Eitel.

— Si nous allions boire un verre ? suggéra-t-elle.

Ils avaient pris l'habitude de fréquenter un petit bar français, à deux pas de chez eux, et je les y retrouvais souvent. C'était un endroit nouveau, dont la seule attraction était un accordéoniste. Il ne jouait pas très bien, mais je crois que cette musique de bal musette faisait désormais partie de leur aventure. Tendre comme la mélodie d'une vieille rengaine, elle semblait dire : « La vie est triste, la vie est gaie, elle est gaie parce qu'elle est triste... » — et peut-être rappelait-elle à Eitel les films de sa jeunesse...

Il devint très actif, se mit à écrire des lettres à son homme d'affaires, à faire le compte de l'argent qui lui restait et annonça à Elena qu'il leur serait peut-être possible de « tenir » trois mois de plus. Après quoi il pourrait vendre sa voiture et hypothéquer son bungalow. C'était tout ce qui lui restait de ce qu'il avait gagné depuis quinze ans, mais cette idée ne l'affectait guère.

Un soir, il projeta pour Elena et pour lui-même, sur son appareil personnel, une copie de seize millimètres d'un de ses premiers films. Il le tenait pour un très bon film. Ses personnages étaient des chômeurs, et Eitel y avait exprimé les idées et la ferveur du jeune homme qu'il était à l'époque. Il en revit les images le cœur battant, plein de fierté rétrospectives, éprouvant parfois la sourde crainte de ne plus pouvoir faire aussi bien, puis repris par la conviction enthousiaste qu'il pourrait faire mieux, qu'il pourrait faire n'importe quoi. Et en même temps, il s'étonnait de la jeunesse de l'homme qu'il était lorsqu'il avait réalisé ce film.

— Je ne savais rien, à cette époque, dit-il à Elena, et pourtant, à certains égards, j'en savais plus long qu'aujourd'hui. Je me demande ce que j'ai fait de cette connaissance...

A la fin de la projection, Elena l'embrassa.

— Je t'aime, dit-elle. Je sais que tu feras encore des films et qu'ils seront aussi beaux.

Et Eitel, tremblant de crainte, sut que le temps des vacances était passé, qu'il lui fallait se remettre au travail, recommencer une fois encore son scénario, ce squelette de l'œuvre d'art que, jusqu'alors, il n'avait pas été capable de créer.

XII

J_E N'AVAIS JAMAIS
connu de fille comparable à Lulu, et jamais je n'avais vécu
une telle aventure. Bien sûr, j'avais eu un certain nombre de
liaisons — on ne passe pas par l'Armée de l'Air sans
apprendre quelques petites choses touchant les femmes —
mais j'avais toujours été un médiocre détective, et les dames
me battaient de plusieurs longueurs.

Il me semble pourtant que Lulu était capable d'étonner
n'importe qui. D'une heure à l'autre, nous passions de l'amour
aux menaces de rupture, et je ne savais jamais trop si nous
allions coucher ensemble ou nous battre, faire les deux à
la fois ou ne rien faire du tout. La première fois que je la
revis, elle était avec des amis et ne les quitta pas une
seconde ; le lendemain, elle vint chez moi et me dit qu'elle
m'aimait. Je lui dis naturellement que je l'aimais aussi. Avant
son départ, nous nous disputâmes et décidâmes que nous ne
nous reverrions plus. Une demi-heure plus tard, elle me téléphonait du *Yacht-Club,* et je l'entendis éclater en sanglots.
Car nous nous aimions, après tout.

De toute évidence, notre amour n'était plus gouverné ni
par elle ni par moi. Je découvrais des émotions inédites et
je crois que je n'y prenais pas moins de plaisir que Lulu.
Je me mis dans la tête que je la marquerais pour toujours.
Ce qui, pour elle, n'avait peut-être été au départ qu'une
amusette, m'apparaissait comme une grande affaire, une
bataille à gagner, un record à battre avec mes reins, mes
muscles et mon âme. C'était le seul moyen de la soumettre
et de la garder durant quelques minutes. Tel un peloton de
fantassins en retraite campant dans un musée, j'éprouvais

une espèce de volupté à déchirer les tapisseries, à lacérer les tableaux, à renverser les statues de marbre. Ensuite, il me semblait avoir conquis Lulu, j'écoutais son souffle haletant, et je me disais que si, en d'autres circonstances, elle était différente, en ces moments-là elle était vraiment elle-même, comme si le langage de son corps eût été plus vrai que celui de ses lèvres. A l'orgueil de posséder une aussi belle fille s'ajoutait l'orgueil plus grand encore de penser aux millions de pauvres types qui l'avaient applaudie. Jamais ils n'auraient cela qui m'était donné ! Je les imaginais, frémissants, dressant des autels à Lulu Meyers dans leur bureau, épinglant sa photo au-dessus de leurs lits. Je les dépassais tous. Je me sentais fort.

Mais si Lulu m'était soumise au lit, elle ne l'était nulle part ailleurs. Certains jours, elle me demandait de la laisser seule ; d'autres jours, elle ne me permettait pas de la quitter une minute. Tous ces jours avaient un commun dénominateur : il me fallait céder à tous ses caprices. Sur un coup de téléphone, voilà qu'il me fallait aller la rejoindre à midi au *Yacht-Club,* car elle avait décidé que nous ferions une promenade à cheval dans le désert. Lorsque j'arrivai, je la trouvai au lit. Elle n'avait pas encore pris son petit déjeuner. Voulais-je un peu de café ?... Sur quoi, elle me dit qu'elle avait envie de boire un *Stinger.*

— Je ne sais pas préparer les *Stingers.*

— Voyons, chéri, tout le monde sait faire un *Stinger !* Tu prends du brandy et de la crème de menthe... Qu'est-ce qu'on vous apprenait dans l'aviation ? A traire les vaches ?

— Lulu, allons-nous, oui ou non, faire cette promenade à cheval ?

— Oui, bien sûr !

Elle prit alors son miroir, étudia avec soin son image et me demanda d'un air grave qui n'autorisait pas la plaisanterie :

— Comment suis-je, sans maquillage ?

— Tu es très bien.

— Ma bouche est un peu petite, non ?

— Elle ne l'était pas la nuit dernière...

— Oh ! toi... Tu trouverais du charme à un cadavre !

Mais elle m'enlaça d'un air engageant.

— Je t'aime, chéri...

— Et alors, cette promenade ?

— Sergius, tu es un névrosé.

— Bien sûr. Je ne supporte pas de perdre une journée.

— Ma foi, décida Lulu, tout compte fait, je n'ai pas envie de monter à cheval.

— Je le savais. Moi non plus, d'ailleurs...

— Alors pourquoi as-tu mis ces culottes ?

— Parce que si je ne les avais pas mises, tu me l'aurais reproché.

— Oh ! je ne suis pas comme ça ! Franchement !

Le téléphone sonna. C'était un appel de New-York.

— Non ! déclara Lulu au journaliste qui l'interrogeait. Non, je n'ai pas l'intention d'épouser Teddy Pope !... Bien sûr, c'est un salaud... C'est cela, dites que nous sommes bons amis et rien de plus... Au revoir, mon joli !

Elle raccrocha et grogna :

— Mon impresario est lamentable... Même pas capable de se débrouiller avec les journalistes.

— Pourquoi ne le laisses-tu pas essayer ?

— Il est en dessous de tout.

Là-dessus, au moment où j'avais renoncé à m'énerver, Lulu commença à s'habiller. Le café était froid. Elle me pria d'en demander du chaud. Je recommençai à perdre mon calme et lui dis que je m'en allais. Elle me courut après, me rattrapa à la porte, sachant bien que je me laisserais faire.

— Je suis une garce, dit-elle. Je voulais t'exaspérer.

— Tu as perdu.

— Tu finiras par me haïr !... Si ! Personne ne m'aime, une fois qu'on me connaît vraiment. Même moi, je ne m'aime pas !

— Toi ? Tu t'adores !

— Ce n'est pas la même chose, dit-elle avec un sourire ravi... Sergius, si nous faisions quand même cette promenade ?

Et nous la fîmes !

A cheval, Lulu ne connaissait pas de moyen terme entre la flânerie et le galop. Un jour, comme nous nous trouvions devant une clôture de bois désaffecté, elle me dit de sauter. Médiocre cavalier — il y avait un mois que je montais à cheval — je m'y refusai. Elle me traita de couard. Finalement, je me décidai. Je me voyais déjà tombant, me blessant, et Lulu se transformant en infirmière : cela valait la peine d'être essayé. J'exécutai un saut brillant et, comme je me retournais pour recevoir les félicitations de Lulu, je la vis s'éloigner au petit trot dans la direction opposée. Lorsque je la rejoignis, elle me dit :

— Tu es un enfant. Il faut être idiot pour prendre des risques aussi stupides.

Nous rentrâmes sans plus nous parler. Au *Yacht-Club,* elle gagna sa cabine de bain, en ressortit en maillot et se mit à bavarder avec tout le monde — sauf avec moi. La seule fois qu'elle parut s'aviser de ma présence, ce fut pour me tendre son verre et me dire :

— Chéri, va me chercher un petit martini...

Au début de notre liaison, sa prudence était accablante. Elle ne venait chez moi qu'à pied, ne m'autorisait à aller la retrouver qu'après la tombée de la nuit .

— Cela ferait un drame, si on savait, gémissait-elle. Regarde Eitel...

En somme, elle me comparait à Elena... Cette histoire la rendait furieuse.

— Eitel n'a jamais eu aucun goût, disait-elle. La première traînée venue le mettrait dans sa poche en lui disant qu'il est sensationnel...

Un jour, nous croisâmes Eitel et Elena dans la rue.

— Je parie qu'elle est sale, dit Lulu... Regarde-la : elle devient grasse comme une vache.

Je lui dis que j'aimais bien Elena.

— Je te comprends, dit-elle d'un air aigre. Elle fait pitié...

Une heure plus tard, elle me dit :

— Vois-tu, chéri, je crois que cela m'aurait fait du bien d'avoir à lutter. Peut-être serais-je devenue meilleure... Suis-je vraiment odieuse ?

— Seulement quand tu es debout, dis-je d'un air narquois.

— Tu me le payeras ! cria-t-elle en me jetant un oreiller à la tête.

Un instant après, elle me fit m'étendre à son côté et dit :

— Je suis horrible, mais je veux devenir bonne, chevalier O'Shaugnessy. Avec Eitel, c'était affreux. Il se moquait toujours de moi, et certains de ses amis étaient d'un intellectualisme épuisant... Quand j'étais avec lui, j'aurais voulu devenir une intellectuelle.

J'ai dit qu'elle avait décidé de tenir notre aventure secrète. Un jour, elle changea d'avis — et s'assit sur mes genoux, à la piscine du *Yacht-Club*.

— Vous devriez essayer Sergius, un de ces jours, dit-elle à plusieurs de ses amies. Il n'est pas mal du tout...

Ce propos me déprima, car je savais que, si ç'avait été l'opinion sincère de Lulu, elle n'en eût pas fait part à ses amies. Quoi qu'il en fût, pendant quelques jours elle ne se montra pas en public sans avoir mon bras autour de sa taille. On prit des photos de nous dans les boîtes de nuit. Et, un matin, je trouvai Lulu au pied de mon lit, un journal à la main.

— Regarde ! dit-elle. C'est épouvantable !

Je lus ce qui suit :

L'atomique Lulu Meyers et le (vraisemblablement) prochain Mr. Meyers, l'ex-officier de marine Silgius Mac Shonessy, héritier d'une grosse fortune de l'Est (à moins que ce ne soit l'Ouest), font sauter les compteurs Geiger à Désert d'Or...

Je fus à la fois amusé et horrifié.

— Est-ce qu'ils massacrent toujours ainsi le nom des gens ? dis-je d'un air goguenard.

Lulu prit un air songeur.

— Tu sais, ç'aurait pu être pire, dit-elle... « L'atomique Lulu Meyers » : crois-tu que ce soit ainsi que les gens me voient ?

— Bien sûr que non, dis-je. C'est une idée de ton agent de publicité.

— Peu importe. C'est quand même intéressant...

Comme beaucoup de gens en vue à Désert d'Or, Lulu se préoccupait peu de connaître l'origine des nouvelles la concernant. Pouvoir magique de la chose imprimée : je devinai que, dès cet instant, notre aventure prenait à ses yeux un sens nouveau, devenait plus réelle...

— Cette histoire de compteurs Geiger est une trouvaille, reprit-elle d'un air pensif. En définitive, il n'est pas mal, cet agent de publicité. Je lui téléphonerai dans un jour ou deux.

A présent que notre aventure était devenue une chose officielle, sensationnelle même, Lulu recommençait à jeter le doute dans l'esprit des gens.

— Vous avez vu comment les journaux parlent de Sergius ? dit-elle un soir à ses amis, dans un bar. Ça me donne envie de l'essayer...

Sur quoi, elle m'embrassa comme une sœur — une sœur aînée...

Bien sûr, nous trouvâmes bientôt un nouveau sujet de querelle. Je m'avisai en effet qu'elle faisait de moi un martyr du téléphone. Celui-ci sonnait sans arrêt, et Lulu mettait chaque fois un temps interminable à répondre. On eût dit qu'elle prenait plaisir à le laisser sonner.

— Ne soit pas si nerveux, chéri, me disait-elle. Laisse la standardiste souffrir un peu.

Mais elle finissait toujours par décrocher, et c'était chaque fois pour engager des conversations d'affaires, avec Herman Teppis, avec Munshin (qui avait regagné Hollywood), avec un auteur, avec son metteur en scène, avec un ancien flirt, voire avec son coiffeur qu'elle interrogeait longuement sur une coiffure qui l'avait séduite. Au bout de deux minutes, elle se mettait à me caresser, tout en parlant ; pour elle, faire l'amour et parler affaires allaient très bien ensemble...

— Bien sûr, je suis sérieuse, Mr. Teppis, disait-elle en m'adressant un clin d'œil... Comment pouvez-vous penser de telles choses ?

Elle poussa un jour la virtuosité jusqu'à pleurer dans l'appareil, en parlant à Teppis, dans le même temps qu'elle se donnait à moi.

J'essayais d'obtenir d'elle qu'elle vînt plutôt chez moi, mais mon logis lui déplaisait :

— Il est d'une banalité déprimante, chéri, me dit-elle.

Pendant un certain temps, ce fut sa hantise. Tout lui semblait banal, sans saveur, y compris son propre appartement au *Yacht-Club,* dont elle invita la direction à transformer la décoration. Durant la même journée, ses murs beiges furent repeints dans un bleu éclatant, que Lulu tenait pour sa couleur bénéfique. Le soir, sa tête blonde posée sur des draps bleu pâle, elle commanda par téléphone des roses roses et rouges. Il lui arrivait d'acheter une robe et de la donner à sa femme de chambre avant même de l'avoir portée, tout en se plaignant de n'avoir rien à se mettre. Un après-midi, elle échangea sa nouvelle voiture contre une autre, du même modèle, mais d'une teinte différente, ce qui lui coûta près de mille dollars. Comme je lui rappelais qu'elle aurait à rouler à faible allure tant que durerait la période de rodage, elle engagea un chauffeur qu'elle chargea de promener sa voiture dans le désert à longueur de journée, pour s'épargner cet ennui. Le montant de sa première note de téléphone au *Yacht-Club* fut de cinq cents dollars.

Mais elle avait autant de talent pour gagner de l'argent que pour le dépenser. Quand nous nous rencontrâmes, elle était en pourparlers pour un contrat de trois films. Elle téléphonait sans cesse, à ce sujet, à son impresario, lequel en parlait à Teppis, lequel rappelait Lulu. Elle exigeait des sommes considérables et en obtenait plus des trois quarts.

— Je déteste mon père, me disait-elle, mais, en affaires, c'est un joueur. Il y est magnifique. Je tiens de lui...

Elle me raconta que, lorsqu'elle avait treize ans, et allait encore à l'école professionnelle, la *Magnum Pictures* avait voulu lui faire signer un contrat de sept ans.

— J'en serais encore aujourd'hui à gagner sept cent cinquante malheureux dollars par semaine, me dit-elle, comme un tas de pauvres couillons, mais papa ne m'a pas laissé faire. Il m'a dit : « Ce pays a été bâti sur le principe du libre emploi ! » Ce n'est qu'un pédicure et un petit propriétaire, mais il m'a appris à me défendre... J'ai souvent remarqué qu'il existe une espèce d'hommes qui sont incapables de gagner de l'argent par eux-mêmes, mais qui savent en faire gagner aux autres. Mon père est comme ça.

L'opinion de Lulu sur ses parents se modifiait d'une heure à l'autre. Parfois, c'était à son père qu'allait toute son admiration.

— Ma mère est une garce, disait-elle alors. Elle a détruit mon père. Pauvre papa !

Sur quoi, elle m'expliquait que sa mère avait gâché sa vie :

— Je ne voulais pas être actrice. Elle m'y a forcée. C'était toute son ambition. Ce n'est qu'une... pieuvre.

Une heure plus tard, au téléphone, je l'entendais s'entretenir avec ladite pieuvre, à propos de je ne sais quel aliment :

— Oui, mamy chérie, je crois que ça me donne des boutons... Tu crois qu'avec de la glycérine ?... Tu dis ?... Il recommence à faire des histoires ?... Dis-lui de te laisser tranquille ! A ta place, je ne le supporterais pas, il y a longtemps que j'aurais divorcé...

Et, après avoir raccroché, elle me disait :

— Je ne sais pas ce que je deviendrais sans elle... Les hommes sont terribles.

Sur quoi, elle me boudait pendant une demi-heure d'horloge.

Il me fallut plus de temps qu'il n'eût été raisonnable pour comprendre que sa plus grande volupté était de s'extérioriser sans contrainte. Si l'envie lui venait de se mettre de la crème sur le visage, elle le faisait, fût-ce devant une demi-douzaine de spectateurs hilares. Au premier étranger venu, elle déclarait qu'elle était en train de devenir la plus grande actrice du monde. Un jour, parlant à un metteur en scène, je la vis sur le point de pleurer sous prétexte qu'on ne la faisait jamais jouer dans des films sérieux.

— Ils ruinent ma carrière, se lamentait-elle. Le public ne demande pas du charme, il demande du talent. J'accepterais le plus petit rôle si je pouvais m'y exprimer vraiment.

Pendant trois jours consécutifs, elle se disputa par téléphone avec Munshin parce qu'il refusait de lui donner un rôle plus important dans son prochain film. Elle méprisait la publicité, disait-elle, mais elle faisait plus que collaborer avec les photographes. Les meilleures idées venaient toujours d'elle. Il m'arriva, durant les quelques nuits qu'elle m'autorisa à passer avec elle, de me réveiller pour la trouver en train de noter une idée publicitaire dans le carnet qui ne quittait pas sa table de chevet. Elle m'expliqua avec complaisance l'importance d'une bonne photo, et je découvris ainsi que la cause profonde de son hostilité à l'endroit de Teddy Pope résidait dans le fait que tous deux avaient un profil gauche plus photogénique que le droit, ce qui posait des problèmes insolubles aux opérateurs.

— D'ailleurs, ajouta-t-elle, je déteste tourner avec des tapettes...

Durant les interludes qu'autorisait son caprice, les choses s'arrangeaient un peu. Lulu avait le goût de certaines fantaisies, qui ne me déplaisaient pas non plus. J'étais persuadé que nous étions des amants peu communs, j'en étais fier et je pensais avec pitié aux gens innombrables qui ignoraient de tels divertissements. Je la trouvais elle-même, dans ces moments-là, incomparable. Au contraire d'Eitel, qui ne supportait pas qu'Elena lui parlât de ses anciens amants, il ne me gênait pas qu'elle fît allusion aux siens, puisque la comparaison était toujours à mon avantage. Ma grandeur d'âme allait jusqu'à prendre la défense d'Eitel. En tant qu'amant, Lulu lui donnait une cote assez faible, et mon amitié pour lui en était humiliée. Bien sûr, cela n'allait jamais très loin, car je connaissais la faculté de mensonge de Lulu, et je m'employais très vite à affirmer mes qualités de champion.

Nous avions nos petits jeux. Par exemple, j'étais photographe et Lulu modèle, ou bien elle était une vedette et moi un groom, une reine et moi son esclave. Elle adorait jouer à la jeune fille qui se laisse séduire, pour la première fois naturellement. Tout cela m'enchantait, car je ne désirais rien tant que d'être seul avec elle. J'ignorais la fatigue. Chaque fois qu'elle donnait le signal — et je ne pouvais jamais savoir, fût-ce cinq minutes à l'avance, quand ce serait — mon désir se réveillait, stimulé par ce que j'avais à endurer lorsque nous étions en public.

Aller avec Lulu au restaurant m'était devenu un supplice. Que nos voisins de table fussent des amis ou des ennemis, leurs conversations intéressaient toujours Lulu beaucoup plus que la mienne. Elle était hantée par l'idée qu'elle pût ne pas entendre un potin, un bon mot, un entretien d'affaires — en sorte que manger en sa compagnie ressemblait aux séances dans sa chambre : là, c'était le téléphone ; au restaurant, c'était le besoin d'aller d'une table à l'autre, tantôt m'entraînant à sa suite et tantôt me laissant dans mon coin. Je dus finalement renoncer à prendre en sa compagnie un repas complet.

Je me souviens d'un dîner que nous fîmes avec Dorothea O'Faye et Martin Pelley. Ils venaient de se marier, et Lulu en était transportée de joie. Dorothea, me dit-elle, était une vieille amie, sa meilleure amie. Dix minutes plus tard, elle disparut. Lorsqu'elle revint, elle s'assit sur mes genoux et me dit, assez haut pour que les autres l'entendissent :

— Chéri, j'ai essayé de faire dodo, mais je ne peux pas. Qu'est-ce que tu me conseilles ?

Cinq minutes plus tard, elle faisait en sorte que Pelley payât l'addition.

XIII

LE TEMPS PASSANT, JE me liai avec un certain nombre d'amis de Lulu. Elle voyait surtout Dorothea O'Faye-Pelley, et je recommençai à passer mes nuits à *La Gueule-de-Bois*.

Quelques années auparavant, quand Dorothea était encore journaliste, Lulu avait été l'une de ses favorites, et leur amitié y avait survécu. Ce n'est qu'avec Dorothea que je l'ai vue parfois détendue. Chez elle, elle s'asseyait à ses pieds et l'écoutait parler, en silence. Le nom de Lulu étant à présent plus célèbre que celui de Dorothea, un nouveau venu à *La Gueule-de-Bois* eût sans doute été surpris de la voir prendre rang entre l'agent immobilier et l'ivrogne O'Faye, mais je savais que, si Lulu avait essayé de briller au détriment de Dorothea, leur amitié n'y eût pas résisté.

J'étais, pour ma part, devenu moins sensible au charme de Dorothea. Plus je la connaissais, moins elle m'impressionnait. J'avais pris mon parti du rite qui voulait que chacun lui racontât sa vie. Elle n'aimait rien tant que discuter les « problèmes » des membres de sa cour, ce qui lui assurait leur fidélité. Ainsi Jay-Jay...

Il avait une petite amie que je ne connaissais pas. Selon lui, il l'avait guérie de la drogue en passant une semaine entière enfermé avec elle dans la chambre. A présent, il en était entiché. C'était une vraie perle...

— Pourtant tu ne songes pas à l'épouser, lui dit Dorothea.

— Ma foi, non, c'est un fait, admit Jay-Jay. Je le devrais, mais je ne pense à rien d'autre qu'à la tromper.

— Avec la tête qu'elle a, ricana Dorothea, je te comprends...

Jay-Jay rit aussi fort que les autres. Puis, d'un air grave, il ajouta :

— Pourtant, quand je pense à elle, j'ai souvent l'impression que je l'aime vraiment.

Pelley toussota. Regardant Dorothea d'un air servile, il déclara pompeusement :

— Un homme qui aime vraiment souhaite épouser celle qu'il aime.

Dorothea éclata de rire et demanda à Jay-Jay :

— Et comment va cette autre souris avec qui tu te baladais ?

— Celle qui avait toujours l'air de sucer une figue ? dit Jay-Jay... Je l'ai plaquée. J'en ai une autre, à présent, poursuivit-il avec un sourire. Une folle. Elle a deux gosses. Elle s'appelle Roberta ; Bobby pour les intimes. Elle a quitté son mari et voudrait devenir *call-girl*... Seigneur ! J'ai l'impression que je serais encore plus doué qu'elle pour ce métier...

« Sans aucun doute », me dis-je tout bas.

Mais ce genre d'allusion faisait aussitôt penser à Marion Faye, ce qui gâtait tout le plaisir de Dorothea. Rien ne dit d'ailleurs que ce n'était pas le souhait de Jay-Jay.

Tôt ou tard, mon tour venait. Dorothea avait décidé que je « réussissais » à Lulu, et elle s'était mis en tête de me venir en aide. Elle avait toujours quelque situation à me proposer : elle connaissait un journaliste qui me prendrait comme collaborateur, un metteur en scène qui avait besoin d'un assistant, un homme d'affaires qui saurait m'employer... Je n'avais qu'un mot à dire. Chaque fois, j'essayais de changer de conversation. Un jour, je lui dis même :

— D'accord, Dorothea. Un de ces jours, je deviendrai un homme respectable...

A la surprise de tous, Lulu prit ma défense. C'était la première fois qu'elle contredisait Dorothea.

— Laisse-le donc tranquille, chérie, dit-elle. Sergius est un garçon bien. S'il accepte une situation, il se fera rouler comme tout le monde.

Ce qui régla, pour quelques jours, la question de mon avenir.

Lulu ne manquait pas de tenir Dorothea au courant de ses

propres difficultés, et notamment des tentatives d'Herman Teppis en vue de la marier avec Teddy Pope. Elle se demandait comment elle serait capable de s'entendre avec les amis de Teddy.

— Si tu ne veux pas épouser Teddy, il faut faire quelque chose, dit Dorothea. Herman Teppis est coriace.

— Pourquoi n'épousez-vous pas Sergius ? questionna Pelley.

— Il ne voudrait pas de moi, répondit Lulu en souriant.

Cette conversation eut des suites. Lulu se mit à suggérer que nous devrions effectivement nous marier, et je crois que mon refus me rendit encore plus séduisant à ses yeux. L'idée de ce mariage m'accablait. Je me voyais déjà dans la peau de « Mr. Meyers », une espèce de navigateur au long cours terrorisé par sa femme, toujours occupé à servir à boire à Lulu et à ses invités. Mais je crois que ce qui me déprimait le plus, c'était d'être obligé de penser à moi-même et à mes propres intentions. Suivant mon humeur, il m'arrivait de penser à tout ce que je pourrais devenir, répétiteur dans un collège, psychanalyste, agent du F. B. I. (1), voire animateur de boîte de nuit. Il m'arrivait même, de loin en loin, de me souvenir avec amertume que j'avais songé à devenir écrivain...

Pourtant, parler mariage me rendait irrémédiablement maussade. Lulu et moi nous nous disputions plus que jamais, et il en résultait un certain malaise. A certains moments, j'étais convaincu que la rupture était proche et je me surprenais à penser, avec une sorte de délectation morose, au moment où je serais libre. En fait, je sentais qu'il me serait aisé de la quitter. Je crois que la chose est assez fréquente quand une femme songe à se faire épouser.

Mais je dois reconnaître que, à d'autres moments, Lulu savait me rendre malheureux. A peine m'avait-elle demandé de l'épouser et à peine m'y étais-je refusé, elle commença à me dire combien elle trouvait d'autres hommes séduisants — et toujours en fonction de qualités qui me faisaient défaut. L'un avait l'esprit vif, un autre de l'assurance, un troisième

(1) F. B. I. : *Federal Bureau of Investigations.* C'est l'organisme policier qui est chargé des enquêtes sur les « activités anti-américaines ». (N. du T.)

du charme — et Lulu m'expliquait que des aventures avec eux lui donneraient les mêmes vertus. Dans ces moments-là, j'étais forcé de m'avouer que je l'aimais, car je me surprenais à dénombrer ses propres défauts et à m'en réjouir, dans la mesure où je croyais qu'ils la liaient à moi.

Bien sûr, il n'en était rien. On mettait en chantier le nouveau film de Lulu, et elle décida de regagner Hollywood pour quelques jours, afin d'y ajouter son grain de sel. Chacun de nous deux commença à envisager cette séparation à sa manière. Lulu disait que Désert d'Or l'ennuyait, et, de mon côté, je ne considérais pas sans plaisir la perspective de rester seul, chez moi, à lire, à me reposer, sans voir personne. J'avais besoin de voir clair en moi-même. J'évoquais les charmes de la solitude, en me disant que, si celle-ci est parfois pesante, l'amour ne l'est pas moins. Bref, j'en vins à souhaiter son départ.

Pourtant, lorsqu'elle fut partie, je n'arrivai pas à me « retrouver ». La lecture n'avait pas raison de mon énervement, et les jours passaient sans dissiper mon inertie. J'étais à ce point habitué à me disputer avec Lulu que je passais des matinées entières à me demander ce que je pourrais bien faire de ma journée. Au reste, nous nous téléphonions sans arrêt. Je l'appelais pour lui dire que je l'aimais, et elle me rappelait une heure plus tard pour m'assurer que j'étais l'homme de sa vie.

Elle revint un jour plus tôt qu'il n'était prévu, et nous passâmes une nuit extraordinaire.

Le matin suivant, nous étions tous les deux épuisés. Une fois habillée, Lulu me dit qu'elle trouvait à son corps une odeur déplaisante.

— Je ne sens que ton parfum, lui répondis-je.

— Non, chéri, tu n'as pas d'odorat. Je sais ce que je dis. Ce sont des choses qui arrivent : on se met brusquement à sentir mauvais, et c'est sans remède ...

— Où as-tu été chercher cela ?

— Je connais quelqu'un à qui c'est arrivé... Il faut que je prenne un bain !

Elle se baigna deux fois de suite, après quoi elle décida que c'était la chambre qui sentait mauvais.

Plusieurs jours durant, elle passa son temps à se baigner,

jusqu'au moment où elle se mit en tête qu'elle avait un cancer. Je lui dis de consulter un médecin ; au lieu de quoi, elle alla voir Dorothea et en revint avec une nouvelle hantise :

— Mes seins commencent à tomber, me dit-elle d'un air désespéré. C'est l'âge. Il n'y a rien à faire à cela... Promets-moi de ne pas trop les caresser, chéri...

Elle fondit en larmes et m'avoua qu'elle avait toujours envisagé de se faire opérer, le jour où sa poitrine commencerait à tomber. Mais elle venait de voir Dorothea, qui avait subi une opération de ce genre.

— C'est terrible, dit-elle... Les seins de Dorothea sont tout plats...

— Mais non, voyons !

— Mais si ! Elle me les a montrés. J'ai l'impression que c'est à moi que la chose est arrivée...

— Mais non... pas encore !

— Tu ne comprends rien. Tu es une brute !

Lorsque le premier jour de tournage de son nouveau film approcha, la nervosité de Lulu grandit encore. Un matin, elle m'annonça qu'elle allait suivre des cours de comédie.

— Je veux tout recommencer par le commencement, dit-elle. Apprendre à marcher, à respirer. Je n'ai jamais été convenablement préparée.

— Toi, suivre des cours ? m'écriai-je. Pas question !

— Mais si ! Je deviendrais la plus grande actrice de tous les temps ! Voilà ce que personne ne comprend !

Je devais m'aviser un peu plus tard que cette nouvelle lubie était la conséquence d'une initiative publicitaire malheureuse du studio. En effet, elle me montra une photo d'elle, parue dans un journal, et me dit :

— Regarde Tony Tanner : il est beaucoup mieux que moi. Lui, un petit acteur de troisième ordre ! Je le déteste !... On devrait fusiller ce photographe ! Il faut qu'ils soient complètement idiots pour laisser publier une telle photo !

Elle voulait téléphoner à Herman Teppis.

— Je lui dirai ce que j'en pense ! Je lui dirai : « Mr. Teppis, c'est un coup monté ! » Oui, c'est un coup monté ! Ils me détestent, au studio !

— Quand as-tu rencontré Tanner ? demandai-je.

— Oh ! il n'existe même pas... Il doit jouer avec Teddy Pope dans mon film. Ils vont venir ici, un de ces jours, pour préparer la campagne publicitaire avec moi.

— Tu n'as pas l'air de t'ennuyer tellement, dans ses bras, dis-je en regardant la photo.

— Tu es stupide. Tout ça, c'est de la publicité. Je ne le supporte pas, ce Tanner. C'est un ancien maquereau, un copain de Marion Faye. Il est encore pire que Marion. Je les méprise tous les deux.

— Le cas de Marion n'est pas si simple, dis-je pour l'irriter.

— Oui, bien sûr, cher Marion... C'est une tapette, comme toi ! Pourquoi ne vas-tu pas le retrouver ?

— Ce n'est pas parce que je ne veux pas t'épouser que je suis... ce que tu dis, tout de même !

— Pauvre Dorothea..., conclut Lulu sans raison apparente.

Elle ne supportait pas que j'eusse de bons rapports avec Marion Faye. J'avais pris l'habitude d'aller le voir, à l'aube, lorsque je quittais Lulu, sans pouvoir m'expliquer à moi-même la raison de ces visites. Je finis même par me demander — en évoquant certains petits souvenirs de l'orphelinat — s'il n'y avait pas un soupçon de vérité dans l'interprétation de Lulu, mais non : c'était tout autre chose qui m'attirait chez Marion. Il n'avait pas changé. Dans tous ses propos, je sentais du mépris à mon égard et à l'égard de Lulu — et je crois que c'est pour cela que j'allais le retrouver. J'ai plus d'une fois remarqué que les êtres engagés dans une aventure amoureuse aiment à s'entourer d'amis qui approuvent ou désapprouvent leur liaison, avec l'espoir de se faire eux-mêmes une opinion sur elle, à travers le jugement d'autrui. Ainsi, Eitel me voyait beaucoup plus volontiers depuis qu'il savait ma sympathie pour Elena : elle l'aidait à avoir raison de ses propres réticences. De même, Marion m'aidait à me défendre contre les velléités matrimoniales de Lulu et les encouragements prodigués dans ce sens par Dorothea et sa cour...

Ce n'était pourtant pas le principal objet de nos conversations. Il n'est pas de passion plus grande que celle du philosophe qui se cherche un auditoire — et Marion avait décidé, semblait-il, de faire de moi son auditeur attitré. Nous finissions toujours par parler de lui...

Il avait, Dieu sait où, relevé cette maxime : « *Le plus grand plaisir est celui qui naît d'une répugnance surmontée* » — et, pour l'illustrer, il me parla de ses séances avec Teddy Pope.

— La première fois que j'ai souri à Teddy, me dit-il, cela m'a dégoûté et coûté un effort terrible. C'est pourquoi l'expérience m'a tenté. Mais ça n'a pas été si simple. Au fond, je suis moi-même à moitié inverti, ce qui fait que la chose ne m'a pas tellement répugné...

— J'ai vu comment vous étiez avec Pope, dis-je...

— Oui, je sais, vous m'avez vu être cruel avec lui. C'est justement que la cruauté me répugne. Bien sûr, je dis à Pope qu'il est dégueulasse, je lui fais sentir ce qu'il y a d'ignoble en lui. Mais si je me force à le piétiner ainsi, c'est parce que, ensuite, je me sens bien. Enfin, presque... Je ne suis jamais allé jusqu'au bout de quoi que ce soit, dans la vie...

— Au fond, dis-je, vous n'êtes qu'un chrétien qui a mal tourné.

— Ah oui ? murmura Faye... Vous avez un esprit drôlement tordu !

— Non. Il suffit de changer un mot à la maxime que vous citiez tout à l'heure...

— Lequel ?

« *Le plus grand plaisir est celui qui naît d'un* VICE *surmonté...* »

— Il faudra que j'y réfléchisse, dit Marion avec colère.

Et il ajouta avec une nuance de froide admiration :

— Espèce de flic irlandais...

Deux jours plus tard, il me dit :

— J'ai repensé à ce que vous m'avez dit... Au fond, la noblesse et le vice, c'est la même chose. Le tout est de savoir quelle direction choisir. Je pourrais fort bien en changer...

Au cours de ces conversations avec Marion Faye, j'apprenais à mieux le connaître, bien que je ne croie pas l'avoir jamais tout à fait compris. Mais il me racontait ce qu'il faisait en dehors des moments que nous passions ensemble. Il se levait rarement avant midi. L'après-midi, il allait dans les plus grands hôtels et buvait un verre, au bar, en arrangeant des rendez-vous pour les filles dont il s'occupait, avec des joueurs, des hommes d'affaires, des acteurs, des politiciens.

Il ne se couchait pas avant l'aube et, d'ordinaire, passait les dernières heures de la nuit à se tirer les cartes, à rêvasser. Au cours de la soirée et de la nuit, il faisait n'importe quoi, mais jamais la même chose deux jours de suite. Un soir, il s'occupait d'une fille hystérique qui « travaillait » pour lui, le lendemain, il passait la nuit avec des voyous ou des inconnus, le jour suivant, il s'employait à mettre dans son jeu une nouvelle fille (c'était ce qui l'amusait le moins, ce qu'il trouvait le plus banal), allait traîner chez Dorothea, se rendait à Hollywood pour entendre un nouvel orchestre à succès, ou dans une ville de l'Etat voisin où le jeu était autorisé. Il lui arrivait de rendre visite à Eitel, ou bien de retrouver Teddy Pope ou d'autres amis du même genre, d'aller au cinéma, de se contenter de boire dans un bar — mais toujours, vers trois heures du matin, il rentrait chez lui.

Je voudrais rapporter l'une des vingt histoires que j'appris ainsi, concernant ses activités. Elle se passa une nuit, peu après que je l'eus quitté. Il était en train de se tirer les cartes, lorsque le téléphone sonna. Il en avait l'habitude. C'était l'un des inconvénients de son métier... Aussi bien ne fut-il guère surpris d'entendre la voix de Bobby, la petite amie de Jay-Jay, qui « travaillait » pour lui depuis une dizaine de jours. Il était quatre heures du matin.

— Je t'avais dit de ne pas m'appeler après trois heures, dit Marion.

— Il le fallait, Marion... Je t'en prie...

— Bon, dit-il en souriant à lui-même. Que s'est-il passé ?

Lorsqu'une fille lui téléphonait à une heure aussi tardive, cela signifiait généralement qu'elle avait eu des ennuis et voulait les lui confier.

— C'est tout à fait extraordinaire, dit Bobby.

— Raconte...

— Je ne peux pas te le dire par téléphone. (Ça aussi, c'était classique.)

— Bon, eh bien, tu me le raconteras demain...

— Marion, je sais que je t'embête, mais ne pourrais-tu pas venir me voir tout de suite ?

— Bien sûr que non ! dit-il.

— Et si je venais chez toi ?

— Oui, demain...

— Marion, *qui tu sais* m'a donné cinq cents dollars !
— Félicitations ! dit-il.
(Il commençait à être intéressé. Elle reprit :)
— Veux-tu venir me voir, maintenant ?
— Non.
— Puis-je venir chez toi ?
— Si ça ne dure pas trop longtemps.
— Mais non, c'est impossible... J'ai renvoyé la garde des petites en rentrant !
(C'est vrai : il y avait les deux petites filles de Bobby...)
— Rappelle-la, dit Marion patiemment.
— Ce n'est pas possible...
— Alors voyons-nous demain.
Il y eut un silence. Bobby réfléchissait. Finalement elle dit :
— Bon. Je vais essayer.
— Grouille-toi, dit Marion. Ou bien tu me trouveras endormi.
Il raccrocha.

En attendant Bobby, il se mit en robe de chambre. Il ne lui restait plus de marijuana, et il se dit qu'il lui faudrait en racheter le lendemain. La marijuana ne lui procurait aucun plaisir, aucune excitation — rien qu'une curieuse sensation de froid, particulièrement aux tempes, et de dépression — et il se demanda s'il ne ferait pas mieux d'y renoncer. Mais il avait déjà essayé, quelques mois plus tôt, et le résultat avait été désastreux.

On frappa à la porte. C'était Bobby, qui entra sans attendre qu'il l'y invitât. Tout le monde savait que la porte de Marion n'était jamais fermée à clef. C'était une discipline qu'il s'imposait. Il avait de bonnes raisons d'être prudent, pas mal de gens lui en voulaient, et il le savait : il lui arrivait, dans son lit, de tendre l'oreille aux bruits extérieurs, et d'être paralysé par la peur. C'était pour s'en punir qu'il ne fermait jamais sa porte...

Bobby l'embrassa sur la joue, comme la plupart des filles qui travaillaient pour lui.
— Quelle nuit magnifique ! dit-elle.
— Bien sûr : cinq cents dollars...
— Oh ! ce n'est pas ce que je veux dire... Il a été tellement gentil ! Il m'a dit que je les lui rendrais quand je pourrais...

Elle ajouta gravement :

— Si je peux, je le ferai.

Bobby était grande et un peu trop mince pour une *call-girl*. Elle avait quelque chose de terne, d'inexpressif. Elle regarda autour d'elle.

— C'est bien, chez toi, dit-elle.

Marion avait loué un bungalow meublé et ne se préoccupait pas de son aspect. A ses yeux, les meubles avaient la même importance que les cailloux et les cactus du désert.

— Comment cela s'est-il passé ? demanda-t-il, avec indifférence.

Il avait déjà entendu tant d'histoires sur les habitants de Désert d'Or que sa curiosité était émoussée. Elle était en l'occurrence purement professionnelle.

— Ç'a été merveilleux, dit Bobby.

Marion la regarda avec scepticisme. Il avait un certain penchant pour les femmes frigides, mais dans le cas de Bobby cette épithète était au-dessous de la vérité. Pour elle, faire l'amour était une espèce de cauchemar. En cet instant, cependant, elle avait un sourire de petite fille qui intrigua Marion.

— Raconte, dit-il.

— J'ai été soufflée...

— Oui : Eitel ne manque pas de technique...

— Ce n'est pas ce que je veux dire... Je crois que Charley a le béguin pour moi. Tu ne peux pas savoir comme il est gentil.

— C'est un type bien.

— Quand il a vu les petites et que Veila s'est réveillée en pleurant, il l'a prise dans ses bras et l'a bercée. Je jurerais qu'il avait les larmes aux yeux.

— Ça se passait avant qu'il t'ait donné l'argent ?

— Oui.

— Bon. Et alors ?

— Tu n'es pas chic, dit Bobby. Tu ne veux pas comprendre... J'avais le cafard, aujourd'hui. Je me demandais si j'étais tellement faite pour ce genre de travail. Charley Eitel m'a remontée. Avec lui, on a l'impression... d'exister.

— Vous devez vous revoir ?

— Il ne m'en a pas parlé, mais, à la manière dont il m'a souri en partant, j'ai deviné que d'ici un jour ou deux...

— Cinq cents dollars, dit Marion... Un tiers pour moi, deux tiers pour toi : tu m'en dois cent soixante-sept. Je peux faire la monnaie...

Bobby eut l'air surpris.

— Mais je croyais ne te devoir que dix-sept dollars, Marion ! Après tout, il était entendu qu'il ne m'en donnerait que cinquante, non ?

— Un tiers pour moi, deux tiers pour toi : c'était convenu comme ça.

— Et si je ne te l'avais pas dit ? Tu veux me punir d'avoir été honnête ?

— Ça t'apprendra à trop parler, bébé. La vanité, ça se paie. J'ai aussi la mienne...

— Marion, tu ne sais pas ce que cet argent représente pour mes gosses !

— Je m'en fous, de tes gosses, dit-il.

Il se demanda s'il devrait la frapper. Cela lui arrivait rarement, mais Bobby l'agaçait, avec ses airs de petite provinciale masochiste. Elle se croyait « déchue ». « Et dire, pensait Marion, que c'est avec des personnages de ce genre que je gagne ma vie... » Mais la battre eût été une erreur : Bobby en aurait du plaisir pour une semaine...

— Il faut que je te dise encore autre chose, dit-elle.

— Eh bien ! vas-y, bon sang !

— Je crois que, moi aussi, j'ai le béguin pour Eitel... Cela pose des problèmes, Marion. Je ne crois pas être faite pour ce métier...

— Mais si ! Toutes les poules sont faites pour ce métier.

— Je pensais que, si ça marchait, Charley Eitel et moi, je pourrais y renoncer... Je ne voudrais pas que tu m'en veuilles de t'avoir fait perdre ton temps avec moi, poursuivit-elle en lui posant la main sur l'épaule. Vois-tu, j'ai vraiment le béguin pour Charley. Ce qui s'est passé cette nuit n'arrive pas si souvent. Avec l'argent qu'il m'a donné, moins les dix-sept dollars que je te dois, je pourrais m'en sortir...

Marion ne l'écoutait pas. Il pensait au perroquet de Bobby et la voyait devant sa cage, dans son minable living-room, parlant à l'oiseau comme un gosse... Il se demanda un instant si c'était l'effet de la marijuana, car à présent il imaginait l'oiseau parlant à Bobby, et Bobby se transformant en perroquet et lui parlant, à lui, Marion...

— Ecoute, dit-il brusquement, tu as l'impression qu'Eitel est mordu pour toi ?

— J'en suis sûre. Pourquoi aurait-il agi comme il l'a fait ?

— Mais il n'a pas dit quand il te reverrait ?

— Je sais que nous nous reverrons très vite.

— Bon. Nous allons bien voir, dit Marion en prenant le téléphone.

— Tu ne vas pas l'appeler maintenant ?

— Pourquoi pas ? Il n'aura qu'à reprendre du somnifère...

Marion écouta longuement la sonnerie résonner, à l'autre bout du fil. Enfin, on décrocha.

— Charley ? dit Marion joyeusement. Ici, Fate. J'espère que je ne vous dérange pas ?...

Bobby avait saisi le second écouteur.

— Oh !... c'est vous, dit Eitel d'une voix endormie... Non, ça ne fait rien... Que me voulez-vous ?

— Vous pouvez parler ?... Je veux dire : votre amie n'est pas près de vous ?

— Eh bien, c'est-à-dire...

— Tant pis, dit Marion en riant. Vous lui direz que je vous ai appelé pour vous donner un tuyau sur un cheval...

— Quel cheval ?

— Un cheval qui s'appelle Bobby... Vous voyez ce que je veux dire ?

— Ah ! oui... bien sûr.

— Elle sort d'ici. Elle m'a parlé de vous... Je ne sais pas ce que vous lui avez fait, Charley, mais Bobby est mordue, vraiment mordue...

— Mordue ?

Il était manifestement encore endormi, se dit Marion.

— Ecoutez, Charley : essayez de me comprendre... Quand voulez-vous la revoir ? Demain soir ? Après-demain ?

Cette fois, Eitel se réveilla tout à fait.

— Quand ? dit-il. Mais jamais, grands dieux !

— Très bien, Charley. Merci. Dormez bien. La prochaine fois, je vous en trouverai une autre. Mes hommages à votre amie...

Marion raccrocha.

— Il dormait, dit Bobby... Il a dit n'importe quoi.

— Je le rappellerai, si tu veux.

— Ce n'est pas chic, Marion !

— Mais si... Tu n'as jamais entendu parler du subconscient ? C'était le subconscient de Charley qui parlait...

— Oh ! Marion ! gémit Bobby.

— Tu es fatiguée. Tu ferais mieux d'aller te coucher.

— Je sais qu'il pensait ce qu'il m'a dit tout à l'heure, s'écria Bobby en fondant en larmes.

Il fallut encore dix bonnes minutes à Marion pour se débarrasser d'elle. En s'en allant, elle lui donna cent soixante-sept dollars avec un sourire endormi et lui souhaita une bonne nuit. Sur quoi il se dit qu'il aurait dû la garder encore un moment et regretta de ne pas l'avoir fait. La vie était un perpétuel combat contre le sentiment, et il eût été intéressant de s'occuper de Bobby alors qu'elle souffrait encore d'être tombée amoureuse d'Eitel...

La vanité des femmes... Marion en avait horreur. Mais il avait pris trop de drogue, et, dans ces cas-là, il était incapable de faire l'amour. Dommage... Il eût aimé donner à Bobby un peu de ce qui lui manquait le plus : la lucidité. Elle n'avait jamais aimé Eitel, et Eitel ne l'avait jamais aimée, fût-ce trente secondes. Personne n'aimait personne — mis à part quelques phénomènes, amoureux d'une idée ou d'un enfant idiot.

Les hommes avaient besoin de lucidité beaucoup plus que d'amour, et il la leur enseignerait — de force s'il le fallait.

Il se rendit compte qu'il venait d'en laisser échapper une excellente occasion, avec Bobby. Il aurait dû lui dire de rester. Pourquoi ne l'avait-il pas fait ? C'était son orgueil qui l'avait retenu, bêtement.

Marion décida soudain qu'il aurait raison, désormais, de son orgueil. S'il se désintéressait de ces histoires sensuelles, il deviendrait invulnérable et affirmerait sa supériorité sur les autres — grande chose. Il suffisait de mettre les choses à leur juste place. Plus il pensait à ce qu'il aurait pu faire avec Bobby, plus il le regrettait. Etait-il trop tard pour la rappeler ? Il sourit en songeant à la garde des enfants, mobilisée pour la troisième fois...

Pourtant, en pensant à la leçon qu'il pourrait donner à Bobby, il découvrit avec surprise qu'en dépit de la marijuana il était de nouveau en pleine possession de ses moyens. Il serait donc ridicule de rappeler Bobby : au lieu de comprendre la leçon, elle risquerait de se prendre au jeu et de décider que c'était lui qu'elle aimait. Faye se sentit partagé entre l'envie de rire et celle de casser quelque chose.

— Hello, Marty ! dit une voix. Comment ça va, mon gars ?

— Quelles nouvelles, Paco ? dit Marion, retrouvant son calme.

— Ça peut aller, Marty...

Paco, un mince garçon mexicain de vingt ou vingt et un ans, au visage allongé, le regardait de ses grands yeux fiévreux. Marion devina pourquoi il était là. Il se pavanait, prenait un air dégagé, mais on sentait qu'il faisait un effort intense pour paraître calme. Il était en état de « manque » (1).

— Je me suis dit que je ne t'avais plus vu depuis longtemps, reprit Paco. Ce cher Marty, qui est toujours si gentil...

— Que fais-tu par ici ? dit Marion qui croyait Paco à Hollywood.

Au club où Marion l'avait connu, Paco passait pour un pauvre type. Il était incapable de se battre, avait l'air idiot et appelait les sarcasmes. Pourtant, on le laissait tranquille, car on le tenait pour un peu fou. Paco faisait des choses que personne n'eût songé à faire. Un jour, il avait frappé le président du club avec des ciseaux, parce que l'autre avait dit du mal de sa sœur. Marion ne l'avait plus vu depuis longtemps. Paco avait été arrêté et jeté en prison à la suite d'un vol. Sa réapparition après deux ans n'étonnait pas Faye, habitué à ce genre d'histoires, qui n'arrivaient qu'à lui.

— On m'a dit que tu *en* avais, dit Paco. Tu *en* as bien un peu pour moi ?

Paco était un névrosé, un pauvre gosse. Sa mère le maltraitait, l'injuriait sans cesse. Au club, il passait des heures entières plongé dans des bouquins enfantins. Un jour, il avait annoncé son départ pour les mers du Sud. A dix-sept ans, il arrivait encore qu'un mot un peu dur lui mît les larmes aux

(1) C'est l'état du toxicomane privé de drogue. (N. du T.)

yeux. Et voilà qu'il était devenu un drogué, une épave. Faye éprouva pour lui une soudaine pitié.

— Tu y es venu, toi aussi ? dit-il.

— J'essaie de m'en guérir, gémit Paco. Mais il faut m'aider, Marty. J'en suis malade... Ça fait partie de la cure. Il m'*en* faut un peu... Donne-moi seulement cinquante dollars, pour que je puisse partir... Vingt-cinq, si tu veux... Je dois partir d'ici. Cet endroit me dégoûte. Je deviendrai fou...

Marion aurait pu lui donner cent dollars sans se gêner, mais il pensa au revolver qu'il avait dans son bureau et à celui qui était dans sa voiture. « Ne lui donne rien du tout... », se dit-il. Sa pitié n'était pas la plus forte. Il avait peur de Paco, oui, même de Paco...

— Non, dit-il. Pas un sou...

— Marty ! Dix dollars ! J'en ai besoin...

— *Nada* (1).

— Cinq dollars, je t'en supplie !...

Paco s'était mis à transpirer affreusement. Il était pitoyable, horrible à voir. D'une minute à l'autre, il allait s'évanouir ou se jeter sur Marion. Malade d'énervement et de compassion, Faye luttait contre l'attendrissement avec une sorte de fureur.

— Va-t'en, Paco, dit-il doucement.

Paco s'assit par terre, d'un air lamentable — et Faye se rappela malgré lui Teddy Pope, appuyé à son arbre, l'autre nuit. L'idée d'en arriver là lui faisait horreur. Etait-ce pour cela qu'il essayait de ne pas abuser de la drogue ? Pour éviter cette déchéance définitive ?

Il lui fallait se débarrasser de Paco. Mais comment ? Il songea à appeler la police... Mais il risquait de le payer cher ; un jour ou l'autre, dans un mois, dans deux mois, peut-être, les amis de Paco pouvaient lui tomber dessus. On ne livre pas un drogué aux flics. Bien sûr, Marion avait acheté la protection de la police pour pouvoir « travailler » en paix — mais est-ce que les flics eux-mêmes ne donneraient pas à Paco la drogue qu'il réclamait ? De toute manière, Paco aurait ce qu'il cherchait.

Un instant, Faye pensa à le tuer. Mais ce serait tuer un débris et, à tant faire que de tuer quelqu'un, mieux valait

(1) « Rien » en espagnol. (N. du T.)

choisir une victime plus spectaculaire... Il pourrait aussi l'emmener en voiture et l'abandonner sur une route. Des gens l'y trouveraient et le conduiraient à l'hôpital... Là, aussi, on lui donnerait de la drogue, de toute manière...

— Pourquoi ne fais-tu pas la caisse d'un magasin ? dit Faye.

— Quel magasin ? gémit Paco.

— Tu n'imagines tout de même pas que je vais te donner des adresses ?

Mais cette idée ranima Paco. S'il cambriolait un magasin il aurait de l'argent, et avec cet argent il obtiendrait ce qu'il voulait. Il se releva et marcha vers la porte en titubant. Il arriverait peut-être à « tenir » une heure de plus...

— Un jour, je te tuerai, Marty, dit-il d'une voix pâteuse.

— Reviens me voir, dit Marion. On boira un verre...

Le bruit des pas de Paco s'éloigna. Faye alla dans la chambre à coucher et mit sa veste. Il était à bout de nerfs. Rien au monde n'était plus épuisant que de lutter contre la pitié. Faye en savait long sur ce sujet. La pitié était le pire des vices. Quand il avait dix-sept ans, il avait passé une journée entière à mendier dans la rue, par curiosité. Ce n'était pas bien malin : il suffisait de regarder les gens dans les yeux ; aucun ne se défilait. Ceux qui ne réussissaient pas à gagner de l'argent de cette manière, c'était parce qu'ils ne savaient pas regarder les autres dans les yeux. Lui, il savait... Sur cent personnes qu'il avait abordées, quatre-vingt-dix avaient « marché », que ce fût sous l'empire de la frousse ou de la mauvaise conscience. La mauvaise conscience était le ciment de l'univers : une fois qu'on savait cela, tout était simple ; il devenait aussi facile de conquérir le monde que de lui cracher au visage. Mais il fallait d'abord se délivrer soi-même de cette mauvaise conscience — et, pour cela, tuer en soi toute compassion. C'est ce qu'il avait fait avec cette pauvre loque de Paco. Incapable de dormir, il alla au garage, monta dans sa voiture et sortit...

A quelque quinze kilomètres à l'est de Désert d'Or, il y avait une petite hauteur, la seule des environs. Marion avait envie d'y voir naître le jour. Il arriva juste à temps pour assister au lever du soleil.

Au loin, de l'autre côté de la frontière de l'Etat, il y avait l'un des grands centres de jeu du Sud-Ouest, et Marion se souvint d'un nuit qu'il y avait passée à jouer. A l'aube, une grande lumière blanche avait subitement envahi les salles de jeu, plus froide que celle des tubes de néon, éclairant les visages blafards des joueurs. Aujourd'hui encore, dans le désert, des usines travaillaient vingt-quatre heures par jour, et de lourds camions y amenaient sans fin des tonnes de minerai afin de préparer d'autres grandes lumières blanches... Il était même possible qu'à cet instant précis des soldats fussent en train de s'entasser dans des tranchées, à quelques kilomètres d'une tour menaçante, attendant l'explosion, tandis que leurs officiers expliquaient ce qui allait se passer...

Qu'il en soit ainsi, se dit Marion. Qu'il y ait encore une explosion, puis une autre, et puis beaucoup d'autres, jusqu'à ce que le Grand Soleil détruise le monde... Qu'il en soit ainsi, se dit-il en regardant vers l'Est, vers La Mecque où tictaquaient les bombes, tandis qu'il était là, sur une petite hauteur, essayant de deviner ce qui se passait à des centaines de kilomètres... Qu'il en soit ainsi, supplia Marion Faye, pareil à un homme priant pour que vienne la pluie bienfaisante... Qu'il en soit ainsi, et que soit balayée toute cette poussière, nettoyée toute cette pourriture, dissipée toute cette puanteur ; que le monde soit enfin propre, dans l'aube blanche de la mort...

QUATRIÈME PARTIE

XIV

ITEL, APRÈS LE COUP de téléphone de Marion, n'avait pu se rendormir.

Elena avait à peine entrouvert les yeux pour lui demander qui téléphonait et, lorsqu'il lui avait dit que c'était Faye pour lui donner un tuyau sur un cheval, elle s'était bornée à grogner :

— A cette heure-ci ? Il y en a qui ont du culot...

Le lendemain matin, elle ne s'en souvenait même plus.

Ce qui tenait Eitel éveillé, ce n'était donc pas la crainte qu'Elena sût ce qui s'était passé avec Bobby. Mais il se doutait que ladite Bobby était avec Marion pendant que ce dernier lui parlait. Il connaissait Faye. Et en pensant à la manière dont il lui avait répondu : « Mais jamais, grands dieux ! » Eitel se disait avec malaise que Bobby devait l'avoir entendu. Il faudrait qu'il aille la voir, dans un jour ou deux, quand il saurait comment lui dire... qu'il ne la reverrait plus. Il pourrait même lui faire un cadeau — plus cinq cents dollars cette fois, bien sûr, mais quelque chose...

Brusquement, il se dit qu'il avait dû perdre la tête pour jeter ainsi cinq cents dollars en l'air sur une impulsion bêtement sentimentale, après avoir passé des mois à essayer de se souvenir qu'il était pauvre... Et il sut que, si longue que fût la nuit, il lui serait impossible de travailler le lendemain. Pressant le corps d'Elena contre le sien, comme pour s'apaiser au contact de sa tiédeur, il revécut en pensée les événements

des six dernières semaines pour essayer d'en retrouver le fil
— à la manière d'un ivrogne à la fin d'une nuit de saoulerie...

Y avait-il vraiment si peu de temps qu'il avait commencé
à travailler à son scénario ? Il était alors dans l'état d'esprit
du joueur qui mise tout ce qu'il possède sur un seul numéro,
si désespérément anxieux de gagner qu'il en vient à croire
que sa chance est d'autant plus grande que la déveine l'a poursuivi plus longtemps. Mais à présent Eitel était beaucoup
moins sûr d'avoir bien joué. Certes, tout était de sa faute,
tout ce qui lui était arrivé avait toujours été de sa faute —
et pourtant les choses eussent pu lui être plus favorables.
Six semaines plus tôt, la veille du jour où il s'était senti prêt
à se mettre au travail, le monde eût pu le laisser en paix, lui
épargner une certaine visite — la visite de Nelson Nevins,
son ancien assistant, devenu lui-même metteur en scène.

Eitel n'avait aucune estime pour ce que faisait Nevins. Ses
films étaient truqués, malhonnêtes et prétentieux. Eitel y
retrouvait tout ce qu'il reniait dans ses propres ouvrages. Et
ce qui l'irritait peut-être par-dessus tout, c'était la satisfaction de soi que manifestait Nevins.

Eitel et Elena avaient parlé une heure avec lui. Nevins
rentrait d'Europe, où il avait passé un an et tourné un film
— son meilleur film, assurait-il.

— Teppis a pleuré en le voyant, dit Nevins. Le croirez-
vous ? J'ai moi-même de la peine à le croire.

— Je n'ai jamais cru aux larmes que Teppis versait en
voyant mes films, répliqua Eitel. Et j'avais raison. Aujour-
d'hui il n'a plus que sarcasmes pour eux.

— Oh ! je sais... Il pleure toujours. Mais cette fois, c'était
sérieux.

Nevins était très élégant. Il portait un complet de flanelle
grise et une cravate de tricot. Il fleurait bon l'eau de Cologne
et ses mains étaient manucurées.

— Vous auriez dû aller en Europe, Charley, reprit-il. Quel
paradis ! La semaine qui a précédé le Couronnement a été
extraordinaire

— Ah ? Il y a eu un couronnement ? questionna Elena —
et Eitel eut envie de l'étrangler.

— La princesse adore les vedettes de cinéma, figurez-
vous...

Eitel fut obligé de l'écouter jusqu'au bout. Nevins avait été dans tel endroit, puis dans tel autre, il avait couché avec une célèbre actrice italienne...

— Comment est-elle ? demanda Eitel.

— Magnifique ! Elle est belle, intelligente, vivante, pas sophistiquée pour un sou... Une des femmes les plus spirituelles que j'aie jamais rencontrées. Et en action, mon vieux... sensationnelle !

— Les hommes ont une manière de parler des femmes ! dit Elena — et Eitel dut se retenir pour ne pas lui dire : « Ne te crois pas obligée de te mêler à toutes les conversations... »

Nevins poursuivait son récit. Il avait passé douze mois extraordinaires — la plus belle période de sa vie. Il avait rencontré une foule de gens, eu des aventures inoubliables. Une nuit, il s'était saoulé avec un membre de la Chambre des Lords. Il avait passé une semaine en compagnie d'un homme d'Etat américain qui lui demandait conseil pour rédiger ses discours, etc.

— Vous *devez* aller en Europe, Charley, conclut-il. Là-bas, *tout* est possible.

— Oui, dit Eitel.

— On m'a dit que vous préparez un film dont vous attendez beaucoup ?

— Ma foi...

— Ce sera un chef-d'œuvre, dit Elena.

— J'en suis certain.

La manière dont Nevins regardait Elena agaçait Eitel. Il était poli, mais lui parlait à peine. Il semblait vouloir dire « Pourquoi vous être embarrassé de cette souris, mon vieux ? Il y en a de tellement mieux en Europe... »

Quand il s'en alla, Eitel l'accompagna jusqu'à sa voiture.

— Au fait, dit Nevins, ne racontez pas que je suis venu vous voir. Vous me comprenez...

— Combien de temps restez-vous ici ?

— Quelques jours seulement. Je suis terriblement occupé. Vous aussi, j'imagine ?

— Oui, dit Eitel, mon scénario...

— Je m'en doute.

Ils se serrèrent la main.

— Eh bien ! voilà, conclut Nevins... Présentez mes hommages à votre amie. Comment s'appelle-t-elle déjà ?

— Elena.

— Charmante fille... Téléphonez-moi, nous pourrons peut-être trouver un coin tranquille pour déjeuner ensemble.

— C'est ça, dit Eitel. Ou bien faites-moi signe vous-même...

— Entendu...

Lorsqu'il fut parti, Eitel rentra à contrecœur dans la maison. Il y trouva Elena hérissée.

— Si tu as envie d'aller en Europe, ne te gêne pas, dit-elle. Ne te crois pas obligé de rester ici à cause de moi...

— Comme tu y vas ! Je n'obtiendrais même pas de passeport...

— Ah ! c'est pour ça. En somme, si tu pouvais avoir un passeport, tu partirais dans les cinq minutes...

— Elena, dit Eitel calmement, ne crie pas comme une poissarde.

Elle éclata en sanglots.

— Je le savais ! Ça devait arriver...

— Assez ! Qu'est-ce qui te met dans un tel état ?

— Je déteste ton ami.

— Il n'en vaut pas la peine.

— J'ai bien vu que tu l'enviais.

— Ne sois pas ridicule.

— Si, tu l'envies ! Tu me traites de poissarde parce que tu penses à sa princesse...

— Ce n'était pas une princesse, c'était une actrice de cinéma.

— Tu voudrais partir en Europe pour être débarrassé de moi.

— Assez !

— Tu ne restes avec moi que parce que tu te sens supérieur à moi. Tu ne t'occupes que de l'opinion des autres...

— Je t'aime, Elena...

Elle ne se laissa pas convaincre. Et, tout en s'efforçant de la rassurer, tout en lui disant qu'il se souciait beaucoup moins de mille Nelson Nevins que de son bonheur à elle, Eitel était obligé de s'avouer que ce n'était pas vrai, qu'il était rongé par l'envie, qu'il souffrait d'être oublié et d'apprendre que des hommes qui avaient travaillé sous ses ordres assistaient à des couronnements et couchaient avec des femmes plus célèbres que toutes celles qu'il avait rencontrées depuis bien longtemps. « Je ne serai donc jamais un adulte ? » se demanda-t-il avec désespoir.

Pour la première fois depuis des semaines, il se sentait profondément déprimé et s'apitoyait sur lui-même. « Pourquoi Nevins est-il venu me voir ? Juste au moment où j'étais prêt à me mettre au travail... » Durant toute la soirée, il observa Elena d'un œil critique. Lorsqu'elle s'en rendit compte et lui demanda ce qu'il avait, il lui dit doucement :

— Rien du tout. Tu es jolie...

Mais, en même temps, il se disait tout bas qu'elle était sans intérêt et pensait à tout ce qui les séparait. A d'infimes détails, il devina qu'elle souhaitait qu'il lui fît l'amour. Il n'en avait aucune envie et, lorsqu'il l'eut fait, il se sentit encore plus déprimé. Pour la première fois, il se sentait déçu. Pourtant Elena lui dit :

— Oh ! Charley, quand tu me fais l'amour, tout est à nouveau magnifique... Pour toi aussi, n'est-ce pas ?

— Oui, bien sûr, dit-il avec effort.

Mais jamais il ne s'était senti aussi seul.

Le lendemain, il se contraignit à se mettre au travail.

C'était la troisième fois depuis quinze mois qu'il recommençait son scénario, sans parler de quelques ébauches préliminaires, dont la première remontait à dix ans. Il espérait être enfin prêt à faire du bon travail. Il y avait si longtemps qu'il pensait à cette histoire ! Au cours des dernières semaines — depuis qu'il vivait avec Elena — il avait mis au point chaque séquence dans sa tête, et il savait exactement où il allait. Pourtant, tandis qu'il écrivait, il se rendait compte qu'il voyait son film dans l'optique d'un Nelson Nevins. En dépit de tous ses efforts — et il lui arrivait de passer douze heures à sa table de travail — ce qu'il écrivait sonnait faux, avait quelque chose d'artificiel, de fabriqué, de minable. Il ne lui restait plus, ensuite, épuisé et à bout de nerfs, qu'à s'endormir au côté d'Elena, ou à se forcer à la prendre sans conviction, par pure complaisance ou pour calmer son propre énervement.

Certaines nuits, obsédé par son désir de comprendre lui-même, il essayait de se pousser dans ses derniers retranchements. Recourant au café et aux somnifères, il se livrait à une introspection forcenée. L'alcool était son dernier refuge, lorsqu'il en arrivait à une lucidité trop complexe, trop menaçante. Et, le lendemain, il se trouvait complètement abruti par ces drogues. « C'est malin de vouloir jouer les psychanalystes !... » se disait-il, tout en se rendant compte que lui seul pouvait se tirer de ce mauvais pas. Car, en fait, la réponse était simple, et il la connaissait. Le film qu'il voulait réaliser était dangereux. Il avait beaucoup d'ennemis, des ennemis puissants. Comment avait-il pu être assez naïf pour imaginer que des hommes comme Herman Teppis pourraient lui accorder leur appui, ou simplement applaudir à son projet ? Il lui fallait être fort, courageux. Il lui fallait recourir à tous les trucs que vingt années de métier lui avaient enseignés. Mais, pour cela, il lui eût fallu être un jeune homme, assez solide et assez simple pour croire que le monde attendait qu'il le changeât. Il pensait avec fureur à tous les gens qu'il avait connus, et à leur mépris pour le cinéma. Un artiste italien du XVe siècle, pour accomplir son œuvre, il fallait qu'il sache flatter les princes, lécher les pieds des *condottieri*, intriguer, comploter, jouer le jeu, manœuvrer les uns et les autres — et finalement, cinq siècles plus tard, dans un musée, il se trouverait peut-être un touriste pour dire avec respect : « Quel grand artiste ! Quel homme admirable !... »

Bref, Eitel n'arrivait pas à travailler. Plus il s'appliquait, moins cela « venait » bien. Chaque jour, il se trouvait aux prises avec les mêmes problèmes, supputant les réactions des censeurs du monde entier, incapable de faire abstraction de ce qu'il avait mis quinze ans à apprendre, de se débarrasser de ses tics, de toutes les « ficelles » de son métier. Trois semaines durant, il s'acharna — et ce furent à certains égards les pires semaines de son existence. Il lui semblait qu'elles avaient duré un an, car la voix de l'expérience lui disait que son scénario était exécrable, en dépit de tous ses espoirs. Il n'aurait jamais cru que la tâche qu'il s'était donnée fût à ce point accablante et à ce point décevante. D'une manière ou d'une autre, il avait cru que ce film le payerait de tout. Dès la guerre civile d'Espagne, puis au cours des beuveries, des courses en jeep et des séjours dans des châteaux réquisitionnés qui avaient marqué pour lui la Deuxième Guerre mondiale (mise à part la visite qu'il avait faite d'un camp de concentration, et qui l'avait bouleversé en confirmant affreusement sa conviction grandissante que la civilisation est capable de n'importe quelle barbarie à condition d'être organisée et toute-puissante), au cours de toutes ses aventures de hasard avec toutes les femmes qu'il avait connues, Eitel s'était toujours payé le luxe de considérer sa vie comme un vin qu'il eût décanté. Il était au-dessus de tout cela, meilleur que les autres, plus honnête — et un jour viendrait où il transmuerait la quintessence de son existence en quelque chose de plus dur et de plus pur que le diamant, en une œuvre d'art. S'il avait tant tardé à le tenter — se disait-il à présent — n'était-ce pas parce que, au fond de lui-même, il doutait de sa propre supériorité ?

Eitel découvrait une fois encore que le grand obstacle à toute création artistique résidait dans le fait qu'elle obligeait un homme à faire retour sur lui-même, et que cette nécessité était sans cesse plus difficile, sans cesse plus rebutante. En revivant ainsi son passé, il se souvenait de l'inavouable plaisir qu'il avait pris à faire des films à succès. Ceux-là, il les avait réussis, au moins pendant un certain temps, bien qu'il prétendît en être dégoûté. Et, en repensant à ce plaisir, il se rendait compte douloureusement qu'il aurait dû renoncer à se vouloir un artiste, car un artiste ne peut évoquer qu'avec honte et malaise ce qu'il a fait de moins bon.

Malgré tout, sa situation lui semblait un peu irréelle. Oui, toute sa vie lui donnait ce sentiment d'irréalité... Comment concevoir qu'un jour il avait été assez jeune pour jouer au rugby, à seule fin de se convaincre lui-même qu'il était courageux ? Comment croire qu'un jour il s'était engagé dans les brigades internationales, en Espagne, qu'il y avait passé des semaines effroyables dans un village bombardé, en compagnie d'une brigade anarchiste épuisée, découvrant qu'il était plus brave qu'il ne l'eût lui-même pensé, puisqu'il avait tenu le coup même après que le front eut cédé et alors qu'il lui avait fallu fuir en France, en franchissant les Pyrénées ? Que restait-il de tout cela, du meilleur comme du pire ? Il n'est pas vrai, se disait-il, qu'à mesure que l'on vieillit le passé devient plus compréhensible. Le passé est un cancer, il détruit la mémoire, il détruit le présent, jusqu'à ce que l'on devienne insensible ; et ce que l'on vit *après* n'a pas plus de sens que ce que l'on a vécu *avant*.

Le temps était pourtant venu pour lui de se regarder en face, de voir clair en lui-même et d'entreprendre une œuvre nouvelle. Malheureusement, il ne voyait pas laquelle. Le cancer n'avait pas seulement tué le passé, il ne stérilisait pas seulement le présent : il s'attaquait au futur avant même que celui-ci prît figure. Et dès lors, tout en ayant cessé de croire à ce qu'il faisait, Eitel continuait à travailler, avec une sorte de désespoir tranquille qui marquait ce qu'il écrivait, lui donnait le sentiment de la vanité de ses efforts et faisait de ses jours une chaîne monotone et sans fin.

Cet état d'esprit lui faisait voir d'un œil toujours plus sévère les défauts d'Elena. Tout en elle, maintenant, l'agaçait, la manière dont elle mangeait, dont elle maniait sa fourchette, dont elle parlait la bouche pleine. Il avait essayé de la corriger. Elle l'écoutait alors d'un air morose, lui promettait de se surveiller et n'en faisait rien, avec un entêtement qui semblait dire : « Si tu m'aimais vraiment, j'apprendrais tout ce que tu voudrais... » Eitel était exaspéré. Ne pouvait-elle comprendre à quel point il désirait l'éduquer ? N'avait-elle pas d'autres désirs que celui de voir le fils d'un marchand de ferraille épouser la fille d'un confiseur ? Les parents d'Eitel étaient morts, mais il n'avait pas oublié les années où il avait dû se battre contre eux, contre l'accablant amour de sa mère, contre le mépris de son père pour ce fils qui perdait son temps au théâtre et que sa femme supportait ? Et ces souvenirs le rendaient allergique à la maladresse d'Elena.

Socialement, la vie d'Eitel était vide, et il se trouvait réduit à ne voir avec Elena que le petit groupe de ceux qu'il appelait les *émigrés* (1). Il s'agissait de quelques auteurs, metteurs en scène, acteurs et même d'un producteur ou deux, qui, comme lui, avaient refusé de « coopérer » avec la Commission d'enquête sur les activités subversives. Tous avaient acheté des maisons à Désert d'Or, plusieurs années aupara-

(1) En français dans le texte. (N. du T.)

vant, dans l'intention d'y passer l'hiver, et aujourd'hui, comme Eitel, ils s'y étaient réfugiés. Les contacts qu'il avait avec eux, ses pareils, ne plaisaient pourtant guère à Eitel, qu'irritait l'idée d'être classé parmi les *émigrés*. Elena ne les appréciait pas davantage.

— Ce qu'ils peuvent être solennels, lui dit-elle un jour...

Et, comme Eitel lui donnait raison, encouragée, elle ajouta :

— Les gens prétentieux sont toujours prêts à s'apitoyer sur eux-mêmes.

Eitel était bien de cet avis. La plupart des *émigrés* lui semblaient sinistres, un ou deux l'amusaient, mais, en groupe, ils l'assommaient. Il avait toujours trouvé ennuyeux les gens enclins à engager une discussion sans la mener à son terme, dès lors que la poursuivre risquait de les contraindre à renoncer à certains partis pris. En outre, il les connaissait trop bien : ils l'ennuyaient déjà au temps lointain où il appartenait aux mêmes groupements qu'eux... Et, aujourd'hui, il supportait malaisément leur désir de voir en lui le grand-artiste-qui-a-refusé-tout-compromis-avec-les-vautours, c'est-à-dire exactement l'image modeste de ce qu'ils se voulaient eux-mêmes. Bien entendu, après qu'il s'était retiré de leurs groupements, ils avaient été les premiers à répandre sur lui les pires ragots, aussi leurs adulations ne faisaient-elles pas grande impression sur Eitel.

Les femmes l'agaçaient encore plus, si possible, que les hommes. Depuis son premier mariage, il était sans indulgence pour les femmes qui s'occupaient de politique avec trop de conviction. Pourtant, quelle que fût son antipathie pour les *émigrés* des deux sexes, il lui arrivait de souhaiter qu'Elena fût un peu moins ignorante des choses dont ils parlaient. Même si ces conversations roulaient sur les sujets les plus simples, Eitel la savait incapable d'y prendre intérêt. Elle restait assise parmi eux, l'air maussade, avec (au mieux) un sourire figé sur les lèvres. Lorsqu'elle se risquait à parler — ce qui était assez rare — il sentait la gêne des autres. Si quelqu'un, par exemple, faisait un bon mot, il fallait qu'elle l'expliquât alors que tout le monde l'avait compris. Et lorsque, ensuite, ils se retrouvaient en tête à tête, elle laissait éclater sa mauvaise humeur. Eitel se risquait-il à lui faire prudemment la leçon, elle l'interrompait :

— Non, ne me dis rien... Je sais que je suis une gourde, ce n'est pas la peine d'y revenir.

Sur quoi, elle se couchait, le nez contre le mur. Cinq minutes plus tard, c'est elle qui revenait à la charge :

— C'est ta faute, disait-elle avec amertume. Ne t'en prends pas à moi. Si tu aimes tant ce genre de femmes, ne te gêne pas... Tu n'es pas obligé de rester avec moi.

Une nuit, renonçant au mode mélodramatique sur lequel elle lui annonçait généralement qu'elle allait le quitter, elle lui dit calmement qu'ils feraient mieux de rompre.

— Je pourrais vivre avec un homme ordinaire, dit-elle. Il saurait me rendre heureuse...

— Je n'en doute pas, dit Eitel tranquillement.

— ... Et même avec un de tes snobs d'amis !

Eitel se mit à rire et se lança dans un de ses petits numéros d'imitation :

— Dans quelques années, dit-il sur le ton d'un orateur public, lorsque l'on rendra justice au mouvement de la paix dans ce pays, on se souviendra de certaines prises de positions individuelles — même s'il s'agit d'inorganisés tels que Charley Eitel, ici présent — et de leurs retentissements dans la conscience du peuple américain, lequel, ne l'oublions pas, a su demeurer, par delà l'hystérie collective, une nation profondément éprise de paix et de progrès...

— Oui, dit Elena, ils sont idiots, et ils ont peur de leurs femmes... Mais il y a quand même quelques types bien, parmi eux.

Eitel rit.

— Bien sûr... Ils ont le même genre de force que les femmes à grosse poitrine...

Elena eut un rire sans joie.

— Un jour, je te quitterai, Charley, dit-elle. Je ne plaisante pas.

— Je sais. Mais j'ai besoin de toi...

— Je voudrais être meilleure, dit-elle, les yeux pleins de larmes.

Finalement, Eitel se résolut à ne voir que les quelques personnes avec qui Elena était à l'aise.

J'étais de celles-là, et, les nuits où je me disputais avec Lulu, j'allais les retrouver. Avec moi, Elena était gaie et sans façon. Nous passâmes des soirées entières à trois. Eitel nous racontait des histoires avec une éloquence joyeuse. Ces soirs-là, il semblait heureux de la présence d'Elena, et elle laissait libre cours à son amour pour lui. La nuit passait agréablement. Puis c'était à nouveau le matin, et Eitel retrouvait son accablement en même temps que son travail. Alors, tandis qu'il s'acharnait sans espoir à écrire son scénario, il se voyait assistant au couronnement avec la pauvre Elena, et il croyait l'entendre dire, en bafouillant un peu :

— *Hello,* duchesse...

XV

VERS CE MOMENT-LA, Collie Munshin revint à Désert d'Or et y passa sa première soirée avec Elena et Eitel. Il dit à celui-ci qu'il avait pris une semaine de congé pour penser à un film qu'il allait produire. Eitel n'en fut pas très convaincu, mais Collie revint le voir le lendemain, et encore le jour d'après. En mon absence (Lulu et moi étions allés jouer de l'autre côté de la frontière de l'Etat), Munshin devint ainsi l' « ami de la famille ».

Tous trois s'entendaient très bien. A présent que Munshin avait perdu Elena, tout en elle le séduisait. Au milieu d'une conversation avec Eitel au sujet de budgets de production, d'acteurs et de rivalités professionnelles, au moment précis où Elena commençait à se sentir un peu oubliée, il arrivait à Collie de se tourner vers elle et de lui dire d'un air rayonnant qu'elle était ravissante. Mais ce n'était là que préliminaires, et bientôt il abordait de front des questions plus personnelles.

— Je hais la civilisation ! dit-il ainsi un jour, après un silence.

— Pourquoi ? demanda Eitel.

— Parce que nous sommes là, tous les trois, sachant ce qu'il y a eu entre nous, et que faisons-nous ? Nous parlons de banalités.

— De quoi voudriez-vous que nous parlions ? dit Eitel.

Munshin se tourna vers Elena.

— Elena, tu ne peux pas savoir le vide que tu as laisssé dans ma vie. Je sens que je n'existe plus pour toi... Il y a quelque chose de sauvage, chez les femmes...

(Sa voix se fit plus forte, et Eitel se prépara à subir un discours.)

— Vous autres, les femmes, vous avez une faculté d'oubli que n'ont pas les hommes... J'imagine la manière dont tu parles de moi, Elena, et tu as raison, sans aucun doute. Tu es un être sensible..., mais est-ce qu'il arrive jamais à l'un de vous deux de penser que tout cela m'a été très pénible ? C'est moi, vois-tu, qui me souviens du meilleur, de ce qu'il y a eu d'authentique entre nous, oui, même de la passion... de la passion, entendez-vous, Eitel ?

— Collie, dit Eitel, est-il vraiment indispensable que vous fassiez votre petit numéro, ici et à nous ?

— Ah ! gémit Munshin. Pourquoi ne me traitez-vous pas comme un être humain ?...

Et il ajouta, d'une voix faible :

— Je saigne encore...

— Ça s'arrangera, dit Eitel. Vous n'êtes pas tellement anémique...

Mais il savait que Collie avait atteint son objectif. Quelle femme ne serait pas encline à pardonner à un ancien amant qui lui dit avoir souffert à cause d'elle ? Après le discours de Collie, Elena s'anima et se mit à le cajoler, avec un petit air malicieux qu'Eitel ne lui connaissait pas. Elle plaisanta, rit avec lui, lui posa des questions :

— J'ai lu dans les journaux que ta femme avait gagné un prix avec ses chiens ?

— Ouais... un de plus.

— Je parie que ça t'a rapporté gros, dit-elle.

Collie était radieux. Chaque fois qu'Elena l'attaquait, il prenait un air humble et attendri, comme s'il eût voulu dire : « Je sais : je n'ai que ce que je mérite... »

Cette nuit-là, quand ils se couchèrent, Elena dit à Eitel :

— Je me sens merveilleusement bien, ce soir, Charley...

Un peu plus tard, pourtant, elle ne put s'empêcher d'ajouter :

— Tu sais, Collie se fiche bien de moi. C'est toi qui l'intéresses...

Grisé par l'admiration qu'un autre homme avait montrée pour Elena. Eitel n'était pas d'accord :

— Tu es folle, dit-il.

— Non... A présent que tout est fini, Collie s'amuse à faire semblant de le regretter.

Sur quoi, elle dit une chose qui intrigua Eitel :

— Charley, s'il devait commencer à te raconter des histoires à mon sujet, ne l'écoute pas ! Tu connais Collie : lorsqu'il se met à parler, il dit n'importe quoi...

— Que veux-tu qu'il me dise que je ne sache déjà ?

— Rien, répondit Elena très vite. Mais tu le connais... C'est un menteur. Je n'ai pas confiance en lui.

Quoi qu'il en fût, ils se mirent à prendre goût aux visites de Munshin. Après les heures déprimantes consacrées au travail, il leur était agréable de se retrouver tous les trois, dans un climat de plaisante fiction : le vieux ménage, uni depuis dix ans, et l'ami célibataire... C'était si agréable que, pour la première fois depuis qu'il connaissait Munshin, Eitel se prit à le trouver sympathique. Il en arriva presque à la conclusion que Collie avait changé. En tout cas, c'était le seul des dirigeants de la *Supreme Pictures* qui eût le courage de le voir régulièrement, et il lui eût été difficile d'y être insensible.

Eitel n'en restait pas moins soupçonneux. Il continuait à se demander pourquoi Munshin était venu à Désert d'Or. Aussi bien fut-il le premier surpris de s'entendre lui parler de son scénario...

Cela se passa lors de la quatrième visite du producteur. Il était tard. Elena était allée se coucher, et Collie commença à parler de ses problèmes personnels. C'était sa manière d'amener autrui à lui donner des idées, mais cette fois Eitel se laissa prendre au jeu. Collie joua la franchise, avoua que le film qu'il préparait lui donnait des ennuis et demanda conseil à Eitel. Après quoi, s'enfonçant dans son fauteuil, il dit d'un ton engageant :

— Peut-être préférez-vous ne pas m'en parler, Charley, mais je me demandais comment marchait votre scénario ?

Eitel fut sur le point de mentir, mais il se ravisa :

— Ça ne va pas du tout, dit-il.

— Je m'en doutais, dit Munshin... Vous n'avez pas l'habitude de travailler seul. Si vous m'en parliez un peu, je pourrais peut-être vous aider...

— Ou me voler mon sujet...

Collie sourit.

— J'ai l'impression que, même si je le voulais, cela me serait impossible, dit-il...

Eitel éprouva une bizarre tentation. Collie pouvait aussi bien ne pas apprécier son histoire que la trouver séduisante. De toute manière, sa réaction était susceptible de donner à Eitel des idées nouvelles...

Savoir raconter une histoire, c'était un talent qu'il s'était découvert bien des années plus tôt. Cette nuit-là, il fut brillant — presque trop. Tandis qu'il parlait, il avait même l'impression que, si cette histoire avait eu à ses yeux autant d'importance qu'il croyait, il n'eût pas été capable de la raconter si facilement. Mais la manière dont il la détaillait lui conférait une vie et un accent inattendus, elle devenait plus passionnante que tout ce qu'il en avait écrit — et Collie Munshin écoutait avec avidité. C'était également un de ses talents. Il savait participer à un récit, réagir quand il fallait, comme il fallait, donner l'impression qu'il n'avait jamais rien entendu de plus captivant. L'expérience avait pourtant appris à Eitel que cela ne signifiait pas grand-chose...

Quand il eut achevé, Munshin respira profondément :

— C'est formidable, dit-il.

— Ça vous plaît vraiment ?

— C'est extraordinaire !

Cela ne voulait rien dire. Les critiques allaient venir...

— A mon avis, cela pourrait donner le film le plus sensationnel de ces dix dernières années.

— Pas avec le scénario que j'ai écrit.

— Comment voulez-vous faire un scénario avec une telle histoire ? Il faudrait en faire un poème ! dit Munshin en se tapotant le ventre. C'est sa seule faiblesse... Je sais bien que vous êtes capable de grandes choses, Charley, mais un poème adapté à l'écran, tout de même...

Eitel était partagé entre l'orgueil et la déception.

— Collie, dites-moi le fond de votre pensée.

Il fallut dix minutes à Munshin pour s'y décider.

— Eh bien, voilà, dit-il. Cela me plaît. J'aime les sujets originaux. Mais j'ai peur qu'on ne vous comprenne pas.

— Pas d'accord. Je suis sûr que beaucoup de gens marcheraient.

— Charley, vous ne comprenez pas vous-même votre sujet. Vous êtes un metteur en scène, mais le langage cinématographique vous échappe. Je sais pourquoi votre travail ne vous satisfait pas. Vous essayez d'écrire un scénario qui va à l'encontre de toutes les règles.

— Bien sûr. Vous savez ce que je pense de ces règles.

Munshin lui prit le bras.

— J'aime cette histoire, dit-il. Mais je vois ses faiblesses... Enfin, il me semble.

— C'est-à-dire ?

L'autre prononça sa sentence :

— Elle pèche par la base, Charley. Votre héros est invraisemblable... Un type qui gagne des milliers de dollars par semaine à la T. V. et qui décide d'y renoncer ! Et pourquoi ? Pour aller au secours de l'humanité, pour finir en martyr ! Le public rigolera ! Croyez-vous que les gens payeront leur place pour s'entendre dire que ce type est meilleur qu'eux ?

Eitel n'essaya même pas de discuter. Chaque mot de Collie avait tué un de ses espoirs. Le chef-d'œuvre était irréalisable, il s'en rendait soudain compte. Et c'était sans doute pour se l'entendre dire qu'il avait parlé à Munshin, pour qu'un autre lui dise ce qu'il avait probablement toujours su. Dans un sens, cela le soulageait ; il se sentait délivré d'un boulet.

Mais Munshin reprenait :

— Voyez-vous, il y aurait peut-être un moyen d'arranger cela... Laissez-moi réfléchir... Oui, j'y suis ! La solution est simple : il faut un autre début à votre film... Supposons que votre héros soit d'abord un prêtre...

— Un prêtre !

— Réfléchissez... Un prêtre, ça arrangerait tout ! Je m'étonne que vous n'y ayez pas pensé tout seul...

A présent, Collie parlait rapidement. Son cerveau de producteur rebâtissait dans son optique particulière l'histoire imaginée par Eitel... Au départ, le héros se préparait à devenir prêtre... Il avait de la personnalité, du charme, de l'intelligence — tout, sauf l'essentiel...

— Ce type est trop prétentieux, expliqua Munshin... Je vois une scène sensationnelle, où le Principal, le Supérieur ou tout ce que vous voudrez, une espèce de vieux prêtre irlandais à l'ancienne mode, convoque Freddie (quand Munshin racontait une histoire, son héros s'appelait toujours « Freddie »...) et lui dit que ça ne va pas, qu'il ne croit pas à sa vocation... Le gosse a tous les dons, mais le vieux doute qu'il ait une âme de prêtre, voilà... Alors il lui dit : « Va dans le monde, mon fils, et apprend l'humilité... » Vous voyez ce que ça pourrait donner ?

Oui, Eitel se rendait compte...

— Du point de vue de Freddie, le type représente une espèce de père pour lui. Il prend son jugement comme une condamnation. Il est amer. Il se sent abandonné... Alors que fait-il ? Il plaque le séminaire et, d'une manière ou d'une autre — nous trouverons ça plus tard — il entre à la télévision... Mais, en même temps, on laisse entendre que son boulot le dégoûte, bien qu'il ait de plus en plus de succès... Il monte, il monte, jusqu'au jour où quelque chose arrive, qui lui donne le sens de l'humilité. Je ne sais pas ce qu'on pourrait trouver, un épisode avec un crucifix ou une croix... Le public marche toujours dans ces trucs-là. Bref, il découvre l'amour des hommes... Vous voyez ce que je veux dire. Et à la fin...

A la fin, expliqua Munshin, il ne fallait pas que « Freddie » meure dans le ruisseau. Il pourrait par exemple revenir au séminaire. Un bel épilogue...

— Quelque chose avec des chœurs, en fond sonore... Une fin qui ne soit pas déprimante, quoi !

Munshin était si excité qu'il ne tenait plus en place.

— Cette histoire me passionne, conclut-il en marchant de long en large. Je sens que je n'en dormirai pas cette nuit.

Eitel éclata de rire.

— Collie, vous êtes génial !

— Je suis sérieux, Eitel. Il faut que nous fassions ce film. H. T. sera emballé.

— J'en serais bien incapable !

— Mais si, voyons !

— Je n'ai aucune sympathie pour l'Eglise, dit Eitel.

— Vraiment ? Mon vieux, quand j'étais un gosse des faubourgs, chaque fois que je passais devant une église, je crachais par terre... Et puis après ?

— Vous savez aussi bien que moi que l'Eglise n'est pas tout à fait étrangère à l'action des commissions d'enquête sur les activités subversives...

— Charley, pour l'amour du Ciel, laissez la politique en dehors de tout ça !

— Si nous parlions d'autre chose ? suggéra Eitel.

— Bon. Si vous voulez. Mais pensez à ce que je vous ai dit, Charley. Je vous jure que je souhaite faire ce film avec vous. C'est une mine d'or !...

En s'en allant, il répéta :

— Vous ne vous rendez pas compte de ce que vous tenez là, mon vieux...

Eitel ne sut jamais si Collie avait réussi à dormir, mais lui en fut incapable. Le « professionnel » qui était en lui était follement excité par cette nouvelle histoire, dont il entrevoyait les ressources : elle était si magnifiquement absurde qu'elle ferait sans nul doute un film à succès...

Le lendemain matin, lorsqu'il essaya de se mettre au travail, il se découvrit une foule d'idées nouvelles, convenant à ce qu'il appelait son « chef-d'œuvre numéro 2 ». Avait-il déjà abandonné le projet auquel il avait donné tant de ses forces ? Son hostilité pour l'Eglise était-elle à ce point superficielle ? Etait-il lui-même si peu attaché à ses propres idées ? Il se demandait déjà quel accord financier il pourrait conclure avec Munshin. « Il ne faudra pas que mon nom revienne sur le tapis, pensa-t-il. Du moins au départ. Je ferai le scénario sans le signer. Tant pis si j'y perds... »

Ce jour-là, il ne vit pas Munshin. Lorsqu'il téléphona au *Yacht-Club,* on lui dit que le producteur avait pris l'avion pour ur.e station de jeu. Ainsi, Collie avait préféré attendre vingt-quatre heures et le laisser se tâter. C'était assez habile, mais Eitel se sentit mal à l'aise.

Au début de la soirée, Marion Faye vint leur rendre visite. Eitel et Elena avaient pris l'habitude de le voir une ou deux fois par semaine. La tension qui s'était manifestée entre eux au début de l' « épisode Elena » s'était sensiblement dissipée, et Eitel goûtait à présent les visites de Faye. Marion apparaissait aux moments les plus inattendus, parfois après une semaine de silence. Il lui arrivait — peut-être sous l'effet de le marijuana — de rester une demi-heure assis dans le living-room sans dire un mot, voire même sans répondre aux questions qu'on lui posait, et puis de s'en aller comme il était venu. D'autres fois, il parlait sans arrêt et montrait un don de séduction extraordinaire. Chose curieuse, il était souvent charmant avec Elena, allant jusqu'à flirter avec elle. Et, ces soirs-là, Elena jouait les coquettes. Une fois Marion parti, elle dit une nuit à Eitel :

— Il aimerait tellement que nous nous disputions à cause de lui...

— Je ne l'ai jamais vu s'intéresser autant à une femme, dit Eitel.

Elena redevint maussade.

— Penses-tu... Il voudrait seulement me faire « travailler » pour lui...

— C'est ridicule !

— Non. Je sais ce qu'il pense de moi. Je le déteste.

— Tu te sous-estimes, dit Eitel avec humeur.

Il souhaitait toujours autant voir Elena « grandir »...

Une fois, une seule fois, elle avait triomphé, au cours d'une réunion chez les *émigrés*. Quelqu'un ayant mis sur le phono un disque de musique espagnole, elle avait dansé, avec une assurance, une ardeur et un talent qui avaient transporté Eitel. Après quoi elle s'était enivrée et n'avait plus dansé — mais son succès l'avait auréolée pour toute la nuit. Le lendemain matin, Eitel lui avait reproché de ne pas cultiver son talent et, pendant quelques jours, elle s'y était remise, parlant même de commencer une nouvelle carrière. Mais, en la regardant s'exercer, Eitel avait compris qu'elle n'en serait jamais capable, et il imaginait quelle humiliation ce serait pour elle de devoir accepter de petits engagements. Elle avait des dons, mais des dons d'amateur, sans plus. Son vrai talent, c'était au lit qu'il se manifestait — et l'amour est un art d'amateurs...

Le soir du jour où il avait en vain attendu des nouvelles de Munshin, Marion leur fit donc une longue visite. Lorsqu'il se mit à parler d'une nouvelle fille qu'il avait prise en main, une certaine Bobby, Elena manifesta une très vive curiosité. Elle écoutait avec avidité tous les détails que donnait Marion sur le « pedigree » de Bobby, son mariage, son

divorce, ses deux enfants, ses tentatives en vue de devenir
modèle, son espoir d'être un jour actrice.

— Mais comment a-t-elle commencé ? questionna Elena.
Je veux dire : que faisait-elle, avant ?

— Est-ce que je sais ? dit Marion. Elle vendait des cra-
vates, ou elle était photographe dans une boîte de nuit, comme
tout le monde.

— Et comment l'idée lui est-elle venue de...

— Ce n'est pas bien compliqué : Jay-Jay l'a plaquée... et
j'ai pris l'affaire en main.

Elena insista :

— Mais qu'en pense-t-elle ?

— Qu'en penseriez-*vous* ? dit Marion.

Elena frissonna.

— C'est terrible, dit-elle à Eitel... Il me semble qu'une fille
comme elle doit être poussée par l'idée qu'elle ne pourrait
pas avoir un vie normale avec un homme.

— Ce n'est pas comme vous, hein ? dit Faye.

Eitel tiqua. Il connaissait Marion. Il sentait qu'il allait
devenir odieux.

— Bien sûr, dit Elena. Ce n'est pas votre avis ?

Faye éclata de rire.

— Mais si, mais si ! Il suffit de trouver l'homme qui
convient... C'est tout le problème.

— Que voulez-vous dire ?

Eitel sourit :

— Il veut dire que tu devrais me plaquer.

— Marion te déteste, Charley, déclara Elena d'un air de
défi.

Eitel choisit de rire. Depuis des années, c'était son plus sûr
moyen de défense.

— C'est vrai, Marion ? demanda-t-il d'un ton léger.

Faye éteignit sa cigarette.

— Oui, dit-il, c'est vrai. Je vous déteste.

— Pourquoi ?

— Parce que vous auriez pu être un artiste et que vous y
avez renoncé.

— Qu'est-ce qu'un artiste ? questionna Eitel, touché au
vif par cette réplique venimeuse de Marion.

— Je croyais que vous le saviez...

Eitel sentait qu'il avait perdu l'estime de Marion. « Encore un qui me lâche », se dit-il amèrement.

— Si vous jugez Charley aussi mal, que venez-vous faire ici ? questionna Elena.

Faye la regarda fixement.

— Pourquoi cette question ? dit-il. Est-ce que par hasard vous penseriez que j'ai raison ?

— Vous êtes... Sortez d'ici ! s'écria Elena.

Mais c'est elle qui quitta la pièce.

— Pourquoi lui parlez-vous ainsi ? gronda Eitel.

— Parce que je connais beaucoup mieux cette poule que vous...

Eitel rejoignit Elena dans la chambre à coucher. Elle pleurait à chaudes larmes sur le lit et refusa de l'écouter.

— Tu ne devrais laisser personne te parler sur ce ton, dit-elle. Ni à moi...

Il essaya de la calmer, d'excuser Marion. A un moment donné, elle se tourna vers lui et lui dit :

— Tu es trop bon pour lui... Tu devrais pourtant savoir ce que vaut son amitié.

— Que veux-tu dire ?

— Chaque fois que tu as le dos tourné, poursuivit-elle, il me demande d'aller vivre avec lui.

— Marion ?

— Il m'a même dit qu'il m'aimait !

— Eh bien ? Est-ce que ça n'explique pas son attitude ?

— C'est tout l'effet que ça te fait ?

— Elena, je t'en prie, n'en faisons pas un monde... Allons, viens. Tu ne peux tout de même pas en vouloir à Marion s'il a le béguin pour toi...

Elle consentit finalement à revenir dans le living-room et sourit même à Marion, d'un air conciliant. Faye l'embrassa légèrement sur la joue et lui dit :

— Vous êtes une brave gosse, Elena... Vous valez beaucoup mieux que nous.

Lorsqu'elle fut allée se coucher, Eitel demanda à Marion :

— Pourquoi ne voulez-vous pas croire que je l'aime ? Vous m'avez dit que vous la connaissiez bien... Il y a en elle un tel besoin de dignité !

— De dignité ? Charley, vous savez aussi bien que moi que c'est une fille qui en a vu d'autres...

— Non, dit Eitel. Ce n'est pas vrai.

Et il pensait : « Si j'aimais Elena, je ne serais pas là à parler d'elle avec ce... »

— On peut faire n'importe quoi d'Elena, reprit Faye d'un air rêveur. Il suffit de lui montrer le chemin. Voilà l'ennui avec cette fille, Charley : il faut tout lui apprendre, mais ensuite...

Eitel essaya encore une fois de réagir :

— A certains égards, c'est la femme la plus honnête que j'aie jamais rencontrée, dit-il. Ses parents l'ont mal élevée, c'est tout.

— Sûrement... Savez-vous pourquoi vous restez avec elle ?

— Dites toujours...

— Parce que vous avez peur, Charley. Je parie même que vous lui êtes fidèle.

— En effet.

— Je me souviens du temps où vous disiez que la fidélité était un outrage à l'instinct...

— Je le pense peut-être encore.

— C'est bien ce que je disais : vous avez peur. Vous n'oseriez même pas coucher avec une de mes... protégées.

— Les putains ne m'ont jamais intéressé.

— Vraiment ? Pourquoi ? C'est un principe ?

Tandis que Faye parlait, Eitel éprouvait à nouveau l'espèce de rage qui s'était emparée de lui au cours des premières semaines de son séjour à Désert d'Or, lorsqu'il avait compris que les femmes qu'il avait connues jadis ne voudraient plus de lui — du moins les ambitieuses, les jeunes, celles qu'il aurait pu désirer. Il ne lui restait plus que les femmes des *émigrés,* les *call-girls,* les putains. C'étaient les seules aux yeux de qui il pouvait avoir encore un certain prestige... Faye avait-il raison ? Est-ce que, même de celles-là, désormais, il avait peur ? Et Eitel, à cette pensée, sentit le mépris qu'il éprouvait pour Elena. Mais il dit :

— Si vous pensez tant de mal d'Elena, pourquoi vous intéressez-vous à elle ?

Faye ricana. En se levant pour partir, il dit à Eitel :

— Voulez-vous faire une petite expérience ? Demandez

donc à Elena si elle a jamais couché avec un homme pour de l'argent...

Eitel frémit.

— Qu'est-ce que vous en savez ? dit-il.

— Je n'en sais rien, Charley. Mais quelque chose me le dit. Affaire d'intuition...

Eitel n'eut pas l'occasion d'interroger Elena jusqu'au lendemain après-midi. Lorsqu'il se coucha, elle dormait déjà, et elle se réveilla avant lui.

Munshin ne donna pas encore signe de vie ce jour-là. Eitel essaya de travailler, mais son désir d'Elena l'en empêcha. Au milieu de l'après-midi, ils firent l'amour, et la spontanéité apparente de son désir sembla enchanter Elena. Après quoi, il se risqua à poser la question qui l'obsédait : avait-elle déjà accepté de l'argent d'un homme pour... Pas exactement, lui répondit-elle — sauf une fois. Ç'avait été une curieuse histoire. Un type avait envie d'elle. Comme elle se refusait à lui, il lui avait offert de l'argent — vingt dollars, exactement.

— Et alors ? dit Eitel.

— J'ai accepté. Ça m'avait excitée...

— Tu es une petite salope !

Elle le regarda, l'œil brillant.

— Tu ne le savais pas ?

Le pire était que ces histoires troublaient Eitel. Elena poursuivit :

— Ça m'a amusée de dépenser cet argent.

— Tu n'en éprouvais aucune honte ?

— Non... Tu sais, je suis un peu ignoble, parfois...

Elle regarda ailleurs.

— Ne parlons plus de cela, Charley... Quand j'avais seize ans, j'avais toujours un peu peur de finir putain...

Puis elle se mit à rire, comme pour chasser ces souvenirs, et s'assit sur les genoux d'Eitel.

— Tu te rappelles ce que nous avons dit, un jour ? Que nous devrions essayer avec une autre fille ? Nous devrions y repenser. Mais il faudrait que ce soit une fille dont je ne sois pas jalouse.

Elle rit à nouveau.

— Tu te rends compte de ce que nous disons ?

Il l'attira contre lui, en proie à des sentiments bizarrement confus. Il se souvenait de choses qu'il ne lui avait jamais dites, et le souvenir d'expériences qu'il avait faites avec deux femmes à la fois se mêlait en lui au dégoût qui lui venait à l'idée qu'elle avait pu se vendre pour vingt dollars. En même temps, il pensait à elle avec une angoisse qui lui faisait presque venir les larmes aux yeux. Qu'adviendrait-il s'il cessait de veiller sur elle ?

Un peu plus tard, ils décidèrent d'aller se baigner. Après le bain, tandis qu'ils buvaient un verre, Eitel repensa au silence de Collie. Tout était possible : qu'il ne revît jamais Munshin, ou que celui-ci se manifestât le soir même. Il joua à pile ou face. Pile... « Je ne le reverrai pas », conclut amèrement Eitel, tout en se demandant pourquoi cette idée l'affectait à ce point : était-il déjà décidé à se soumettre à Collie ?...

Pourtant, Munshin reparut le soir même. Il fallut attendre de longues heures avant qu'Elena se décidât à aller se coucher. Lorsque les deux hommes se retrouvèrent enfin seuls, Eitel n'y tint plus :

— Quelles nouvelles de notre moine ? demanda-t-il.

— J'espère que vous avez repensé à notre petite conversation ? dit Collie en souriant.

— Elle m'a donné une ou deux idées.

— Je suis toujours aussi excité. Il y a des années que ça ne m'était plus arrivé...

Puis il ajouta brusquement :

— Charley, essayons de voir plus loin que le bout de notre nez... Même avec ma collaboration, c'est une rude partie à jouer, pour vous.

— Bon, dit Eitel, Alors, laissons tomber.

— Voyons, Charley, n'allez pas si vite en besogne... Je vous ai donné quelques petites idées. Faites-en ce que vous voulez. Si vous voulez tenter votre chance, allez-y. Je souhaite que votre scénario vous rapporte une fortune.

Eitel s'assombrit.

— Vous savez très bien que personne ne voudra traiter avec moi...

— Il vous suffira de régulariser votre situation avec le gouvernement !

— Mais oui, tout simplement !... J'ai ma fierté, Collie.

— Alors, il faut que vous marchiez avec moi.

— Il y a peut-être d'autres solutions...

— Soyez sérieux, Charley... Si vous voulez aller faire votre film en Europe, il faudra d'abord que vous obteniez un passeport.

Son visage s'éclaira soudain. Il avait une meilleure idée : Eitel ferait le scénario ; lui, Collie, lui donnerait des conseils ; et, cela fait — trois mois y suffiraient-ils ? — il présenterait la chose à Teppis comme s'il en était l'auteur. Il n'avait pas besoin de rappeler à Eitel — ajouta-t-il — qu'un scénario original signé Munshin, c'était du tout cuit...

— Vous devriez pouvoir en obtenir entre soixante-quinze et cent mille dollars, dit Eitel.

— Charley, pourquoi parler déjà de galette ?

— Parce que je voudrais savoir comment nous nous arrangerons.

Munshin pinça les lèvres.

— Ça ne vous ressemble pas, mon vieux...

— Peut-être... Quoi qu'il en soit, je veux dix mille dollars d'avance et les trois quarts de la somme totale.

— Charley, vous m'étonnez ! Je ne vous comprends pas.

— Faites un petit effort...

— Réfléchissez, voyons ! Cette affaire ne peut m'apporter que des soucis. Si jamais Teppis découvre que j'ai travaillé avec vous, il aura ma tête. Croyez-vous que je courrais ce risque pour quelques malheureux billets ?

— ... Plus la gloire que vous en tirerez, Munshin !

— La gloire ne paie pas... Non, Charley, non. Je vois les choses autrement. Vous avez besoin d'argent, soit. Je vous donne deux mille cinq cents dollars pour le scénario, et le quart de ce que je toucherai ultérieurement.

— Collie, Collie...

— Nous ne parlerons plus, non plus, de la galette que je vous ai prêtée...

Il leur fallut encore une heure pour se mettre d'accord. Munshin dit qu'il consulterait son avocat pour l'opportunité d'établir un contrat écrit et sur le meilleur moyen pour Eitel de ne pas avoir sa part mangée par le fisc. Ce n'étaient là que détails. Ils pouvaient avoir confiance l'un en l'autre...

En fin de compte, voici ce qui fut décidé : Collie aurait l'argent et Eitel garderait une photocopie de son manuscrit, à toutes fins utiles. Collie lui donnerait quatre mille dollars, deux mille immédiatement et deux mille lorsqu'il aurait achevé son travail. Si le scénario ne trouvait pas preneur, il resterait la propriété de Munshin ; dans le cas contraire, Collie verserait à Eitel un tiers de la somme qu'il en aurait obtenue. Les droits ultérieurs reviendraient à Collie, mais il s'engageait à réserver à Eitel un pourcentage sur eux. D'autre part, si Eitel se décidait à se représenter devant le Commission d'enquête, Collie ferait tout son possible pour qu'on lui confiât la réalisation du film.

« Et voilà, pensa Eitel avec une froide colère. Désormais je suis l'un des « nègres » de Collie... » Collie savait avec qui il travaillait ; jamais il n'aurait conclu un arrangement de ce genre avec un homme en qui il n'aurait pas eu confiance. Il donna sans plus attendre vingt billets de cent dollars à Eitel.

Si celui-ci pensait en avoir fini avec Munshin pour ce soir-là, il se trompait. Collie se mit à lui raconter avec force détails qu'il avait rencontré Lulu au casino d'où il revenait.

— Elle était avec cet ami à vous, l'aviateur... Comment s'appelle-t-il déjà ?

— Sergius.

— C'est bien ça, Sergius. Un brave garçon... Charley, j'ai envie de pleurer chaque fois que je pense à la manière dont vous avez gâché votre chance !

Eitel ne dit rien.

— Quel besoin aviez-vous de vous exhiber avec Elena sous le nez d'H. T., au cours de cette fameuse soirée ? Vous ne vous rendez pas compte de la gaffe que vous avez commise... Pourquoi pensez-vous que Teppis vous avait invité ?

— Je ne l'ai jamais compris.

— Charley, malgré votre finesse et toute votre intelligence, vous vous êtes toujours gouré, avec H. T. H. T. aime jouer les pères de famille. Vous ne lui en avez jamais laissé l'occasion. Deux heures avant la soirée, avant même que je sache que vous y étiez invité, il m'a dit : « Je voudrais aider Charley à se réhabiliter... » Ce sont ses propres termes.

— Sans blague ! dit Eitel. Il comptait sans doute effacer mon nom de la liste noire ?

— Non, dit Munshin d'un air grave. Mais il aurait obtenu qu'on entende votre témoignage à huis clos. Personne n'aurait jamais su ce que vous auriez dit.

Pas bête, pensa Eitel... Un témoignage secret, deux lignes à la dernière page d'un journal, et, pour lui, une nouvelle carrière eût commencé. Quant aux journalistes, on leur aurait fait comprendre qu'ils avaient tout avantage à être gentils...

— H. T. est dur, reprit Munshin, mais il se sent très seul. Vous lui manquez. Il vous a invité à sa soirée parce qu'il songeait à un film que vous seul auriez pu tourner.

— Sergius me l'a dit. Une connerie musicale...

— Non, mon vieux, vous vous trompez. Vous ne comprenez pas H. T., je vous assure. Ce qu'il avait en tête, c'était un film sur Sergius O'Shaugnessy.

Cela méritait bien le verre qu'Eitel vida d'un seul coup.

— Vraiment ? dit-il. Je ne vois pas...

— Vous êtes décidément bouché... Ne savez-vous pas que Sergius est un héros ? Il a abattu dix avions ennemis.

— Non, Collie, pas dix, trois... Et si vous lui en parliez, il vous dirait qu'il n'en est pas tellement fier.

— La question n'est pas là. Ce qui compte, c'est que Sergius sort d'une maison d'enfants abandonnés. Vous vous rendez compte de ce qu'on pourrait tirer de ça dans un film ?

— C'est assez dégueulasse...

— Le gosse d'une fille mère : quel magnifique départ ! On montrerait la fille abandonnant son bébé devant la porte de l'orphelinat, tirant la sonnette et s'enfuyant en larmes... Quelqu'un ouvre la porte, un vieux portier, par exemple, et lit le billet épinglé aux langes du moutard : ça c'est une idée d'H. T...

J'aurais voulu donner à mon enfant un nom de famille. Mais, puisque c'est impossible, je vous en prie, appelez-le Sergius, c'est un beau prénom...

Munshin avait un air extasié, comme s'il eût contemplé le Parthénon...

— Là-dessus le gosse devient un héros...

187

Eitel savait qu'il ne plaisantait pas. Deux ou trois fois par an, Herman Teppis avait des idées de ce genre, et il chargeait quelqu'un d'en tirer un film. Parfois, c'était plus mince encore que l'orphelin-devenant-un-héros : quelques années plus tôt, Teppis l'avait convoqué un matin, pour lui dire :

— J'ai un sujet de film : la renaissance. Faites-le.

Il s'était arrangé pour que Teppis fasse appel à un autre metteur en scène, et finalement le film avait été tourné, sur un tout autre sujet et sous un tout autre titre — mais l'idée de Teppis avait suffi à occuper un certain nombre de gens pendant près d'un an. En fin de compte, cette façon de faire des films en valait bien une autre, et les idées d'H. T. finissaient toujours par rapporter de l'argent.

— A quoi pensez-vous ? demanda Munshin.

— Cette histoire ne ressemble ni de près ni de loin à celle de Sergius. Je me demande même pourquoi vous avez envisagé de lui en acheter les droits...

— Il ne fallait pas qu'il puisse nous poursuivre... Mais la question n'était pas là. L'histoire telle que je vous l'ai racontée ne pouvait faire marcher le public qu'à condition d'avoir pour héros un personnage réel. C'est ça qui excitait H. T. : la valeur publicitaire de Sergius.

— Je ne crois pas que *lui* marcherait, dit Eitel.

— C'est votre opinion. J'ai la mienne. Ça pourrait lui rapporter vingt mille dollars.

— Pourquoi ne lui en parlez-vous pas ?

— C'est trop tard ! Vous connaissez H. T. Il souhaitait que vous fassiez le film parce que, dans ce cas, Sergius aurait marché avec vous. Vous avez tout gâché, en offensant H. T. sans raison.

— Collie, pourquoi revenir sur tout ça ?

— Je ne sais pas... Peut-être parce que j'ai une idée derrière la tête... Il me semble que, si nous réussissions à convaincre le gosse, je pourrais en reparler à H. T.

Eitel rit.

— En d'autres termes, vous attendez de moi que j'entreprenne la conquête de Sergius ?

— Je voudrais que vous m'aidiez. Et ça pourrait vous aider également.

— Bref, tout le monde s'y retrouverait... Sergius serait

riche, je tournerais le film — et vous auriez rempli la mission pour laquelle H. T. vous a envoyé ici...

— Si vous voulez...

— Et si H. T. n'est pas d'accord pour que ce soit moi qui fasse le film ?

Munshin lâcha son dernier argument.

— J'y ai pensé, dit-il. Dans ce cas, nous pourrions modifier les termes de notre autre accord. Je ne vous laisserais pas tomber...

— Quel plaisir de travailler avec vous ! dit Eitel.

Collie était décidément étonnant. Il était venu à Désert d'Or, à la demande d'H. T., pour acheter les droits d'adaptation à l'écran de l'histoire de Sergius O'Shaugnessy. Mais il avait su s'arranger pour jouer sur plusieurs tableaux à la fois, de manière à ne faire coup nul en aucun cas, quoi qu'il arrivât...

— Sergius ne veut pas de vos vingt mille dollars, n'est-ce pas ? demanda brutalement Eitel.

— Nous n'avons encore rien conclu.

— C'est à la roulette que vous avez discuté de tout ça ?

— Pourquoi pas ? C'est un endroit comme un autre.

— Et Lulu est dans le coup ?

Collie sourit.

— Ma foi, c'est assez compliqué, dit-il. H. T. voudrait surtout la voir se marier.

— Avec Teddy Pope ?

— Oui... Mais j'ai l'impression que, si les choses s'arrangeaient, il ne lui déplairait pas qu'elle épouse Sergius.

— Belle fin pour le film, ricana Eitel... Collie, pour un type de votre poids, vous ne manquez pas de souplesse.

Tous deux éclatèrent de rire. Finalement Collie conclut :

— Charley, vous êtes un as... Vous êtes le seul qui me compreniez.

— Quel compliment !

— Vous me donnerez un coup de main, pour Sergius, n'est-ce pas ?

— Non, dit Eitel. Je ne lèverai même pas le petit doigt.

XVI

— JE ME DOUTAIS QUE vous réagiriez ainsi, dit Munshin avec un hoquet d'ivrogne. Et, se penchant en avant, il ajouta :

— Charley, que diriez-vous si je vous rappelais que vous me devez quelque chose ?

Eitel sentit la colère le gagner.

— Je ne vous dois rien du tout, dit-il d'une voix tremblante. Ce n'est pas parce que vous m'avez acheté pour quelques malheureux dollars...

— Je sais. Je suis un salaud, un escroc... Mais, si vous vouliez penser deux minutes à autre chose qu'à vous-même, vous commenceriez peut-être à apprécier mon attitude.

— Je l'apprécie parfaitement, dit Eitel. Vous essayez de mener à bien une de vos combines habituelles...

Il se sentait à nouveau lucide, trop lucide, en dépit de tout le whisky qu'il avait bu.

— Ecoutez, Charley... Considérez-moi comme un monstre si ça vous amuse, mais n'oubliez pas que je suis le seul monstre, dans toute cette affaire, qui se soucie un peu de vous. (Sa voix monta d'un ton.) Donc, ne me cassez pas les pieds. Je n'ai pas envie de me disputer avec vous. Que vous le croyiez ou non, je pense à votre avenir...

Eitel eut un rire qui, à ses propres oreilles, sonna faux. Il s'en voulait d'éprouver lui-même une espèce d'affection bizarre pour Munshin.

— Quel joli tableau, dit-il d'un air sarcastique. Un grand producteur me criant son amour...

— Allez au diable, Eitel ! dit Munshin plus bas. Je n'ai pas dit cela. Vous m'êtes assez sympathique, c'est tout.

— J'aime mieux ça.

— Soyons raisonnables, mon vieux. J'ai assez d'ennemis comme ça. Essayons de ne pas nous bagarrer.

— Alors ne parlons plus de Sergius.

— Je comprends vos sentiments pour ce garçon. Même si mon métier m'a fait faire pas mal de saloperies, je comprends qu'on puisse avoir de l'estime pour quelqu'un. Je ne vous embêterai plus à propos du gosse.

Eitel vida lentement son verre. Il se sentait mieux.

— Je vais vous avouer quelque chose, dit-il. Nous nous entendrions beaucoup mieux si vous faisiez moins de discours.

Munshin accepta cette remarque avec un sourire indulgent.

— Bon. Alors, écoutez-moi : je voudrais que vous me disiez honnêtement — vous me devez bien ça — comment, selon vous, Sergius réagira si je lui demande d'accepter les propositions d'Oncle Herman...

— Oncle Herman ? Oncle Herman *Teppis* ?

Collie fit la grimace.

— Parlez moins fort, dit-il.

Tous deux éclatèrent de rire, comme à une vieille plaisanterie.

— Collie, dit Eitel, j'ai l'impression que nous sommes saouls, tous les deux...

— Parlez-moi de Sergius, mon joli... Ou bien dois-je me traîner à vos pieds ? Pourquoi croyez-vous que je sois ici ?

Eitel, pour la première fois depuis des semaines, se sentait de bonne humeur.

— J'ai un faible pour vous aussi, Collie, dit-il. Vous êtes loin d'être un crétin. Mais je crois que vous sous-estimez Sergius.

— Vous êtes sûr de ne pas jouer un peu les pères nobles ? A mes yeux, Sergius n'est qu'un opportuniste qui a eu de la chance.

— Collie ! Vous croyez encore à la chance, *vous* ?

— Ma foi, oui. Rencontrer la personne qu'il faut, au bon moment, qu'est-ce que c'est, sinon de la chance ? Et votre petit copain a cette veine-là.

— Non, dit Eitel. Ce n'est jamais si simple... Sergius me plaît, vous avez raison. Son amitié m'a été bonne, dans de sales moments, et je ne voudrais pas le voir tourné en ridicule.

— N'exagérons rien. Il touchera vingt mille dollars : ça le consolera de beaucoup de choses si Lulu vend la mèche, et puis bonsoir...

Eitel réfléchit un instant.

— A mon avis, vous feriez mieux de l'utiliser comme acteur.

— Comme acteur ? Vous croyez ?

— Oui. Il lui manque d'avoir fait cinq ans de théâtre, mais sa personnalité est incontestable. Il pourrait avoir du succès. Je ne vous dis pas qu'il ferait un bon acteur, car j'ignore s'il a le moindre talent. Mais, à mon avis, il a certainement *quelque chose*.

— Vous pourriez bien avoir raison, dit Collie d'un air grave.

— Certainement. D'ailleurs, Lulu perdrait-elle son temps avec un type sans intérêt ?

— Ce que je ne comprends pas, alors, c'est pourquoi vous ne le poussez pas à m'écouter. Votre amitié pour lui...

— Je ne sais pas si ça lui conviendrait. S'il n'a pas de talent, ou s'il n'est pas prudent, un succès trop rapide pourrait faire de lui un idiot prétentieux. Je le vois devenant un de ces acteurs qui lisent Proust et déclarent à qui veut les entendre qu'ils détestent leur métier parce qu'il les empêche de devenir de grands écrivains...

— Comme vous y allez, dit Munshin... Je ne savais pas même que notre athlète savait lire !

— C'est pourtant ainsi. Il a l'air, comme ça, de mépriser les intellectuels. Eh bien, en fait, il ne désire rien tant que d'en devenir un.

— Très intéressant... Savez-vous comment je le vois, pour ma part ? Laissez sa personnalité s'exprimer pleinement, il deviendra une espèce de super-cow-boy, se mettant de la lotion capillaire sur la poitrine et capable de tuer un gars d'un coup de poing dans une bagarre... Pire : je sens en lui quelque chose d'ignoble. Je le vois très bien finissant dans la peau d'un amateur, et jouant les dénonciateurs auprès des échotiers pour couler les « révolutionnaires » de votre espèce.

Eitel eut une grimace amère.

— Peut-être. Ce genre de type peut donner le meilleur et le pire. C'est pourquoi je le trouve intéressant.

— Que vous aimiez les tordus, ça vous regarde... Pour moi, ce ne sont jamais que des psychopathes.

— Pourquoi toujours étiqueter les êtres ? grogna Eitel.

— Revenons à nos moutons... Charley, après tout ce que nous avons dit sur Sergius, croyez-vous toujours qu'il refuse de marcher ?

— Franchement, je n'en sais rien. S'il a vraiment mon ex-déesse dans la peau au point de travailler pour Oncle Herman, vous pourrez peut-être faire de lui un acteur. Mais il faudra penser à engager une secrétaire pour répondre à ses admiratrices.

— H. T. y a déjà pensé, dit Collie.

Eitel ne put s'empêcher de sourire.

— Vous voyez : les brigands, comme les grands esprits, se rencontrent...

— Charlie, vous me faites mal ! Si vous n'étiez pas si pur, je pourrais accomplir un chef-d'œuvre. Si vous saviez comme j'aimerais posséder H. T. avec Sergius comme appât et vous comme hameçon !

Il sourit à la beauté de cette idée.

— Si nous concluions une alliance ? C'est peut-être le whisky, mais je commence à croire que nous pourrions devenir des amis...

Voir mêler l'amitié à ces tractations agaça Eitel.

— Vous ne croyez pas que je me suis suffisamment compromis pour ce soir ? dit-il froidement.

— Compromis ? Eitel, pour moi vous êtes toujours un enfant prodige. Vous ne soupçonnez même pas ce que j'ai en tête. Je suis saoul, d'accord... mais pensez à ce que je vais vous dire : *H. T. ne sera pas toujours le maître du studio.*

Collie dit cela dans un murmure lourd de sous-entendus.

— Nous pourrions faire une belle équipe, vous et moi, poursuivit-il. Vous êtes l'un des rares metteurs en scène qui n'aient pas commencé par être un opérateur à deux sous. Je sais reconnaître la classe des gens, Charley. Si j'avais la haute main sur le studio, je puis vous assurer que je vous laisserais faire les films que vous voudriez.

— Nous *aurions pu* faire équipe, oui, Collie, admit Eitel... Mais je ne peux pas oublier si vite ce que vous avez fait de trop de films qui me tenaient à cœur...

Une rancœur oubliée résonnait dans ses propos.

— ... Et le plus grave, c'est que vous n'aviez même pas de bonnes raisons, commercialement parlant, d'agir ainsi. On commence seulement à s'apercevoir de ce que je voulais faire, il y a cinq ans.

— Cessez donc de vivre dans le passé ! dit Munshin. Si je vous disais que j'ai peut-être envie de changer, moi aussi...

Eitel eut un sourire désabusé d'homme qui a cessé de croire à l'honnêteté d'autrui.

— Ce ne sont pas les sentiments des hommes qui font l'histoire, dit-il, mais leurs actions.

Munshin regarda sa montre et se leva.

— Bon. Puisque vous le prenez ainsi, je vous prouverai ma bonne foi : vous aurez demain les deux mille dollars que j'étais censé vous verser lorsque vous auriez terminé votre scénario. Je vous les ferai porter.

Eitel le regarda froidement.

— Vous jouez toujours avec la monnaie, hein, Collie ?

La fatigue des dernières vingt-quatre heures fit trembler la voix de Munshin. En titubant un peu, il dit :

— Eitel, vous êtes terrible... parce que vous avez toujours raison. C'est vrai : je pense en dollars. Mais, voyez-vous, j'ai au moins un point commun avec Elena : mes vieux, comme les siens, tenaient une boutique de bonbons. Ils arrivaient à peine à joindre les deux bouts. Ce sont des choses qui vous marquent d'une manière qui échappera toujours à un seigneur comme Charles Francis Eitel...

— Un jour, je vous parlerai de moi, dit Eitel presque gentiment.

— D'accord, Charley. Je le souhaite.

Ils se serrèrent la main, et Munshin ajouta :

— Laissez-moi vous envoyer cet argent demain matin. Ça me fera plaisir.

Et il conclut avec force :

— Quelle belle nuit nous avons passée !

Eitel se coucha de bonne humeur et se réveilla de même. Le sommeil n'avait pas entamé son bien-être. Contrairement à l'habitude, il prit son petit déjeuner avec appétit. Son optimisme dura jusqu'au moment où il se dit qu'il lui fallait mettre Elena au courant du marché conclu.

Elle en fut bouleversée, et tandis qu'il s'efforçait de lui expliquer qu'il lui était indifférent de travailler pour Collie, qu'il avait surtout besoin de temps et que l'argent lui en donnerait, il se rendait compte que, la veille au soir, tout au fond de lui-même, il n'avait pas cessé de redouter ce moment.

— En fait, rien n'est vraiment changé, chérie, dit-il. Le scénario que je ferai pour Collie sera tellement différent de celui auquel je pensais que je pourrai faire celui-ci plus tard.

Elle le regarda tristement.

— Je ne savais pas que tu étais si près de la ruine, dit-elle.

— Si. Très près...

— Tu n'aurais pas pu vendre ta voiture ?

— Ce n'était pas une solution.

— J'espère que tu n'as pas capitulé trop vite... Je ne connais rien à ces choses. Tu as peut-être bien fait.

Elle essayait manifestement de se convaincre elle-même, mais Eitel sentait qu'elle ne le croyait pas, qu'elle n'était pas dupe.

— Je suis sûre que tu feras du bon travail, dit-elle enfin.

Mais elle demeura silencieuse le reste de la journée...

Eitel se mit au travail sans effort sur le scénario de Munshin. Quelques années auparavant, il avait un jour défini un auteur commercial : un homme capable d'écrire trois pages à l'heure sur n'importe quel sujet donné. C'est de cette manière qu'il attaqua son nouveau « chef-d'œuvre ». Il y eut des hauts et des bas, des matins où il n'arrivait pas à se mettre au travail, mais, dans l'ensemble, ce qui l'étonna, l'irrita et l'amusa à la fois, ce fut la facilité de l'entreprise. Alors qu'il lui était arrivé naguère de recommencer plusieurs fois une même scène, pour décider finalement que la dernière version était encore pire que les précédentes, à présent les idées lui venaient toutes seules, les séquences s'enchaînaient d'elles-mêmes, l'intrigue se bâtissait sans effort. Eitel n'entendait rien aux questions religieuses, et pourtant les scènes du séminaire lui semblaient bonnes, commercialement et cinématographiquement. Qu'y avait-il à connaître touchant l'Eglise ? Le vieux prêtre avait la sagesse voulue, et Freddie était arrogant comme il fallait. Tout cela était conforme aux vieilles ficelles du code cinématographique et pouvait se traduire ainsi : voici un coquin, mais, comme c'est Teddy Pope qui l'incarne, les choses finiront par s'arranger...

Eitel commença à s'amuser vraiment lorsqu'il aborda la relation de la réussite de Freddy à la télévision. A l'eau de rose du séminaire, il ajouta une bonne dose de vinaigre. La suite coulerait de source : un peu de sirop, un peu de vitriol et des tas de beaux sentiments... C'était là le genre de gâteau qui remportait les Oscars, et il était agréable de travailler à nouveau dans le cynisme...

Munshin lui téléphonait presque chaque jour de Hollywood :

— Comment va Freddie ?

— A merveille ! répondait Eitel, qui ne se posait plus aucun problème touchant son personnage.

A présent, Freddie était un acteur, n'importe quel acteur au corps musclé, au visage bronzé et aux sentiments sur mesure.

— Et comment va Elena ?

— Elle va bien, merci. Elle me dit de vous embrasser pour elle...

Cela, c'était moins vrai. Si l'humeur d'Eitel était excellente, celle d'Elena ne l'était pas, et sa dépression entamait l'optimisme d'Eitel. Pour la première fois depuis qu'ils vivaient ensemble, il se surprenait à retrouver d'anciens sentiments. Le moment était venu pour lui de décider comment il la quitterait. C'était toujours chose délicate, mais, avec Elena, il convenait qu'il se montrât d'une adresse exceptionnelle. Tout en lui faisant grief de sa maussaderie, de sa vulgarité, de son amour même, il se rendait compte que c'était lui le vrai fautif. C'était lui qui avait fait les premiers pas, qui s'était imposé à elle. Il s'agissait donc de lui faire le moins de mal possible. En même temps, il ne souhaitait pas voir leur liaison se terminer immédiatement ; cela l'eût dérangé dans son travail. Il convenait d'attendre encore un mois ou deux — le temps qu'il en eût fini — tout en s'employant habilement à décourager ses espoirs, à rendre le coup final presque indolore. Il se comparait à un pêcheur occupé à « fatiguer » sa prise avec la patience et la douceur indispensables à tous les bons pêcheurs. « Je suis l'homme le plus doux que je connaisse », se disait-il, en manœuvrant Elena avec habilité, avec savoir-faire, avec une indifférence toute professionnelle, pour l'amener plus près de la rive... Bien sûr, il y avait toujours le risque de la voir lâcher l'hameçon avant terme, auquel cas tout serait à recommencer. Eitel ne pouvait pas trop lui laisser sentir à quel point son attitude avait changé : cela risquait de provoquer une bagarre qui irait trop loin. Elena avait sa fierté : si elle savait qu'il ne l'aimait plus, elle s'en irait à l'instant même ; en sorte qu'il lui fallait lutter contre la tentation de ne pas ramener sa ligne trop vite et trop tôt...

Il disposait d'un excellent alibi : son travail, qui justifiait sa froideur, ses airs lointains. Durant les repas, il ne disait pas un mot, un livre ouvert à côté de lui — et il sentait le désespoir sourdre en elle, épuisant, décourageant son amour. Lorsqu'il la sentait à bout, il se décidait enfin à parler :

— Je t'aime, chérie, disait-il alors.

Il l'embrassait, et l'hameçon s'enfonçait un peu plus...

— J'avais plutôt l'impression que tu en avais assez de moi, risquait Elena au bord des larmes.

Il fallait sans cesse donner un coup de plus à l'hameçon... Elena était une prise difficile : il semblait parfois à Eitel qu'elle lisait en lui, alors qu'ils étaient occupés à bavarder de choses et d'autres et qu'il pensait aux moyens de retrouver sa liberté. Il arrivait ainsi, au moment précis où il venait de lui faire un compliment, qu'elle le regardât avec des yeux d'enfant il lui dît :

— Charley, tu voudrais t'en aller, n'est-ce pas ?

— Quelle idée ! protestait-il.

Et en même temps il lui fallait lutter contre le désir furieux de dire « oui ! »... Mais c'eût été absurde, car les conséquences de la chose eussent été excessives. Ou bien Elena le quitterait, et il n'arriverait plus à travailler en paix ; ou bien, ce qui serait encore pire, elle aurait raison de son indifférence calculée, il s'apitoierait sur elle, s'emploierait à la consoler, le poisson reprendrait sa liberté et tout serait à recommencer. Il lui fallait donc être patient, garder son sang-froid, feindre une chaleur qu'il ne ressentait pas.

Il en était arrivé à la conclusion que, pour liquider cette affaire, il convenait d'abord qu'il en comprît les origines. Quelles raisons avaient pu pousser un homme de sa sorte à perdre son temps avec une femme si peu intéressante ? Pourquoi avoir choisi une femme indigne de lui ? La réponse à cette question, il la trouva dans les sarcasmes de Marion Faye : « Vous avez peur, Charley... » Au cours des deux dernières années, il n'avait pas été brillant dans ses expériences amoureuses. Le sexe a ses lois : lorsqu'on remplace le désir par la technique, le sexe, comme la vie, finit par demander des comptes, au moment où, justement, on commence à être trop vieux pour payer la note. Peut-être s'était-il lui-même pris à son propre jeu. Le plaisir que lui avait procuré Elena l'avait lié à elle. Encore à présent, il en était friand, et parfois, la nuit, il lui arrivait de la prendre dans une demi-conscience et de lui murmurer des mots d'amour.

Dans le passé, c'était de certaines situations que naissait son plaisir. Il trouvait plus de charme, par exemple, à emmener une femme dans une chambre d'hôtel qu'à la recevoir chez lui. Aujourd'hui, tout cela le laissait froid. Il se dit qu'il en était ainsi, inévitablement, dans toute aventure amoureuse. On commence par croire qu'elle a donné son véritable sens à la vie, pour finir par éprouver le dégoût de sa banalité, de son manque d'imprévu. C'était là l'un des paradoxes qu'Eitel avait savourés en son temps. Le but inavoué de la liberté est de trouver l'amour ; cet amour une fois trouvé, on ne songe plus qu'à retrouver sa liberté. Eternelle poursuite d'*autre chose*... On va d'une aventure à une autre et chacune, qu'elle soit réussie ou ratée, apparaît d'abord pleine de promesses. A la fin du voyage, on découvre avec tristesse qu'elle a été pareille aux autres, sinon pire.

Elena lui avait fait mieux comprendre le désir féminin, et le vieux complexe d'infériorité d'Eitel lui faisait se demander comment il arriverait désormais à satisfaire une autre femme qu'elle. Oui, il avait peur — et il rêvait aux agréments de la solitude. Il en venait à souhaiter d'avoir une aventure avec une femme qui ne lui serait rien, une aventure purement sensuelle, qui ne l'eût pas plus engagé que la lecture d'un ouvrage érotique. Il se disait que c'était là le seul genre d'aventure qui lui convînt — alors qu'il était prisonnier de l'amour d'Elena. Il ne pouvait même pas s'offrir une passade banale, car il n'en avait ni le temps ni les moyens, et Elena n'était pas femme à croire certains mensonges. Pourtant, de toute évidence, le mariage et l'infidélité allaient de pair, et l'un était inconcevable sans l'autre. Certains soirs, alors qu'il était assis avec Elena dans le living-room, il sentait que, s'il ne la quittait pas pour une heure, il ne pourrait pas ne pas la quitter pour toujours...

Les visites de Marion Faye lui faisaient éprouver ces sentiments de manière encore plus aiguë. Eitel essaya un jour de dire à Marion :

— Elena m'aime. Ne comprenez-vous pas le sentiment de responsabilité que cela me donne ?

— Elle ne vous aime pas, répondit Faye. La vérité, c'est que, si elle ne se croyait pas amoureuse de quelqu'un, elle ne saurait quoi faire d'elle-même.

Eitel protesta, mais cette pensée lui ouvrait de nouveaux horizons.

— Quand un homme vieillit, continua Faye, un moment vient où il n'est plus capable de coucher qu'avec une seule femme. Par exemple mon beau-père, Mr. Pelley, dit-il avec un sourire...

— Un de ces jours, je vous demanderai peut-être de me procurer une fille, dit Eitel presque malgré lui.

— Sans blague, vous en avez marre du cirque ?

Eitel ne put s'empêcher de penser à ce qu'avait dû être la nuit qu'Elena avait passée avec Marion.

— Serait-ce possible ce soir ? dit-il.

— Que direz-vous à Elena ?

— N'importe quoi...

C'est ainsi qu'il fut convenu qu'Eitel rencontrerait Bobby.
Il dit à Elena que Collie voulait le voir, et qu'ils devaient
se retrouver dans une petite ville à mi-chemin entre Hollywood et Désert d'Or. Elle le crut. N'importe quelle excuse
eût suffi à expliquer une absence d'une seule nuit. Comme il
avait été convenu avec Marion, il se rendit donc dans le bar
où il devait retrouver Jay-Jay, en s'efforçant de ne plus penser à Elena et à sa terreur de la solitude.

Jay-Jay était déjà saoul. Il dit à Eitel qu'il était fou de
Bobby, que c'était une gosse épatante. Elle avait retenu une
chambre dans un hôtel et les y attendait. Ils allèrent donc
la rejoindre, non sans que Jay-Jay se fût arrêté en route
pour acheter une bouteille. Il se trouva que l'hôtel en question était celui-là même où Elena était descendue naguère —
et Eitel ne put s'empêcher d'évoquer avec amertume le matin
où il était venu y chercher ses vêtements...

Dès qu'il vit Bobby, il se rendit compte de la sottise qu'il
faisait. Bobby n'était pas du tout son « type ». Ses yeux
semblaient dire : « Je regrette que nous nous rencontrions
en de telles circonstances... » Faye avait sans doute voulu lui
faire une blague...

Eitel, Jay-Jay et Bobby s'assirent dans la chambre d'hôtel,
et Jay-Jay servit à boire. Bobby était intimidée. Elle ne regardait que Jay-Jay, lui parlant de gens qu'Eitel ne connaissait
pas, d'une certaine Larry qui s'était fait ratisser au poker,
d'une Barbara qui était à nouveau enceinte, d'un Dan qui
allait se marier à Hollywood, etc. Eitel l'écoutait, s'amusant à voir Jay-Jay attentif, attendri, plein de gentillesse.

— Tu es adorable, ma douce, dit Jay-Jay...

Bobby sourit et se tourna vers Eitel :

— Si vous saviez comme nous nous aimons !

— Un vrai roman, ajouta Jay-Jay en regardant sa montre.

Puis il dit qu'il devait s'en aller. Eitel savait où : au cours
d'une même soirée, il arrivait à Jay-Jay d'arranger trois ou
quatre rendez-vous pour le compte de Marion. Au moment de
sortir, il dit à Bobby :

— Veux-tu nous excuser, chérie ? Charley m'a promis de
me donner un tuyau sur un cheval...

— S'il est bon, joue pour moi...

Eitel sourit.

— Jay-Jay et moi, nous perdons toujours, dit-il.

Dans le corridor, Jay-Jay lui murmura en titubant un peu :

— Charley, Bobby est une brave gosse, tout à fait bien...
Mais il faut que je vous dise : elle est un peu frigide, elle n'y
peut rien... Ne vous en faites pas pour ça : elle fera tout ce
que vous lui demanderez.

Et, dans un rapide résumé, il énuméra les choses qu'Eitel
pourrait éventuellement lui demander... « Pauvre Jay-Jay, il
est encore pire que moi », se dit Eitel avec dégoût, en lui
donnant une tape amicale sur l'épaule en guise d'adieu.

Lorsqu'il revint auprès de Bobby, elle reprit son bavardage.

— Il est merveilleux, Jay-Jay... Connaissez-vous quelqu'un
de plus gentil ?

— Difficile à dire, dit Eitel.

— Quand j'ai le cafard, si vous saviez comme il me dor-
lote. Je me demande parfois ce que je deviendrais sans lui.

— Vous avez souvent le cafard ?

— Ma foi, ces derniers mois ont été assez durs... Je venais
de divorcer.

— Vous regrettez votre mari ?

— Ce n'est pas ça... Il n'était pas commode... Tant pis si
je vous parais vieux jeu, mais je ne suis pas faite pour vivre
seule.

Eitel eut envie de l'emmener ailleurs. Cette chambre d'hôtel
était sinistre.

— J'ai l'impression de vous avoir déjà vue quelque part,
dit-il.

(Ça aussi, il l'avait dit à Elena, un jour...)

— Oui, Mr. Eitel.

— Récemment ?

— Je crois que c'était il y a deux ans. J'étais actrice... Je
le suis encore, bien sûr. On m'a dit que j'avais du talent, mais
vous savez ce que c'est, sans piston... Mon mari connaissait
un producteur qui était son obligé. Il m'a donné un bout de
rôle, un jour, dans un film que vous dirigiez.

— Lequel ?

— *Tempête sur le fleuve.*

— Ah ! oui, celui-là... dit Eitel d'un air dégoûté.

— C'était un très beau film, Mr. Eitel. Vous avez beaucoup de talent... Je suis si heureuse de vous avoir enfin rencontré !

— Ça vous a plu, de travailler avec moi ?

— Ç'a été épouvantable !

— Pourquoi ?

— J'étais folle, je m'étais fait des idées... Je m'étais imaginée que, si on me voyait à l'écran...

— ... un directeur de studio dirait aussitôt : « Qui est cette fille ? Qu'on me l'amène ! » C'est ça ?

— Oui... Quelle idiote j'étais ! Je me rappelle qu'à la fin de la journée une figurante qui devait faire ce métier depuis des années m'a dit : « Ne te fais pas trop remarquer, ma vieille. Si tu en fais trop, ils ne t'engageront jamais... » Elle avait raison...

— Oui, dit Eitel. C'est exact. Il ne faut pas que le visage d'une figurante devienne trop familier aux spectateurs.

Cette conversation lui rappelait la première soirée qu'il avait passée avec Elena, et ce que celle-ci lui avait dit. Il se sentit déprimé. Comment pourrait-il faire l'amour avec Bobby ? De toute évidence, elle attendait de lui qu'il en prît l'initiative : c'était encore une débutante... Il lui tendit la main, elle la prit et s'assit timidement sur les genoux d'Eitel. Lorsqu'il l'eut embrassée, il sentit qu'ils *devaient* quitter cette chambre. Les lèvres de Bobby étaient malhabiles. Elle avait peur. Son corps semblait de bois.

— Si nous allions ailleurs ? dit-il. Les lits d'hôtel m'ont toujours fait horreur...

Elle rit et parut se détendre un peu.

— Nous pourrions peut-être aller chez moi, suggérat-elle... Mais, vous savez, c'est plutôt moche...

— C'est sûrement mieux qu'ici.

— Oh ! c'est assez confortable, Mr. Eitel, mais...

— Appelez-moi Charley.

— Il y a mes deux petites filles, Charley.

— Je ne savais pas...

— Elles sont adorables !

Voilà la solution, pensa Eitel. Ils iraient chez elle, ils bavarderaient un peu, il lui donnerait de l'argent et s'en irait, sous le prétexte de la présence des gosses.

— Allons, dit-il doucement.

Lorsqu'ils se retrouvèrent dans le petit bungalow de quatre pièces que Bobby louait meublé, Eitel ne se sentit pas beaucoup plus à l'aise. Bobby alla chercher à boire dans la cuisine, après avoir tourné le bouton de la radio. En face d'Eitel, il y avait un perroquet dans une cage. Eitel se dit que, si même elle réussissait dans son nouveau métier, si elle déménageait, achetait des meubles à elle et engageait une femme de chambre, ce perroquet la suivrait — et il se sentit envahi d'une étrange pitié pour elle. Elle revint avec des verres pleins et, ne sachant trop quoi faire, se mit à parler à l'oiseau :

— Joli Cappy, joli Cappy ! Tu m'aimes, dis, joli Cappy ?

L'oiseau ne lui répondant pas, elle dit avec un soupir :

— Je ne réussis jamais à tirer un mot de Captain quand il y a quelqu'un...

— Dansons, dit Eitel.

Elle dansait mal, embarrassée, eût-on dit, par son propre corps. A la fin du morceau, elle s'assit sur le divan, à côté d'Eitel, qui entreprit de la caresser. Le résultat fut piteux. Elle l'embrassait avec l'application maladroite d'une gamine de quinze ans. Il aurait donné gros pour s'en aller...

Puis un bébé se mit à crier.

— C'est Veila, dit Bobby avec une espèce de soulagement, en courant jusqu'à la chambre à coucher.

Sans savoir pourquoi, Eitel la suivit et la regarda prendre dans ses bras la petite fille, qui devait avoir un an.

— Elle a fait pipi, dit Bobby.

— Donnez-la-moi. Je la tiendrai pendant que vous changerez son drap...

Les gosses l'avaient toujours laissé indifférent, mais son état d'esprit, ce soir, le rendait vulnérable. Il ne fut pas loin de s'attendrir et, lorsque Bobby le regarda, il sentit avec horreur qu'il avait les larmes aux yeux.

— Veila a eu une pneumonie le mois dernier, dit Bobby. Il faut que je fasse très attention à elle... Les médecins coûtent cher...

Eitel pensa avec détresse à la mort du héros dont il avait rêvé, dont il n'avait pas écrit l'histoire, et que « Freddie » avait tué... Freddie ? Non : lui-même... Tout le malheur du monde s'était incarné, un instant, dans ce personnage imaginaire — et il n'y avait plus personne à présent, pour l'endurer...

— Pauvre gosse, dit Eitel. Elle a dû être très mal...

Il regagna le living-room. Il lui fallait se ressaisir. Ses larmes étaient des larmes d'ivrogne. Mais une pensée continuait de le torturer : si Elena devenait une autre Bobby, comment les hommes la traiteraient-ils ?

Alors il s'entendit dire à Bobby :

— Je voudrais vous aider...

Depuis sa rencontre avec Collie, il se promenait avec mille dollars dans son portefeuille. Bobby le regarda d'un air circonspect.

— Non, dit-il en lui caressant la joue. Ce n'est pas ce que vous croyez. Je veux seulement vous prêter de l'argent...

Et il lui mit dans la main cinq billets de cent dollars. Bobby était abasourdie.

— Mais, Charley... Je ne pourrai jamais vous les rendre !

— Mais si, mais si... Rien ne presse. Un jour tout ira bien, pour vous, et je serai bien content de voir cet argent me tomber du ciel !

— Je... je ne comprends pas !

Il se demanda s'il avait jamais été aussi bêtement sentimental.

— Ecoutez, dit-il avec une espèce de fureur enfantine... Tout ça m'écœure, comprenez-vous ? Laissez-moi vous faire ce cadeau. J'en ai envie. On m'en a fait, parfois, à moi aussi...

Il avait surtout envie de s'en aller. Il ne désirait plus rien, sinon quitter cette maison, quitter le présent, quitter tout cela. Mais Bobby était bouleversée. Elle le retint, le fit asseoir près d'elle, sur le divan, tandis qu'il cherchait en vain à s'expliquer sa propre générosité. « C'est absurde, se dit-il. Quelle somme pour éviter un fiasco ! »

Puis il se laissa à nouveau aller à caresser Bobby. A présent, tout était plus simple. Elle avait envie de lui faire plaisir, et ils furent près d'aboutir. Mais soudain, avec une sorte de panique dans les yeux, elle lui demanda d'attendre encore un peu — et la vue de ce corps frêle, ces baisers maladroits et reconnaissants, eurent à nouveau raison du désir d'Eitel.

Il sut qu'il lui fallait recourir à l'une des fantaisies suggérées par Jay-Jay — grâce à quoi il atteignit le but souhaité, et, cinq minutes plus tard, le visage et le corps ruisselant de sueur, il réussit tout de même à en finir.

Bobby donnait tous les signes de l'extase, comme si quelque chose d'extraordinaire lui fût arrivé...

— Oh, dit-elle, c'était merveilleux...

Presque à la fin de leur étreinte, elle s'était accrochée à lui avec un sourire crispé, les yeux perdus. Eitel ne s'était jamais senti aussi seul qu'à ce moment-là. Et, à présent, elle essayait de croire qu'ils avaient accompli un miracle.

— Charley chéri ! dit-elle, embrassant ses yeux, caressant ses cheveux.

Elle se collait à lui, et il lui fallut une demi-heure pour arriver à s'en aller. Lorsqu'ils se furent embrassés une dernière fois, Bobby le regarda, les yeux brillants, et demanda :

— Quand te reverrai-je ?

— Je ne sais pas... Bientôt, dit-il, sachant qu'il mentait et s'en voulant de le faire.

Rentré chez lui, Eitel se baigna, se frotta vigoureusement des pieds à la tête avec une serviette rugueuse et se coucha près d'Elena. Il la prit contre lui, la serra à la faire crier et la posséda en gémissant des mots d'amour, comme s'il eût voulu se fondre en elle. Puis il prit un somnifère et sombra dans l'inconscience — dont le tira le coup de téléphone de Faye.

Après quoi, tout ce qui s'était passé au cours des six dernières semaines lui revint à l'esprit et se mit à le tourmenter. Ces heures d'insomnie lui furent aussi pénibles qu'une agonie. Il aspirait de toutes ses forces à la venue du moment où Elena se réveillerait, où il ne serait plus seul. Et, durant cette interminable attente, il se disait que, si Elena lui avait menti comme il lui avait menti lui-même, si elle avait couché avec un autre homme et était venue, ensuite, le rejoindre au lit, il l'eût étranglée. C'était ridicule... Comment comparer le plaisir qu'il avait pris avec Bobby et celui qu'Elena lui donnait ? Et pourtant, quelqu'un qui l'eût surpris avec Bobby aurait pu croire qu'il était heureux. Il avait gémi de plaisir.

Bien sûr, cela ne voulait rien dire, mais la pensée qu'Elena pût gémir de plaisir dans les bras d'un autre lui était insupportable...

Il comprit soudain à quel point il tenait à elle. « Je suis ignoble, se dit-il tout bas. Pourquoi faut-il que j'abîme tout ce que je touche ?... »

XVII

M UNSHIN N'AVAIT

dit à Eitel qu'une partie de la vérité. Nous avions passé plusieurs heures à bavarder, à la roulette. Nous rentrâmes à Désert d'Or, Lulu et moi, le soir même où Eitel rencontra Bobby. Quoi qu'il en fût, j'ignorais presque tout de ce qui se passait, et je ne savais rien du nouveau scénario d'Eitel ni des conversations de ce dernier avec Collie.

J'avais été très occupé...

Un après-midi, Lulu avait eu l'idée de m'emmener en voiture à quatre cent cinquante kilomètres de Désert d'Or, par delà la frontière de l'Etat, jusqu'à sa station de jeu favorite. Nous avions emporté de quoi pique-niquer en route — ce que nous fîmes à deux heures du matin.

L'idée de jouer m'agréait parfaitement. J'avais dépensé une bonne moitié des quatorze mille dollars que l'on sait, et le moment était venu de me remonter un peu. Nous n'avions emporté que quelques centaines de dollars, mais Lulu avait du crédit et, lorsque je sus que notre séjour se prolongerait, je me fis envoyer de l'argent par ma banque de Désert d'Or.

Nous jouâmes douze jours durant. Nous aurions continué pendant un mois encore si Collie n'était venu nous déranger. De dix heures du soir à neuf du matin, nous jouions sans arrêt et, pendant ces heures-là, un tremblement de terre ou une guerre ne nous eût pas distraits. Nous essayions de dormir pendant la journée et, durant les repas, nous nous employions à imaginer les martingales les plus complexes. Finalement, j'en découvris une, parfaitement absurde, qui devait me permettre, avec un capital de trente mille dollars, de gagner cent dollars en une nuit — à condition de ne pas tout perdre : mes chances étaient de deux cent cinquante contre une (en ma faveur)...

Lulu jouait d'une manière résolument fantaisiste. Elle choisissait un numéro, ou deux, ou dix, et les jouait jusqu'à ce qu'elle eût perdu tout ce qu'elle voulait. Après quoi elle en changeait. Si elle gagnait, elle était radieuse ; si elle perdait, elle se mettait en colère. De toute manière, elle faisait tout ce qui était possible pour se faire remarquer, ce qui agaçait prodigieusement le joueur scientifique que j'entendais être.

Finalement, je perdis pas mal d'argent — et lorsque je rentrai à Désert d'Or, je ne possédais plus que le tiers de mon capital de départ. Mais ce séjour n'avait pas manqué de piment. A l'hôtel, nous avions pris deux chambres communicantes. D'épais rideaux nous permettaient d'y faire la nuit en plein jour. Nous ne la faisions que pour dormir, car nous ne fîmes pas l'amour une seule fois. Je ne désirais pas plus Lulu que si elle eût été une chèvre ou un chariot de foin — et elle y pensait encore moins que moi. Nous vivions, mangions et jouions ensemble, mais nous dormions séparément. Nous n'avions jamais été si convenables.

Comme je l'ai dit, cela eût pu durer un mois — mais Collie vint nous déranger. Il arriva alors que nous jouions seulement depuis quelques jours, et sur le moment je n'y attachai guère d'importance. Au reste, s'il m'avait annoncé que je venais d'hériter un million de dollars, je crois que j'aurais répondu : « Parfait... Vous avez remarqué que le dix-sept est sorti trois fois depuis une demi-heure ? »

Collie me dit que si je lui cédais les droits qu'il voulait — une simple signature à donner, sans plus — il me verserait dix mille dollars. Je marquai si peu d'intérêt qu'il ne tarda pas à doubler le chiffre. Lulu le taquina un peu, et je lui dis que j'avais horreur des décisions trop hâtives. Il abandonna la partie sans même avoir obtenu de moi une promesse et nous l'oubliâmes pendant un jour ou deux. Puis je l'entendis téléphoner à Lulu, le nom de Teppis fut prononcé, et Lulu me parut impressionnée. Le charme du jeu était brisé.

Sur le chemin du retour, nous eûmes une dispute.

— Bien entendu, tu n'as pas envie de penser à l'avenir, dit Lulu.

C'était effectivement le dernier de mes soucis. Elle poursuivit :

— Sais-tu que tu es lamentable, Sergius ?

— Je n'ai pas envie de voir mon nom utilisé dans un navet.

— Un navet !... Si tu m'aimais vraiment, tu aurais envie de m'épouser. Et, avec vingt mille dollars, tu serais tranquille, pécuniairement parlant.

— Tu parles ! dis-je. Ça me permettrait tout juste de payer ton vernis à ongles...

La colère lui fit faire une embardée à la voiture.

— Tu ne m'aimes pas ! Si tu m'aimais, tu m'écouterais...

Nous nous querellâmes ainsi pendant la moitié du voyage — puis Lulu eut soudain une idée.

— Tu as raison, dit-elle. Vingt mille, ce n'est pas assez.

— De la roupie de sansonnet...

— Mais je sais comment en gagner plus.

— Comment ?

Elle me demanda d'un air concentré :

— Répète-moi exactement ce qu'H. T. t'a dit, le jour où il t'a invité à sa soirée.

— Oh ! écoute...

— Je suis sérieuse, Sergius. Dis-moi...

Elle m'écouta avec un petit air de triomphe, puis déclara :

— Mais oui, c'est bien ça !... Chéri, je sais exactement ce qui se passe dans l'esprit d'H. T. Il se dit que, ce fim, tu pourrais peut-être le jouer, en être toi-même la vedette...

J'éclatai de rire, mais elle m'interrompit.

— Je t'en prie, soyons sérieux... Il est évident que l'idée de ce film ne vient pas de Collie, mais d'H. T. Tu lui as plu. Il t'a trouvé du sex-appeal...

— Tu lui as fait des confidences ?

— Je le sais. Si nous savons y faire, H. T. acceptera tout ce que tu exigeras... Et si tu deviens une vedette, chéri, nous aurons tous les deux assez d'argent pour nous marier.

— Mais je ne suis pas un acteur !

— Ce n'est pas difficile...

Elle me fit, là-dessus, une petite conférence. A entendre Lulu, jouer la comédie était la chose la plus facile qui fût au monde. D'ailleurs un bon metteur en scène saurait comment me diriger et tirer parti de mes dons.

— Si tu es empoté, dit-elle, il fera passer cela pour du naturel. Si tu as l'air trop malin, il saura te transformer en une gourde. Et si tu rates une scène, ils se débrouilleront toujours pour l'arranger. Avec leurs méthodes de travail, tout s'arrange toujours.

— Ça suffit, dis-je. Je n'ai pas envie de devenir acteur.

Mais mon cœur battait un peu, et je n'étais pas sûr de ne pas mentir.

— Attends au moins de revoir Collie...

Lulu ne se trompait pas. Deux jours après notre retour à Désert d'Or, Munshin y revint en avion. A ma surprise — car j'avais toujours pensé que les gens ne me comprenaient pas — il ne perdit pas son temps à discuter. A peine étions-nous ensemble depuis une heure qu'il me dit :

— Sergius, je vous connais. Parlons franchement. Vous avez un tas de qualités, vous êtes honnête, intègre, courageux, fidèle, vous avez du cœur — mais vous êtes un instable et un velléitaire... Je suis plus âgé que vous, et je puis vous dire ce qui ne va pas, chez vous. Vous avez peur du changement. Vous n'êtes pas heureux avec Lulu, et pourtant vous tenez à elle. Vous redoutez de la voir partir un de ces jours pour Hollywood pour tourner son nouveau film, et s'amouracher d'un autre type... Voulez-vous que je vous dise ? Je ne lui donnerais pas tort. Vous avez peur d'avancer aussi bien que de reculer. Vous voudriez seulement que les choses continuent comme elles vont. Malheureusement, c'est impossible... Il vous reste combien d'argent ?

— Trois mille dollars.

— Trois mille... Je vous vois d'ici essayant de les faire durer, de continuer avec Lulu en vous disant que votre successeur payera la note. Ça peut encore durer, mettons dix semaines. Et ensuite ? Vous serez à sec. Que ferez-vous alors ? Battre le dur ? Laver les voitures ?... Ne prenez pas cet air idiot, mon petit vieux. Savez-vous ce que ça veut dire : être sans un ?

— Oui, dis-je. Je le sais.

— Bon. Vous l'avez peut-être su, un jour, mais à présent vous avez goûté à autre chose. Vous vous voyez vous amuser à courir les serveuses de bistrot, après ce que vous avez connu ? Mon gars, je peux vous dire une bonne chose : une fois que vous avez partagé le plumard d'une souris comme Lulu, les autres vous rendront malade, physiquement malade. Il n'y a rien de pire...

Munshin avait marqué un point. Pour la première fois, je songeai avec douleur aux quatre mille dollars que j'avais perdus au jeu et à ce qu'ils représentaient. Les calculs de Collie étaient justes : jusqu'alors, j'avais dépensé plusieurs centaines de dollars par semaine — et je comprenais soudain ce que cela signifiait, le peu de temps que cela me permettrait encore de rester à Désert d'Or. Ensuite, où irais-je ? Et que se passerait-il avec Lulu ?

Mais Munshin changeait déjà de tactique. Après avoir éveillé en moi la crainte, il allait faire naître l'espoir :

— Je sais ce que vous pensez de l'industrie du cinéma, dit-il. Vous vous dites que c'est du toc, vous trouvez nos films dégueulasses... Voulez-vous que je vous dise ? Moi aussi... Il ne se passe pas un jour sans que j'en aie le cœur soulevé. D'ailleurs, tout ça dégoûte n'importe quel type de la profession qui voudrait faire quelque chose de sérieux et d'original. Ces types existent, ils travaillent, ils représentent les trois quarts de la profession, les quatre cinquièmes même, et vous seriez épaté du résultat... Je vous le dis : entrer dans le cinéma, ce n'est pas seulement collaborer à une entreprise ridicule et corrompue. C'est une occasion de lutter, une chance de faire mieux... Vous vous dites que vous risquez de vendre votre âme pour un plat de lentilles ? Vous êtes un enfant. C'est la chance de votre vie, mon petit vieux, une occasion unique de gagner la grosse galette en même temps que de prendre une place importante... Vous commencez par être acteur, bon. Je n'aime pas les acteurs, moi non plus. Mais ensuite, tout vous est ouvert : la production, la mise en scène, la littérature même — bien que je ne vous la conseille pas. En tout cas, vous ferez la connaissance des gens qui comptent, vous aurez toutes sortes d'occasions. Vous apprendrez un tas de choses. Pourquoi faut-il que je vous dise tout ça ? Je vous connais, Sergius. Une fois que vous aurez un pied à l'étrier, vous saurez bien comment vous débrouiller... Vous voyez peut-être les choses autrement, d'une manière plus pure ?

Laissez-moi vous dire comment nous songeons à présenter cet orphelinat où vous avez été élevé...

Ce fut peut-être la seule erreur que commit Collie. Sans avertissement, je sortis de mes gonds :

— Montrer l'orphelinat ? m'écriai-je. Munshin, vous êtes un ignoble menteur !

Il eut l'air ravi d'avoir provoqué cette réaction, ce qui augmenta ma fureur.

— Du sérieux... de l'original... des gens importants, dis-je en l'imitant.

— Reprenez-vous, mon vieux...

— Tout ça, c'est de la merde ! criai-je. La guerre, le mariage, le cinéma, la religion... (Je ne savais pas moi-même ce que la religion venait faire là, mais je poursuivis sur le même ton :) S'il y a un Dieu, imaginez ce qu'Il pense quand Il voit les gens se rassembler et se mettre à quatre pattes pour L'adorer ! Vous ne trouvez pas ça insensé, vous, des gosses dans un orphelinat, un homme et une femme concluant un arrangement légal quand ils ont envie de passer leur vie ensemble ?

Munshin devait me croire devenir fou.

— Vous aussi, vous êtes immonde, Munshin, lui dis-je.

Il ricana.

— Oh, oh ! encore un anarchiste !... Sergius, si vous voulez mon avis, les anarchistes sont des gens très bien. Peut-être que tout au fond de moi je pense comme vous... Comme Charley Eitel...

Son calme me fit me sentir ridicule.

— Buvons un coup, ajouta-t-il en souriant, et je compris combien il lui était facile de déclencher de telles scènes.

Après le chapitre des promesses, il aborda celui du sentiment.

— Laissez-moi faire appel à vos meilleurs instincts, dit-il. A mon avis, vous vous devriez de tourner ce film — mais il y a plus important. En le faisant, vous aideriez un ami.

— Eitel ? questionnai-je, m'en voulant de poursuivre la conversation comme s'il ne s'était rien passé.

— Exactement. Il est le seul qui puisse vous diriger convenablement, et je sais que j'arriverais à en convaincre H. T. Comprenez-vous ce que cela signifierait pour Eitel ?

— Il souhaite travailler seul.

— Bernique ! Je connais Charley Eitel depuis de longues années. Vous ne pouvez pas savoir quel talent il a. Je voudrais que vous l'ayez vu, dans ses bons jours, aux prises avec de mauvais acteurs et des scénarios sans intérêt, et en faisant des films réussis. Si son talent se gâte, c'est parce qu'il a besoin de travailler, d'être aimé, d'être admiré. Tout ça, vous pourriez le lui rendre...

— Vous voulez dire que je pourrais l'amener à vous dire oui...

— Sergius, vous avez un pavé à la place du cerveau. Je connais Charley Eitel mieux qu'il ne se connaît lui-même. Actuellement, tout lui est fermé. Vous n'avez aucune idée de la manière dont les choses sont liées entre elles, en matière de cinéma et de finances. H. T. est assez puissant pour fermer à Eitel des portes de n'importe quel studio dans le monde, et lui seul est capable de faire lever cet interdit... Et c'est de vous que j'ai besoin pour convaincre H. T. de reprendre Eitel.

— Même si je marchais, ce ne serait pas si facile.

— Tout est facile, dit Munshin. Quand H. T. a envie de faire un film — et je peux lui donner envie de faire ce film-là — il se couperait un bras plutôt que d'y renoncer. Il engagerait même Eitel...

— J'aimerais vous voir me confirmer tout ça par écrit...

— D'où sortez-vous ? De la brousse ? Cinquante avocats en auraient une attaque... Vous pouvez me faire confiance : je songe plus à Eitel qu'à vous, en ce moment.

— Pourquoi ? dis-je. Voilà ce qui me tracasse...

— Je ne sais pas pourquoi, dit Collie avec un sourire. Peut-être devrais-je en parler à mon psychanalyste...

— Moi, c'est à Eitel que j'aimerais en parler.

— Allez-y ! Gâchez tout ! Vous connaissez son orgueil, non ? Vous avez l'intention de lui demander ce qu'il en pense, ce qu'il souhaite ? Mais, bon sang, vous devrez le supplier de faire votre film !

— Je ne sais plus, dis-je bêtement.

— Dites oui. Vous l'auriez déjà dit, si vous n'étiez pas aussi entêté.

Munshin devait rentrer à Hollywood le lendemain matin,

en sorte que, finalement, il me laissa, en disant qu'il me téléphonerait. Il ne s'en fit pas faute... Partagé entre le chantage sentimental de Lulu et les coups de téléphone de Collie, je n'avais même plus le loisir de réfléchir.

Plus d'une fois, j'avais été tenté de signer les papiers que Munshin m'enverrait, mais ce n'était pas l'entêtement seul qui m'avait retenu de le faire. Je pensais toujours au petit Japonais dont j'ai parlé, à son bras brûlé, et il me semblait l'entendre me dire : « Est-ce que, moi aussi, on me verra dans le film ? Est-ce qu'ils montreront les plaies et le pus ?... » Plus j'avais envie de signer, plus cela me tracassait. Et, pendant ce temps, Collie et Lulu continuaient à faire miroiter devant mes yeux la carrière qui m'attendait, le monde merveilleux dont les portes s'ouvriraient devant moi — et tout en les écoutant je me disais qu'ils se trompaient, que le monde réel était autre chose, que c'était un monde des cavernes, où des orphelins brûlaient d'autres orphelins. Mais plus ils parlaient, plus j'étais tenté de les écouter, je ne savais plus quoi faire, je ne savais plus où était la vérité, je ne savais plus si je m'en souciais, je ne savais même plus ce que je voulais...

Malgré les conseils de Collie, je finis par aller trouver Eitel. Il le fallait, pour que j'y voie un peu plus clair.

D'abord, Eitel refusa d'aborder le sujet :

— J'ai promis de ne pas m'en mêler, me dit-il.

— A Collie ? demandai-je avec surprise.

— Je regrette, Sergius. Je ne peux rien vous dire.

— Vous êtes mon ami. Ne savez-vous pas que tout cela a plus d'importance pour moi que pour Collie ?

— Oui, dit-il, sans doute... Je me suis toujours douté que je ne pourrais pas rester en dehors du coup.

— Alors ? Que dois-je faire ?

Il sourit tristement.

— Je ne sais pas... Savez-vous qu'à mesure qu'on vieillit il devient plus difficile de donner des conseils ?

— Dites-moi au moins ceci : selon vous, de quoi aura l'air ce film ?

— Ne faites pas l'innocent, Sergius. Vous savez le genre de films que fait Collie... Il y aura des tas de belles images de combats aériens...

— En ce qui concerne les projets de Collie à votre sujet ?
Eitel haussa les épaules.
— Je les connais, oui... Si on fait ce film et si on me demande de le diriger, il ne me sera pas facile de me décider...
J'allais parler. Il m'interrompit d'un geste :
— Sergius, il ne faudrait pas que je vous serve d'excuse. Vous ne me devez aucune faveur.
Sur quoi, me regardant fixement, il me demanda d'un air grave :
— Etes-vous bien sûr de ne pas avoir envie de tout cela ; une carrière, de l'argent, tout le reste ? Etes-vous bien sûr de ne pas avoir envie de devenir acteur ?
Il me rapporta alors sa conversation avec Collie. Tandis qu'il parlait, j'éprouvais un léger malaise, mais je n'arrivais pas à me dissimuler l'ambition violente et froide qui m'habitait depuis des années.
— Voyez-vous, dit Eitel, il m'a fallu jusqu'à aujourd'hui pour comprendre à quel point j'ai moi-même le goût de tout cela, et que c'est pour cette raison que je suis resté à Hollywood.
Que pouvais-je lui répondre ?
— Vous avez raison, dis-je. Je crois que j'essayais de me servir de vous comme prétexte...
— Peut-être... Laissez-moi encore vous dire ceci, Sergius : renoncez à ce contrat s'il y a quoi que ce soit au monde qui vous tente davantage. Mais c'est justement ce dont vous devez être sûr...
— Que pensez-vous de mon désir d'être écrivain ? demandai-je lentement.
— C'est difficile à dire...
— Je sais... Je vous ai apporté quelque chose que j'ai écrit il y a quelques semaines — une espèce de poème...
J'avais espéré ne pas avoir à lui montrer ce texte que j'avais écrit, une nuit, d'après un rêve — mais je le lui tendis en disant, comme pour m'excuser :
— Ça m'amuse de jouer avec les mots.
— Taisez-vous, Sergius. Laissez-moi lire votre chef-d'œuvre...

Je le recopie ici (1) :

THE DRUNK'S BEBOP AND CHOWDER

Shirred athe inlechercent felloine mamelled Dhash
Head tea lechnocerous hero calmed Asshy

Befwen hes prunt cuddlenot riles fora lash
Whenfr hir cunck woodled lyars affordelay ?

« *Yi munt seech tyt und speets tytsh* »
« *I-uh wost tease toty ant weeks tlotty* »

« *And/or atuftit n pladease slit,* »
« *N ranty off itty indisplacent,* »

« *Frince Yrhome washt balostilted ina laydy.* »
« *Sinfor her romesnot was lowbilt inarouter dayly.* »

Lorsqu'il eut achevé sa lecture, Eitel se mit à rire.
— Amusant, dit-il... Je ne savais pas que vous aviez été à
ce point influencé par Joyce.
— Qui est Joyce ? demandai-je sans me soucier de lui
paraître ridicule.
— James Joyce. Ne me dites pas que vous ne l'avez pas
lu ?
— Jamais.
Eitel relut mon poème.
— Vous croyez que j'ai du talent ?
— Je commence à le soupçonner, oui.
— Bon, dis-je. Eh bien... je crois...
L'enthousiasme me faisait bafouiller comme un enfant de
dix ans. J'étais heureux d'être avec un homme en qui j'avais
confiance. Il me semblait avoir mille choses à lui dire.
— Voulez-vous savoir pourquoi je n'ai jamais envisagé de
devenir un boxeur professionnel ? dis-je enfin.
— J'ai toujours pensé que vous redoutiez d'avoir une
commotion cérébrale...
— Oui, c'est vrai, c'est exactement cela. Comment le
saviez-vous ?

(1) Le poème de Sergius est intraduisible en français. Il se
compose entièrement de mots déformés, fabriqués ou inventés...
(N. du T.)

Il sourit, sans rien dire. Je repris :

— Charley, quand je boxais, je mourais de peur. Cela arrive souvent aux boxeurs, vous savez ? Il y en a même que cela empêche de réussir : ce n'est pas une vie, d'avoir peur chaque fois qu'on monte sur un ring...

— Vos adversaires éprouvaient peut-être la même chose...

— Certains, sûrement. Mais je ne le savais pas... Et il y avait pire : au bout d'un certain temps, j'ai compris que je manquais de punch. Le mal que j'ai pu avoir à le reconnaître ! Pas de *véritable punch*, vous vous rendez compte...

— Oui, je sais.

— Un jour, pourtant, j'ai gagné... C'était à un match de quart de finale, au cours d'une compétition de l'Armée de l'Air. On nous avait dit que le gars qui irait jusqu'aux demi-finales serait envoyé à l'école de pilotage. Vous pensez si j'étais excité ! J'ai presque été mis K. O., je ne me suis rendu compte de rien — et puis mon soigneur m'a dit qu'au dernier moment j'avais eu la peau de mon adversaire, sans même en avoir conscience. Ensuite, aux demi-finales, c'est moi qui ai été battu. Mais on m'a dit que parfois un boxeur est dangereux quand il s'en remet entièrement à son instinct, quand il cesse d'avoir conscience de ce qu'il fait. Alors il se bat comme un animal qui va mourir...

— Et aujourd'hui, que vous dit votre instinct ?

— C'est plus fort que moi : je crois que j'ai envie d'écrire...

— Ecoutez-le, cet instinct, dit Eitel... Au fond, je suis un vieil optimiste, Sergius. Faites ce que vous avez envie de faire, mon vieux...

Quelque chose m'avait dit qu'Eitel m'encouragerait à repousser l'offre de Munshin. En rentrant chez moi, ma décision était prise, et je me sentais merveilleusement bien. Je savais que cette décision ne signifiait pas grand-chose : si ce film sur moi n'était pas tourné, on en ferait dix autres du même tonneau — mais du moins mon nom n'y serait pas utilisé. Peut-être serais-je toujours un joueur, et si j'avais renoncé à cette chance, n'était-ce pas avec la pensée secrète de jouer à un autre jeu, dont l'enjeu était plus important que l'argent ou une réussite rapide ? Je devinais qu'Eitel et moi, nous avions en commun une forme particulière d'orgueil. Chacun de nous deux se jugeait sévèrement, car nous avions le désir d'être parfaits. Nous nous savions meilleurs que beaucoup d'autres, et dès lors nous nous voulions une attitude plus noble. C'est là une très grande vanité...

Vers le soir, je retrouvai ma peur, une peur quasi physique, qui me faisait la gorge sèche et le cœur brûlant. Elle était sans remède, car je savais que je ne changerais plus d'avis. Je me forçai même à le dire à Lulu, m'attendant au pire. Au lieu de quoi, à ma surprise, elle demeura un long moment silencieuse, puis me dit :

— Tu n'avais pas envie de marcher dans cette histoire, n'est-ce pas ? Je le savais, chéri. Je savais que tu en souffrais.

A cet instant, je me sentis plein de pitié pour elle. Elle avait l'air si petite, si blonde, tellement déçue et craintive, et pourtant elle n'essayait même pas de discuter. Je sentis soudain combien elle était fragile et je l'aimai. Ma colère s'en était allée. Elle m'avait donné le meilleur d'elle-même. Comment ne pas l'aimer ? Une certaine faiblesse n'appelle-t-elle pas l'amour ? Je ne souhaitais plus rien d'autre que de lui donner tout ce que j'avais, et je souffrais de posséder si peu de chose...

— Je t'aime, mon petit, lui dis-je.

— Moi aussi, dit-elle, les larmes aux yeux. Maintenant je le sais...

— Ecoute... Marions-nous !

— Comment ? demanda-t-elle d'un air désespéré.

— Ce n'est pas difficile... Partons d'ici. Laisse tout tomber, le cinéma et le reste. Tu pourras peut-être faire du théâtre, et je travaillerai, moi aussi...

Lulu se mit à pleurer.

— C'est impossible, Sergius...

— Mais non ! Tu détestes le cinéma, tu me l'as dit.

— Non, pas vraiment, dit-elle d'une petite voix.

— Nous vivrons où tu voudras. Mais marions-nous !

— Ça ne marcherait pas, Sergius...

Je n'en savais rien moi-même, mais mon enthousiasme m'inclinait à croire tout possible.

— Essayons quand même, dis-je...

Nous nous serrâmes l'un contre l'autre et, tout en pleurant, Lulu couvrait de baisers humides mes yeux et mon nez.

— Oh, Sergius, dit-elle enfin, continuons ainsi encore un peu, sans nous tracasser... Nous verrons ensuite...

J'eus peur à nouveau, comme si, lorsque je sortirais de sa chambre, je dusse découvrir les cadavres brûlés de la moitié de l'humanité. Nous voulûmes faire l'amour, mais je ne pensais ni à elle, ni à moi, je ne pensais à rien d'autre qu'à de la chair brûlée, à de la chair pourrie, à de la chair saignante, et le monde m'apparaissait comme un immense étal de boucherie. Nous nous caressions furieusement, mais je n'arrivais pas à penser à autre chose, et le corps de Lulu lui-même me faisait peur.

— Non, dis-je enfin, en plein désarroi... Je ne peux pas. Pas ce soir...

Elle devait déjà l'avoir compris, car elle ne fit rien de plus que me caresser le visage, doucement, gentiment.

— Mon pauvre petit, dit-elle en me serrant contre sa poitrine... Qu'y a-t-il, mon chéri ? Je t'aime, tu sais...

Je me sentis avec horreur sur le point de fondre en larmes. Nous étions tout près l'un de l'autre, mais elle me semblait séparée de moi par une distance énorme. J'étais couvert de sueur.

— Il y a... tout, dis-je.

— Dis-moi, dis-moi... Tu peux tout me dire...

Je lui dis, j'essayai de lui dire... Pendant une demi-heure, une heure peut-être, ou davantage, je lui dis tout ce que je n'avais jamais dit à personne, je lui parlai des batailles auxquelles j'avais participé, je lui dis les noms que leur avaient donnés les agents de publicité de l'armée pour les faire ressembler à des attractions de boîte de nuit : « Opération Castagnettes », « Bol à punch », je lui parlai du feu ardent que semaient nos avions, et des effets atroces des liquides incendiaires, dont une bulle suffisait à carboniser un homme... Je lui parlai des cadavres tels que je les imaginais, car on ne nous invitait pas à visiter le lieu de nos exploits, mais je savais à quoi ressemblaient les villages orientaux le lendemain de notre passage, taches noires de cendres pareilles à des dépôts d'ordures calcinées... Et nous, pendant ce temps, nous volions, nous buvions, et il y avait les geishas, le poker, le goût étrange que nous avions dans la bouche quand on nous réveillait à quatre heures du matin pour reprendre notre envol, et nos longues conversations sur les filles et les nuits que nous avions passées, et nos discussions à propos des performances techniques de nos appareils ou de notre carrière dans l'Armée de l'Air... J'essayai de lui parler du petit Japonais au bras brûlé, de lui dire comment j'avais fini par ne plus même pouvoir aller chez les geishas, si gentilles, si féminines, parce que la chair me dégoûtait, parce que la chair, dans le monde réel, était faite pour être brûlée, et parce que, au fond de moi, une voix avait envie de crier : « Tout cela me plaît ! J'aime le feu ! Je suis un homme comme les autres, aussi cruel que les autres !... » En sorte que, jusqu'au jour où je l'avais rencontrée, elle, je n'avais plus touché une femme, je n'avais plus fait l'amour ; elle avait été la première depuis plus d'un an, et ç'avait été une grande chose pour moi de la rencontrer, ç'avait eu plus d'importance que quoi que ce fût au monde... A cela près qu'aujourd'hui tout recommençait...

— Mon chéri, mon petit enfant, dit Lulu... Si seulement je pouvais te guérir...

Et, avec un air d'étonnement attendri et puéril, comme si elle n'eût jamais encore pensé à cela, elle ajouta :

— Tu as encore plus souffert que moi...

Cette nuit-là, Lulu fut délicieuse. A mesure que les heures passaient, mon désarroi s'estompait, sans m'abandonner tout à fait. Je pus à nouveau toucher le corps de Lulu, m'émouvoir de sa beauté, de son contact ; je pus la prendre. Ce fut la plus belle nuit que nous eussions jamais passée, car je l'aimais et croyais à son amour. A un certain moment, elle me dit :

— C'est la première fois que je me sens vraiment une femme.

Pourtant, lorsque je la quittai, notre état d'esprit avait encore changé. Je l'aimais plus que jamais, mais d'un amour amer, avec le sentiment d'avoir perdu quelque chose — car tous les deux, au terme de cette nuit, nous savions que nous étions dans une impasse.

Mon instinct ne me trompait pas.

Dès le lendemain, j'avais perdu Lulu, nous avions perdu tous les deux ce que nous avions possédé. Il y avait un fossé entre nous, et nous n'arrivions qu'avec peine à surmonter la tristesse accablante pesant sur les êtres qui savent sans lendemain les sentiments qu'ils éprouvent encore.

Nous fîmes ce que nous avions dit : nous continuâmes de vivre comme précédemment, nous essayâmes même de nous donner l'illusion que rien n'était changé — mais je portais déjà le deuil de nos plus beaux instants. Nous sortions, nous avions nos petites querelles, nous faisions l'amour — et nous attendions. Le jour approchait où Lulu aurait à commencer son nouveau film. Nous n'en parlions jamais, comme s'il dût marquer la fin de beaucoup de choses. Ce jour serait aussi celui où elle partirait pour Hollywood, où je retirerais de la banque mes derniers sous, où je devrais quitter Désert d'Or...

Lulu m'annonça que Teddy Pope et Tony Tanner allaient arriver pour que l'on prenne des photos d'eux avec elle. Elle eût même le souci de me parler du film, une classique histoire de « triangle ». A l'épilogue, Teddy Pope l'emportait, mais auparavant elle se croirait amoureuse de Tony Tanner.

— Je voudrais que tu te tiennes bien, me dit-elle. Naturellement, il faudra que je me montre tout le temps en compagnie de Tony et de Teddy. Le studio a mis sur pied toute une campagne publicitaire...

— J'imagine que je ne te verrai plus guère ?

— C'est ridicule ! Tu seras avec nous autant que tu voudras. Simplement, lorsqu'on prendra des photos, il vaudrait mieux qu'on ne t'y voie pas trop.

— Je pourrais porter une cagoule...

— Tu es un enfant !

Lorsque Teddy et Tony arrivèrent, notre vie se transforma. Au lieu d'aller chez Dorothea, nous nous mîmes à fréquenter les restaurants et les boîtes de nuit. Teddy tenait lieu de chevalier servant à Lulu, tandis que Tony Tanner et moi-même restions à l'arrière-plan. Nous passâmes ainsi une semaine à boire des whiskies à l'eau et à nous montrer dans les endroits chic. Drôle de quatuor ! Officiellement, Teddy et Lulu avaient renoué, et l'on prit une bonne centaine de photos d'eux se tenant les mains, les yeux dans les yeux, ou dansant ensemble. En revanche, quand il n'y avait pas de photographes dans les parages, c'est à moi que Teddy Pope s'intéressait, et Tony Tanner avait de longues conversations avec

Lulu. A l'aube, quand nous nous séparions, il m'arrivait de pouvoir passer une heure ou deux avec Lulu, seule.

Jamais je ne l'avais vue aussi heureuse. Elle semblait ravie de jouer ainsi trois personnages à la fois.

— Je me demande quand tu es toi-même, lui dis-je après une soirée de ce genre.

Elle me répondit, trop vite à mon gré :

— Quand je suis avec toi, bien sûr ! Si tu savais comme Tony est ennuyeux...

Tony était naturellement séduisant, grand, musclé, avec des cheveux bruns ondulés et une fossette au menton. Il avait vingt-cinq ans et adoptait volontiers le genre agressif de certains fantaisistes, sans en avoir l'humour. Je me savais d'avance mal disposé à son égard, mais il m'agaçait. Lulu riait à chacun de ses bons mots, qu'il réservait volontiers plusieurs fois de suite. Pour être juste, je dois reconnaître que, lorsque nous étions seuls, il se montrait très amical. Cela n'arriva d'ailleurs qu'une seule fois, pendant une demi-heure, et il m'avoua que le fait que j'eusse été aviateur le remplissait d'admiration.

— Vous avez dû avoir la vie dure, dans l'aviation, me dit-il gravement. J'ai fait une petite période d'entraînement, ça m'a permis de me rendre compte, à une faible échelle.

— Oui, dis-je... à une faible échelle...

— Je me sens si minable quand je parle avec des types comme vous...

Je l'interrompis :

— Je crois que vous connaissez Marion Faye ?

— Le salaud ! J'ai fréquenté deux ou trois gosses qui travaillaient pour lui... Ça a suffi pour qu'on m'accuse de maquereautage. Voilà ce qui arrive, dès que vous commencez à être un peu connu dans le cinéma.

— Vous avez envie de réussir, non ?

Il me regarda avec méfiance, comme s'il se fût demandé s'il importait de me plaire.

— Et puis après ? Pas vous ?

Puis il fit la moue.

— Je ne réussirai jamais, dit-il. Jamais, mon petit vieux.

— Pourquoi pas ? On ne peut pas savoir...

— Non. Il y a eu un scandale. Une idiote avec laquelle

je vivais, et qui était folle de moi... Quand j'en ai eu vraiment assez, je lui ai dit d'aller se pendre. Figurez-vous qu'elle l'a fait ! Oui, elle s'est tuée... Croyez-moi ou non, je ne lui voulais que du bien. Quelle histoire ! On a dit que je l'avais acculée au suicide.

Quand nous n'étions pas en tête à tête, le style de Tony Tanner était très différent. En public, il avait toujours l'air de vouloir attaquer les autres.

— Au fond, vous êtes un gentil garçon, lui dit un jour Lulu.

— Gentil ? Dites que je suis un amour !

Elle éclata de rire.

— Je parie que vous vous évanouissez toujours au moment de franchir une porte...

— C'est de *votre* mignonne petite porte que vous parlez ? Laissez-moi entrer, poupée, et je démolirai la maison !

Il parlait si haut que les occupants des tables voisines se retournèrent sur nous. Alors Tony les regarda d'un air provocant :

— Et alors, mes jolies ? dit-il.

— Pour l'amour de Dieu... grogna Teddy Pope d'un air excédé.

— Qu'est-ce qu'il y a ? Tu n'es pas bien ?

— Si seulement tu voulais te tenir tranquille...

— A propos, tu sais combien de lettres d'admiratrices j'ai reçues la semaine dernière ? dit Tony.

Teddy bâilla et se tourna vers moi.

— Pourquoi avez-vous peur de moi ? me dit-il à l'oreille. C'est drôle, un aviateur timide...

Il bâilla à nouveau et ajouta :

— Pardonnez-moi... J'oubliais que vous êtes amoureux.

Les choses s'arrangèrent un peu. Après quelques soirées, Teddy se montra plus cordial.

— Quand vous aurez passé la trentaine comme moi, me dit-il un jour, vous comprendrez que l'amour n'a de sens que lorsqu'il va à l'encontre des conventions...

Pendant ce temps, Tony et Lulu parlaient de Messaline, Dieu sait pourquoi.

— Messaline ne t'arrivait pas à la cheville, ma poule, dit Tony.

— Tony, je t'adore. Tu es tellement nature...
— Je suis tatoué, tu sais ?... Tu devrais m'essayer.

Et c'est ainsi que le temps passait. Pour ajouter à mon plaisir, je découvris que, selon la chronique de Désert d'Or, Tony couchait avec Lulu et moi avec Teddy. Un soir, avec un sourire tranquille, celui-ci me dit :

— Maintenant que nous sommes amants, il faut que je vous avertisse : j'ai mauvais caractère...

Il se mit à me raconter sa vie.

— Ma mère était un triste personnage. Mon père est mort alors que j'étais encore tout gosse, et elle passait son temps à me présenter de nouveaux « oncles ». Ça me démoralisait. Aujourd'hui, ce que je voudrais, c'est pouvoir être vraiment moi-même.

— Vous n'en pensez pas un mot, dis-je.

Teddy me regarda.

— Vous ne m'aimez pas, hein ?

— Vous m'êtes indifférent.

— Non. Je vous mets mal à l'aise. Il y a des tas de gens que je mets mal à l'aise... Ce n'est pas une raison suffisante pour qu'ils se croient supérieurs à moi.

— D'accord, dis-je. Je m'excuse.

— Vous êtes sincère ?

— Oui. Chacun a le droit d'aimer à sa manière...

Je pensais ce que je disais, mais malgré moi une sorte de mépris s'exprimait dans mes paroles.

— Oh, ça va, les mômes ! s'écria Tony Tanner. Laissez tomber ! On ne s'entend plus...

— Allons « bavarder » dehors, dis-je à Tony.

— Mais non ! J'adore parler en public ! Ça me stimule...

Tony devait peser dix kilos de plus que moi et il avait l'air en pleine forme, ce qui n'était pas mon cas, mais je m'en fichais. J'avais une envie furieuse de me battre. J'espérais même que Tony tiendrait le coup un bon moment...

— Alors, lui dis-je, vous vous décidez à sortir, ou faut-il que je vous montre le chemin ?

Lulu s'écria :

— Assez, Sergius ! Tu es une brute ! C'est facile quand on est un « professionnel » !

Tony se détendit.

— Vraiment ? dit-il. Vous ne m'aviez pas dit ça... Sortons, si vous voulez. Mais prenez garde, mon vieux : si vous ne me tuez pas, j'ai des amis qui pourraient s'occuper de vous.

— Ça va, dis-je en me levant. Allons...

Lulu intervint à nouveau, et les choses en restèrent là.

Quelle soirée ! Je cessai de m'occuper des autres, et je bus comme un trou, sans réussir à m'apaiser. A la fin, Tony me dit :

— Ecoutez, mon vieux... Si nous oubliions tout ça ?

Je me sentis si stupide que je serrai la main qu'il me tendait.

Pendant une semaine, nous essayâmes de nous supporter les uns les autres, puis Tony et Teddy repartirent pour Hollywood. Leur départ mit Lulu de fort méchante humeur. Ce soir-là, je l'emmenai dans une boîte de nuit, mais elle était à bout de nerfs.

— Ce Tony est insupportable, dit-elle. J'ai horreur de sa vulgarité, pas toi ? J'ai l'impression qu'elle est contagieuse...

Les soirs suivants, nous reprîmes le chemin de *La Gueule-de-Bois,* où nous retrouvâmes nos petites habitudes, les parties de Fantôme, les louanges de Dorothea chantées par Martin Pelley. Pourtant, il y avait quelque chose de changé en Lulu. Elle était redevenue désagréable avec moi, déprimée, et, au lit, pleine d'indifférence. Pour arranger cela, Dorothea organisa un soir une séance de cinéma chez elle, et nous vîmes deux des films de Lulu. Je les trouvai très mauvais. Lulu jouait d'une façon extravagante. Tantôt elle incarnait le personnage, tantôt elle jouait le sien propre, et souvent je ne la reconnaissais même pas. Pourtant elle avait « quelque chose »...

Pendant la projection, assis à côté d'elle, je l'observais. Elle était toute attention et je la sentais tour à tour partagée entre l'admiration, le malaise et une espèce de crainte. Quand ce fut terminé, elle écouta avec un demi-sourire les compliments des amis de Dorothea, les remercia et attendit encore une demi-heure avant de s'en aller. Mais, quand nous fûmes rentrés, elle éclata en sanglots :

— C'est affreux ! dit-elle. Affreux !

— Quoi donc ? demandai-je.

J'avais encore devant les yeux cette image d'elle noire et

225

blanche, plus troublante, plus réelle à mes yeux que quoi que ce fût au monde.

— Oh, Sergius... Désormais, ce sera la dégringolade...

Comme toujours en de pareils moments, tout arriva en même temps. Le téléphone sonna. C'était Tony, qui appelait de Hollywood. Lulu sanglota dans l'appareil, raccrocha, se remit à pleurer. Je passai une demi-heure à la calmer, après quoi elle me dit d'une voix brisée :

— Sergius, il faut que tu saches... J'ai couché avec Tony Tanner.

— Hein ? m'écriai-je. Où ? Quand ?

— Dans une cabine téléphonique...

Sur quoi, elle devint tout désespoir, toute rancœur. Tony l'avait humiliée, me dit-elle. Plus jamais elle ne serait quelqu'un de bien... Elle parlait en pleurant, dans l'obscurité, car j'avais éteint la lumière et m'étais assis près d'elle, au bord du lit, une cigarette aux lèvres.

Le lendemain, elle quitta Désert d'Or pour regagner Hollywood. Elle devait y aller pour son film, me dit-elle. On ne commencerait pas à tourner avant une dizaine de jours, mais il *fallait* qu'elle parte.

Pendant une semaine, j'essayai de l'avoir au téléphone, mais n'y réussis pas une seule fois. Elle n'était jamais chez elle.

XVIII

UNE NUIT, ALORS qu'ils étaient couchés, Eitel remarqua que les cuisses d'Elena commençaient à être marquées par la cellulite. C'était le seul défaut que révélât sa chair, mais il en fut déprimé et, dès lors, il ne vit plus que cela. Il se dit qu'il devait la quitter. Avec lui, elle n'avait aucun avenir, et il ne lui restait que quelques années de jeunesse à vivre.

Eitel s'en voulait d'être ainsi. Il cherchait à se rassurer en se disant qu'il était le seul à se soucier d'elle à ce point — mais comment oublier que c'était lui aussi qui l'avait attirée dans cette aventure ? Qu'adviendrait-il d'Elena ? Lorsqu'elle était amoureuse, plus rien d'autre ne comptait à ses yeux, en sorte qu'elle serait toujours vaincue. Elle connaîtrait beaucoup d'hommes après lui, beaucoup d'amours successifs, dont chacun finirait plus mal que le précédent. Si elle ne se contrôlait pas, elle sombrerait dans l'alcool ou dans la drogue — et ensuite ? Une fois de plus, Eitel se sentait envahi par la pitié. Mais cette pitié ne lui était inspirée que par son imagination, lorsqu'il pensait à l'avenir d'Elena. Il n'arrivait même pas vraiment à croire à l'existence du corps endormi à côté du sien.

Pourtant, il sentait l'angoisse d'Elena. Elle dormait mal. Chaque nuit, des cauchemars la réveillaient en sursaut et elle l'appelait dans le noir. Un cambrioleur essayait de forcer leur porte, disait-elle, ou bien elle avait entendu du bruit dans la cuisine. Sa peur cherchait pâture jusque dans les faits divers des journaux, qu'ensuite elle s'imaginait revivre.

— Un homme m'a suivie dans la rue, disait-elle à Eitel.

— Ça ne m'étonne pas ! Tu es assez bien pour ça...

— Tu n'as pas vu son expression !

Eitel s'énervait.

— Je parie qu'il a voulu te couper la gorge ?

Ce genre de sarcasmes la déprimait.

— Je sais, lui dit-elle un jour... Je ne te plais que quand je suis de bonne humeur.

La vérité de cette remarque piqua Eitel au vif.

— C'est tout le contraire, dit-il. Tu ne m'aimes, toi, que lorsque je te fais des compliments.

— Tu es tellement supérieur !... Mais tu ne sais pas ce qui se passe dans ma tête.

Il fallut une demi-heure à Eitel pour lui faire confesser son secret : elle voulait devenir nonne...

— Tu es folle ? dit-il. Tu ferais une drôle de nonne !

— Une nonne, au moins, n'est jamais seule, répliqua-t-elle.

Quelques jours plus tard, elle envisagea de se faire couper les cheveux. Ce fut toute une histoire. Cela plairait-il à Eitel ? Pensait-il que les cheveux courts lui iraient bien ? Eitel, feignant de s'intéresser à la question, décida que ce ne serait pas une mauvaise idée. Elle avait de beaux cheveux, mais qui se décoiffaient facilement.

— Tu m'aimeras encore si j'ai des cheveux courts ? questionna-t-elle. Non, sûrement pas...

— Si tu crois que mon amour pour toi tient à la longueur de tes cheveux, autant t'en assurer tout de suite, dit-il en se demandant vaguement si...

— Oui, il faut que je m'en assure !

Depuis la nuit où il avait rencontré Bobby, Eitel savait pourtant que ses tentatives en vue de se libérer d'Elena avaient été prématurées. Ainsi partagé entre son démon et sa lucidité, il sentait une autre idée se faire jour en lui : celle qu'il devrait l'épouser. Il fallait qu'elle se mariât. Sinon, il entendait d'avance la complainte de tous ses futurs amants : « Munshin n'a pas voulu, Eitel non plus... Alors, pourquoi moi ? » Le mieux était donc de l'épouser, puis de divorcer. Il le lui expliquerait loyalement. De cette manière, elle trouverait probablement quelqu'un d'autre : il serait plus reluisant d'être l'ex-Mrs. Eitel, épouse divorcée d'un ex-metteur en scène, que Miss Esposito. Pour lui, un quatrième mariage ne signifiait pas grand-chose — et elle, eh bien, elle aurait le sentiment qu'un homme avait eu assez d'estime pour elle pour lui donner son nom. Bien sûr, c'était idiot. Mais Elena y serait sensible, et si elle savait ensuite utiliser cet atout... Malheureusement Elena ne serait jamais capable d'utiliser aucun atout. Arriverait-il seulement à lui faire comprendre ses intentions ?

Ainsi les jours passaient, et Eitel travaillait à son scénario, et il ne tirait aucune satisfaction de son travail.

Un après-midi, alors qu'il était en plein travail, Lulu lui téléphona. La mise en train de son film était retardée de huit jours, et elle avait décidé de venir passer une nuit à Désert d'Or. Dorothea organisait une soirée à cette occasion.

— Il faut que tu viennes, Charley, lui dit-elle. Je suis venue uniquement pour te parler.

— On m'a dit que, Sergius et toi, vous aviez rompu, dit Eitel.

— Oui, ç'a été un vrai drame... Mais je crois qu'à présent tout est oublié.

— En ce qui te concerne, je n'en doute pas...

— Salaud !

— Tu disais que cette soirée est organisée par Dorothea ?

— Charley, tout est en ordre... Dorothea désire que tu sois là. Je ne peux pas en dire plus, mais, crois-moi, il y a des raisons.

Cette soirée ressembla à beaucoup d'autres. Eitel ne fut nullement surpris de trouver à *La Gueule-de-Bois* une cinquantaine d'invités, qui en attendaient cinquante autres. Lulu l'accueillit à l'entrée et le conduisit aussitôt auprès de Dorothea, qui recevait ses hôtes perchée sur un tabouret de bar.

— Bon sang ! dit Dorothea. Chaque fois que je rencontre ce pauvre Charley Eitel, on nous présente l'un à l'autre comme si nous ne nous connaissions pas !

— Une fois que vous vous connaîtrez vraiment, vous serez fous l'un de l'autre, dit Lulu, ignorant Elena.

— Mais nous *avons été* fous l'un de l'autre ! répliqua Dorothea avec son rire puissant.

Elle fit un clin d'œil à Elena et ajouta :

— Amusez-vous bien, chérie.

Ils bavardèrent un moment avec Martin Pelley, qui semblait en extase devant Elena.

— C'est une chic fille, dit-il à Eitel. Elena, je vous trouve merveilleuse !

Elena rougit. La foule des invités semblait l'effrayer.

— Quelle belle soirée ! dit-elle.

— Je pense souvent à vous deux, vous savez, reprit Pelley. Tout le monde pense à vous. Quand diable allez-vous songer à vous marier ?

Elena demeura impassible. Pelley dit à Eitel, en lui donnant une claque dans le dos :

— Une fille comme elle ! Vous devez l'épouser, voyons !

— Elle ne voudrait pas de moi, dit Eitel.

— Je vais chercher à boire, dit Elena en s'éloignant.

Un peu plus tard, on joua au Fantôme, aux charades. Dans le couloir entre le living-room et le bar, Dorothea avait installé une machine à disques, pareille à celles qu'on voit dans les cafés. Au-dessus de la fente où les invités glissaient sans arrêt des pièces de monnaie, on lisait : *Fonds de retraite Dorothea O'Faye.*

Eitel avait perdu Elena de vue. Il se montra brillant au jeu des charades. Après une heure ou deux, il se rendit soudain compte qu'il était saoul. Il vit Elena, assise un peu plus loin au milieu d'un groupe d'inconnus, l'air mal à l'aise, mais il ne songea même pas à lui venir en aide. Plus tard, il vit Marion Faye lui parler, sans en éprouver le moindre souci. C'était sans conséquence...

Soudain apparut un homme qu'Eitel reconnut aussitôt. Lorsqu'il entendit sa voix, il se sentit envahi d'une peur absurde. Cet homme, c'était le député Richard Selwyn Crane, de la Commission d'enquête sur les activités anti-américaines — et Eitel avait souvent rêvé de lui. Il lui était arrivé, au milieu d'un cauchemar, de voir le visage encore jeune de Crane, ses cheveux gris, ses joues rouges, et d'entendre sa voix douce.

Dorothea les mit en face l'un de l'autre.

— Je voudrais que vous appreniez à mieux vous connaître, tous les deux, dit-elle — et elle les planta là.

— Fameuse soirée, dit Crane. C'est toujours comme ça, chez Dorothea ?

Lorsqu'elle était journaliste, il ne se passait jamais de semaine sans qu'elle parlât de Crane, dans ses articles, comme d'un député brillant et le plus cher de ses amis.

— Je ne sais pas, dit Eitel. Je n'ai pas l'habitude des soirées de Dorothea.

Il parlait prudemment, s'efforçant de maîtriser son émotion.

— Si vous la connaissiez, elle vous plairait, poursuivit l'autre familièrement. Dottie est une fille épatante. Elle a un faible pour les gens de théâtre comme vous...

Les hurlements joyeux des joueurs de charade firent tiquer Crane, qui dit à Eitel avec un sourire :

— Mr. Eitel, je serais heureux de bavarder avec vous. Ne pourrions-nous trouver un coin tranquille ?

Eitel le regarda d'un air stupide et le suivit dans le hall. Ils s'intallèrent finalement à l'étage, dans une chambre de bonne. Sur la table, une bouteille et un paquet de cigarettes semblaient les attendre.

Le député s'assit sur le lit et poussa vers Eitel le seul fauteuil de la pièce. En fond sonore, ils entendaient le bruit assourdi que faisaient les invités.

— Il y a longtemps que j'ai envie de vous parler, dit Crane.

— Ah, oui ? murmura Eitel.

— Mr. Eitel, je sais que vous ne m'aimez pas. Mais, chose curieuse, le jour où j'ai eu à vous interroger, j'ai eu le sentiment qu'en d'autres circonstances nous pourrions être des amis...

Eitel l'interrompit. Son pouls s'était calmé, mais il mit un point d'honneur à garder son air tendu.

— Vous ne craignez pas qu'on vous voie avec moi ? demanda-t-il.

— Il y a toujours des risques en politique, dit Crane. Mais je ne crois pas que ceci puisse être mal interprété.

— En d'autres termes, la Commission sait que vous m'avez rencontré...

— Elle sait que je m'intéresse à votre cas.

— Pourquoi ?

— Nous savons tous combien cette affaire est déplorable.

— Vraiment !

— Mr. Eitel, vous pensez sans doute que cela nous plaît, de persécuter des gens ?... Eh bien, non, figurez-vous. Personnellement, j'ai le plus grand souci de la sécurité du pays, mais aucun de nous ne souhaite nuire à quiconque sans nécessité. Vous seriez étonné de savoir le bon travail que nous faisons avec certains témoins. Pour ma part, j'ai toujours été convaincu que tout travail permet à l'homme de s'élever... Mon père était pasteur de campagne, ajouta-t-il d'un ton familier.

Eitel ne put tout à fait se retenir de sourire, et Crane le regarda froidement :

— Lorsque vous avez comparu, reprit-il, on nous avait dit que vous étiez inscrit au Parti. Nous avons appris depuis que ce n'était pas vrai.

— Pourquoi la Commission ne l'a-t-elle pas dit ?

— Soyez raisonnable !... Souvenez-vous de vos propos !

— Je ne comprends toujours pas pourquoi vous vous intéressez à moi.

— Nous avons le sentiment que nous pourrions vous aider... Si nous pouvions reparler de certaines des associations dont vous avez fait partie, peut-être découvririez-vous que vous possédez des renseignements dont vous-même ne soupçonnez pas l'importance...

— Seriez-vous en train de m'offrir de comparaître en session secrète ?

— Je ne suis pas habilité à parler au nom de la Commission, Mr. Eitel. Mais en ce qui me concerne, oui.

Eitel sentait la tentation sourdre en lui. C'est peut-être pourquoi il s'interdit d'être aimable.

— Crane, dit-il, si je témoignais, que feriez-vous en ce qui concerne la presse ?

— Nous ne contrôlons pas les journaux. Vous pouvez sourire, mais nous ne goûtons pas la manière dont ils ont parlé de nous...

Il haussa les épaules.

— Peut-être pourriez-vous ensuite charger votre avocat ou votre agent de publicité d'organiser un cocktail ? Je pense que ce serait un bon moyen pour mettre la presse de votre côté. Bien sûr, je ne suis pas expert en ces matières...

Eitel sourit.

— Vous ne me faites pourtant pas l'effet d'être un amateur, député...

— Mr. Eitel, dit Crane, je me demande s'il est bien utile que nous poursuivions cette conversation...

— Un politicien doit pourtant avoir l'habitude des insultes, répliqua Eitel... Surtout au début de sa carrière.

Crane choisit de rire.

— Pourquoi m'attaquez-vous ? demanda-t-il avec chaleur. Je désire seulement vous aider.

— Je préfère m'aider moi-même, dit Eitel... Vous parlerez à votre Commission. Nous arriverons peut-être à nous entendre. A condition que tout cela soit tenu secret, bien entendu.

— Nous y penserons, dit Crane, et vous tiendrons au courant. Je reprends l'avion demain, mais voici le numéro de téléphone de mon bureau. Appelez-moi quand vous voudrez.

Il sourit, tapota l'épaule d'Eitel et se mit à lui raconter une histoire drôle. Après quoi, ils rejoignirent les autres invités, et Eitel recommença à boire, incapable de savoir s'il était satisfait ou furieux.

Marion Faye s'approcha de lui.

— Vous m'avez fait perdre une fille, dit-il.

— Elena ?

— Non, Bobby... J'ai dû la refiler à Collie Munshin, la semaine dernière.

— Collie ? Que veut-il en faire ?

Faye haussa les épaules.

— Lui, rien. Mais il l'a engagée à la *Supreme* comme figurante.

— Pauvre gosse !

— Elle adorera ça, dit Marion. Vous pensez, une carrière qui s'ouvre enfin à elle... Vous savez que Don Beda est ici ?

— Je le croyais en Europe ?

— Il m'a dit qu'Elena lui plaisait... Il voudrait vous faire connaître sa femme et savoir si elle vous plaît.

— Il n'est pas divorcé ?

— Si. Et remarié. Attendez de voir sa poule... Un modèle anglais, vous ne saviez pas ?

Les mariages de Don Beda étaient célèbres. Personne n'arrivait à les comprendre. Il avait été marié, successivement, à une actrice, une chanteuse noire, une héritière du Texas (ce qui avait donné lieu à un scandale particulièrement retentissant) et à la propriétaire du plus luxueux bordel de toute l'Amérique du Sud. Avec cela, il avait la réputation d'organiser les soirées les plus extravagantes de New-York. Une légende circulait à ce sujet : il s'agissait de soirées d'un genre très particulier, à l'issue desquelles, quand s'en étaient allés l'orchestre, la plupart des invités et les étudiants en congé de week-end, ceux qui restaient se livraient à des jeux assez curieux. Il était même bien vu de dire : « Je suis allée à une soirée chez Don Beda. Bien entendu, je suis parti *tôt*... »

A présent, les cinquante autres invités de Dorothea étaient arrivés et l'affluence était si grande que Faye et Eitel étaient serrés l'un contre l'autre.

— Je n'ai pas tellement envie de voir Beda, dit Eitel.

Mais celui-ci s'avançait déjà vers lui, la main tendue, tout sourire :

— Ce vieux Charley ! dit-il.

Don Beda avait quelque chose d'un satyre. Il était bien fait, un peu lourd, il avait une petite cicatrice à la joue, une moustache noire et des yeux protubérants. Il avait aussi l'assurance d'un homme qui savait que les gens parlaient de lui et qui se flattait de la renommée de ses soirées.

— Vous n'imagineriez jamais quelles huiles j'ai eu chez moi, disait-il. C'est ma galette qui les attire...

Bien entendu, tout le monde protestait — mais, en fait, Beda était très riche. Eitel avait un jour parlé de lui à Elena, qui avait paru fascinée.

— Que fait-il ? avait-elle demandé.

— Personne n'en sait rien. On dit qu'il a fait fortune en spéculant à la Bourse. On m'a dit qu'il était propriétaire de plusieurs hôtels, à moins que ce ne fût de boîtes de nuit. Je crois qu'il s'occupe aussi de télévision.

— Il doit avoir au moins quatre mains, dit Elena.

— Oui, c'est un drôle d'oiseau.

A présent, Beda lui disait :

— Charley, votre amie est adorable...

— Il paraît que vous êtes remarié ? demanda Eitel.

— Forcément ! dit Beda, en lui montrant du doigt une femme en robe rouge, à l'expression hautaine... J'en ai eu de toute espèce, ajouta-t-il avec un sourire, mais Zenlia les bat toutes. J'ai dû l'enlever à un roi en exil.

— Elle est très belle, dit Eitel.

L'ivresse l'inclinait à la considérer comme la plus belle femme qu'il eût jamais vue... Il constata avec ennui que Marion s'était défilé.

— Et alors, mon vieux ? dit Beda. Ça colle ?

Lorsque Eitel avait fait sa connaissance, dix ans plus tôt, Beda se piquait de littérature. Il passait même pour avoir publié quelques essais sur des sujets assez ésotériques. A cette époque, il vivait à Hollywood avec sa première femme, une actrice. Il n'était pas très connu et Eitel le tenait pour un farfelu, car il avait financé et tourné lui-même un film qui avait été, financièrement parlant, un échec. La critique avait raillé sa prétention et son hermétisme. Eitel, pourtant, ne croyait pas Beda dénué de talent. Mais ce n'était pas là ce qui comptait, chez lui. Un soir, alors qu'Eitel était allé chez lui avec une fille qu'il connaissait à peine, Beda lui avait offert sa femme. Ç'avait été assez plaisant pour tous les quatre, et la femme de Beda avait dit à Eitel qu'elle aimerait le revoir. Par la suite, c'était Beda qui l'avait évité.

Il répéta :

— Charley, je vous demande si ça colle ?

— Que voulez-vous dire ?

— Vous êtes saoul, ma parole !

Son regard rencontra celui d'une femme qui l'observait curieusement. Il lui fit un clin d'œil, et elle se détourna.

— Ah, ces touristes ! dit-il. C'est la perte de Désert d'Or... Zenlia était fatiguée de New-York. Je lui ai promis qu'ici nous aurions l'occasion de nous amuser... Ecoutez, Charley. Nous avons toujours eu les mêmes goûts. Votre Elena me plaît. Il y a quelque chose de buté en elle. Elle doit avoir du tempérament, non ?

On eût dit qu'il parlait d'un vin.

— Ce n'est pas tout à fait ça, dit Eitel. C'est plus que du tempérament...

— Plus que du tempérament ? répéta Beda. Elle doit s'y connaître, hein ?... Oui, je vois ça... Charley, il faut que nous tentions l'expérience. Rien de tel que l'empirisme...

Se réfugiant dans son ivresse, Eitel dit avec un sourire ambigu :

— Don, j'ai toujours pensé que, dans chaque gourmet, il y a un philosophe manqué...

Beda éclata de rire.

— Ha ! ha ! Comme dirait Munshin : « Je vous adore... »

— Elena est une fille compliquée, ajouta Eitel.

Beda regarda autour de lui.

— Bien sûr, dit-il. Tout le monde est compliqué... Si nous allions chez moi ? Nous quatre, vous, moi, Zenlia, Elena, Marion et une ou deux de ses souris... Vous les avez vues ? Il y en a une qui est très mignonne... Il n'y a que Marion pour amener une *call-girl* chez Dorothea !... On pourrait aussi emmener Lulu... Et pourquoi pas Dorothea ?

— Elle n'accepterait pas.

— Et Lulu ?

— Lulu non plus, dit Eitel pour gagner du temps.

— Bon. Alors les autres...

Eitel se rétracta.

— Pas ce soir, Don. Vraiment, non.

— Charley !

Quelle excuse inventer ?

— Pardonnez-moi, Don... Je ne suis pas du tout en forme.

Beda le regarda fixement.

— Vous préférez que nous arrangions ça pour un autre soir... seulement à quatre ?

Eitel se demanda quel était le carton avec lequel ses doigts jouaient au fond de sa poche. Oui, c'était la carte du député Crane...

— Je ne sais pas, dit-il... Je ne crois pas... Si je change d'avis, je vous donnerai un coup de fil.

— C'est *moi* qui vous appellerai, dit Beda en le laissant enfin s'éloigner.

Eitel monta à l'étage, gagna la salle de bains et se mit à vomir, ce qui lui fit retrouver une certaine lucidité désespérée. « Ai-je vraiment envie de dire non à Crane ? » se demanda-t-il.

Lorsqu'il eut regagné le bar, il avala une aspirine avant de recommencer à boire. Un petit homme d'affaires de Chicago, un certain Mr. Konsolidoy, engagea la conversation avec lui. Il voulait savoir combien coûterait la réalisation d'un film documentaire sur son entreprise — une fabrique de yogourt.

— Je voudrais quelque chose de bien fait, mais de pas trop cher, précisa-t-il.

— Voilà qui est sage, dit Eitel en se versant à boire.

Tout, à présent, lui paraissait absurde. Il demanda à Mr. Konsolidoy, d'un air sombre :

— Je viens de vomir... Ça ne se sent pas trop ?

Quelqu'un l'embrassa sur la joue. C'était Lulu.

— Je t'ai cherché toute la soirée, Charley ! dit-elle. C'est merveilleux que Crane s'intéresse à toi, non ?

Mr. Konsolidoy la salua avec dignité.

— Mon cher, dit-il à Eitel d'un air pompeux, je vous laisse à vos amours...

— Qui est-ce ? questionna Lulu quand il se fut éloigné.

— Un type qui voudrait utiliser mon génie pour l'aider à réaliser un chef-d'œuvre...

— Magnifique ! Qu'est-ce qu'il te propose ?

— Cinq cents dollars...

Lulu le regarda d'un air d'abord étonné, puis éclata de rire :

— Tu m'as eue, dit-elle... Charley, es-tu en état de m'écouter ? Tu es le seul à qui je puisse me confier.

— Moi ? Pourquoi ?

— Parce que je t'ai beaucoup aimé, Charley, et que tu m'as fait souffrir. J'ai toujours pensé que ce sont les gens capables de vous faire souffrir qui vous comprennent le mieux.

Eitel était saoul au point qu'un verre de plus ou de moins n'y changerait plus grand-chose. Complètement dans les nuages, il dit à tout hasard :

— Je pense exactement comme toi.

— Nous avons été bêtes, n'est-ce pas ?

— Sans aucun doute.

— Tu sais que je suis de nouveau amoureuse ?

— De Tony Ranner ?

— Oui. Cette fois, je crois que c'est pour de bon... Tout le monde est contre nous. Je suis la seule à comprendre Tony.

— Félicitations...

— Je suis sérieuse, Charley. Tony est un garçon très complexe. Au fond, il est plus sensible que tu ne penses. J'aime ce mélange chez un homme.

— Quel mélange ?

— La brutalité et la sensibilité... Tony est un curieux mélange des deux. Si j'arrive à le polir un peu, il deviendra quelqu'un de très bien. Tu *devrais* me comprendre...

— Quand tout cela s'est-il passé ?

— Depuis dix jours... Ça avait très mal commencé. Tony est une encyclopédie vivante. Au début, je ne pouvais même pas le sentir...

Les invités se pressaient autour d'eux. Eitel observa à part lui que Lulu et lui-même avaient au moins une qualité commune : une manière de regarder les gens qui leur ôtait tout envie de s'approcher d'eux.

— Et Sergius ? demanda-t-il. Tu l'as invité, ce soir ?

— Bien sûr, dit Lulu en hochant la tête... Mais il doit être en train de bouder chez lui.

— Il y a quinze jours, c'est de lui que tu te croyais amoureuse...

Elle sourit.

— Il a encore beaucoup à apprendre, dit-elle... Charley, je voudrais que tu saches tout le bien que je te souhaite. Vraiment, tu es l'un des hommes les plus gentils que j'aie connus... J'ai même fini par comprendre ce qui t'attache à Elena. Je crois que c'est une fille bien...

Elle avait les yeux humides.

— Alors tu aimes Tony ? répéta Eitel.

— J'en ai la quasi-certitude.

— Tu veux peut-être que je te persuade du contraire ?

— Charley, tu es saoul...

— Non : je me demande seulement pourquoi tu ne l'as pas amené avec toi.

— Parce que... je voulais m'éloigner un peu de lui pour voir clair. Et à présent, il me manque.

Elle était adorable à regarder, se dit Eitel. Tandis qu'elle parlait, ses yeux d'un bleu sombre lui souriaient, semblant lui dire : « Tu sais, je n'ai rien oublié... » Comment concevoir qu'un an ou deux plus tôt, seulement, ils avaient été mari et femme ? Et qu'à l'époque on lui avait fait grief de s'être marié en dessous de sa condition ? A présent, elle le surclassait nettement, il se sentait-vieux, de nouvelles générations avaient pris sa place — celle des Tony Tanner qui, jadis, passaient des heures à attendre l'occasion de le saluer...

— Ce qui est terrible, dit Lulu, c'est que je ne crois pas que Tony m'aime...

— Et alors ? Il t'aimera si tu t'occupes de son avenir.

— Charley, tu deviens vieux et amer...

Le pire, se dit Eitel, c'était qu'il la désirait furieusement, plus qu'il ne l'avait jamais désirée quand ils étaient mariés. De loin, il vit Don Beda parler avec Elena, et il se dit que, s'il enlevait Lulu, Elena partirait vraisemblablement avec Beda et sa femme.

— A quoi penses-tu ? demanda Lulu.

— Je me disais qu'il est impossible de se rappeler exactement le corps de son ancienne femme...

Lulu éclata de rire.

— Qu'as-tu fait de ces photos que tu avais prises ?

— Je les ai détruites.

— Je ne te crois pas, Charley, dit-elle doucement en lui pinçant l'oreille... Ça me fait tout drôle, de penser que tu as encore ces photos de moi...

— Partons d'ici, suggéra Eitel.

— Pour quoi faire ?

— Tu le sais bien...

— Et Elena ?

Il lui en voulut d'avoir posé cette question.

— Tant pis pour elle, dit-il avec le sentiment de commettre un sacrilège, tant ces mots lui étaient venus facilement à la bouche.

— Charley, tu me plais beaucoup, ce soir... mais je veux être fidèle à Tony.

— Allons donc !... Partons d'ici. Moi aussi, à mes heures, je suis une « encyclopédie vivante », tu sais ?

Et, soudain, il sentit la présence d'Elena derrière lui. L'avait-elle entendu ? De toute manière, la façon dont il se penchait vers Lulu ne pouvait tromper personne...

— Je voudrais rentrer, dit Elena. Mais ne m'accompagne pas. Je vois que tu t'amuses...

Elle était sur le point de faire un éclat, Eitel le sentit. Chez Dorothea O'Faye la chose eût été intolérable.

— Non, dit-il calmement. Je t'accompagne.

— Pourquoi ne restes-tu pas, Charley ? dit Lulu. Puisque Elena t'y autorise...

— Ce n'est pas la peine, dit Elena, les yeux étincelants.

Eitel eut un mot malheureux :

— Veux-tu venir prendre le café avec nous, à la maison ? demanda-t-il à Lulu.

— Je ne crois pas, dit Lulu en souriant.

— Mais si ! dit Elena. Venez avec nous ! On ne s'embêtera pas...

— Bonne nuit, Lulu, dit Eitel.

Ils s'en allèrent sans dire au revoir à personne. Dorothea, complètement ivre, les rattrapa à la porte.

— Ça c'est bien passé avec mon petit copain le député ? questionna-t-elle lourdement.

— Vous attendez que je vous dise merci ?

— Espèce de prétentieux fils de putain ! grogna Dorothea avec un regard furieux que l'alcool rendait trouble.

Eitel se rappela qu'un jour Dorothea et lui avaient partagé le même lit — même si ce n'avait pas été bien long. Cela lui donna un coup. Où donc, en quel cimetière du Ciel, reposent les mots d'amour des amants qui ont cessé de s'aimer ?...

— Partons, Elena, dit-il sans répondre.

Ni lui ni Elena ne dirent un mot sur le chemin du retour. Après qu'Eitel eut rentré la voiture au garage, il rejoignit Elena dans le living-room et se versa à boire.

— Tu es un lâche, dit Elena. Tu avais envie de rester. Pourquoi ne l'as-tu pas fait ?

Il la regarda.

— Oh, non ! dit-il. Pas toi, maintenant !

— Non, bien sûr !... Tu voulais emmener Lulu et je t'en ai empêché, non ?

— Tu n'as rien empêché, dit Eitel, en constatant à quel point elle avait adopté un comportement d'épouse.

— Tu crois que j'ai tellement besoin de toi ? lui jetat-elle... Veux-tu que je te dise ? Quand j'ai bu, je suis à un million de kilomètres de toi.

— Moi, quand je suis saoul, je t'aime.

— Pourquoi mens-tu ?

Son visage était crispé par l'effort qu'elle faisait pour ne pas pleurer.

— Je peux vivre sans toi, tu sais ? Ce soir, chez Dorothea, j'ai compris que je pouvais très bien m'en aller et me passer de toi...

Eitel ne dit rien, ce qui la rendit plus furieuse encore. Elle poursuivit :

— Ton ami, ce type dégoûtant qui s'appelle Don Beda, m'a demandé d'aller chez lui, avec sa femme, et il m'a dit des choses... Il me prend pour une traînée. Eh bien, ça me plaît, que ces gens de la haute société me voient ainsi ! J'avais envie d'accepter ses propositions...

Elle se mit à crier.

— Je suis pareille à lui ! Ne te figure pas que tu as des droits sur moi... Si tu as envie de t'amuser, ce n'est pas moi qui t'en empêcherai, je t'assure ! Je suis capable de m'amuser, moi aussi !

Eitel ne put se défendre de sourire, bien qu'il fût odieux de le faire à cet instant précis.

— Mon pauvre petit, dit-il.

— Je te hais ! cria Elena en s'enfuyant dans la chambre à coucher.

« Ce que je peux être saoul... » pensa Eitel. Puis il se dit qu'Elena ne croirait jamais à son désir de l'épouser. Pourtant il y songeait toujours. Il s'assit et se mit à chercher les mots qui rendraient sa proposition la plus séduisante possible.

Soudain, il éclata de rire. Il lui semblait brusquement tout comprendre. N'était-il pas absurde de penser que moins d'une heure plus tôt il songeait uniquement à coucher avec Lulu, au moment même où Elena, de son côté, se laissait tenter par Don Beda (si elle n'avait pas été tentée, elle ne l'eût pas, ensuite, qualifié de « dégoûtant »...) Il se dit qu'il pourrait faire pire que d'accepter l'invitation de Beda : il y avait, dans la pensée d'entraîner Elena dans une telle équipée, quelque chose d'angoissant mais d'assez piquant en même temps. Eitel regardait en lui-même avec le courage d'un homme qui eût suivi dans un miroir le travail d'un chirurgien sur son propre corps... Dire qu'il y avait eu une époque (mais qu'elle était loin !) où une fille, d'un seul mot, eût réussi à bouleverser l'adolescent timide et passionné qu'il était alors...

Et pendant qu'il méditait ainsi, Elena souffrait. Il y avait en elle quelque chose de comique, pensa Eitel : elle se prenait tellement au sérieux que ses drames prenaient un caractère bouffon. Il fallait pourtant en revenir au drame — et lui proposer le mariage...

Il se leva et la rejoignit dans la chambre. Etendue sur le lit, le visage dans les mains, elle avait l'attitude classique par laquelle les mauvaises actrices expriment la douleur. Il lui toucha doucement le dos, et elle frissonna. Sans doute allait-elle lui dire qu'elle ne pensait pas vraiment ce qu'elle lui avait dit à propos de Don Beda...

— Va-t'en, dit-elle...

— Non, chérie. Je désire te parler.

— Je t'en prie, laisse-moi...

Il se mit à lui caresser les cheveux.

— Je sais que j'ai gâché beaucoup de choses, chérie, dit-il. Mais il faut que tu saches que je pense à toi. Je ne supporte pas l'idée de te faire du mal... Je voudrais tant que tu sois heureuse...

En un sens, c'était vrai : s'il lui eût été possible d'assurer le bonheur d'un seul être sur terre, c'eût été Elena...

— Des mots, tout ça, dit-elle, le visage dans l'oreiller.

— Je voudrais que nous nous mariions, dit Eitel.

Elle se tourna vers lui et se redressa. Il poursuivit :

— Vois-tu, j'ai pensé que nous pourrions continuer ainsi et que, lorsque tu en aurais assez, eh bien, avant de nous séparer, nous pourrions nous marier, et ensuite divorcer... Je sais combien tu voudrais être mariée, parce que tu crois que personne ne se soucie de toi. Je veux te prouver le contraire...

Les yeux d'Elena se remplirent de larmes, qui se mirent à couler sur ses joues. Elle ne fit pas un geste pour les essuyer.

— Qu'en penses-tu, chérie ?

— Tu n'as aucune estime pour moi, dit-elle d'une voix éteinte.

— Mais si ! Tu n'as donc pas compris ?

— Ne parlons plus de cela...

Eitel éprouva le malaise confus qui précède certaines catastrophes.

— Tu ne comprends pas... Ce que je veux dire, c'est que, quoi qu'il arrive ensuite, nous aurons été mariés.

Elle se mit à dodeliner bizarrement de la tête.

— Je me déteste, Charley... J'ai essayé de trouver le courage de te quitter, mais je ne peux pas... J'ai peur.

— Eh bien, justement ! Marions-nous, comme je t'ai dit...

— Non. Tu ne comprends pas que cela me serait impossible ? Tu ne te rends pas compte de ce que tu me proposes ?

— Il faut, il faut que tu m'épouses, dit Eitel complètement perdu.

C'était la solution qu'il avait trouvée — et voilà qu'elle n'en voulait pas ! S'ils ne se mariaient pas, il n'arriverait pas à se libérer d'elle...

— Si tu ne veux plus de moi, je m'en irai, dit Elena. Mais je ne veux plus que nous parlions de cela...

Finalement, elle avait conquis l'estime d'Eitel — mais il renonça à le lui expliquer. Dans son univers à lui, la prudence et la morale ne faisaient qu'un, et c'est ce qui faisait la misère de cet univers — qui n'était pas celui d'Elena. Elle resterait avec lui tant qu'il ne la chasserait pas, et la pensée de ce qui arriverait ensuite était pour Eitel aussi lancinante qu'une blessure.

— Je suis dégueulasse, dit-il tout haut.

Et, comme pour la convaincre de son désespoir, il se mit à pleurer en la serrant contre lui. Tendrement, comme une mère partageant la peine de son enfant, elle caressa ses cheveux et lui dit d'une petite voix tranquille :

— Ça va passer, chéri. Ne te force pas à pleurer...

Et avec un sourire triste, elle ajouta :

— Ce n'est pas si terrible, Charley... Je trouverai bien un autre homme.

Au mal que lui firent ces mots, il sut qu'il était toujours prisonnier de sa jalousie. Pendant une bonne minute, il aima Elena comme il n'avait jamais aimé personne, tout en sachant que cet amour serait sans suite, qu'il ne serait pas capable de l'affronter. Dans la voix d'Elena, si jeune qu'elle fût, il avait entendu l'accent d'une expérience qui dépassait de loin la sienne — en sorte que, s'il restait avec elle, c'est lui qui devrait se soumettre à elle, et c'était précisément cela qu'il avait fui durant toute sa vie.

Il se remit à pleurer. « Pourquoi suis-je toujours lucide, se demanda-t-il, même quand je suis trop ivre pour tirer parti de ma lucidité ? » Il songeait à tout ce qu'il n'avait pas fait, à tout ce qu'il ne ferait jamais, et il pleurait, avec les larmes amères d'un homme mûr, les premières qu'il eût versées depuis vingt-cinq ans. Il pleurait, et en même temps il en voulait à Elena, car il savait, puisqu'elle ne voulait pas l'épouser, qu'il lui faudrait trouver un autre moyen de se libérer d'elle...

XIX

JE N'ARRIVAI CHEZ Dorothea qu'après le départ d'Eitel, ayant passé le plus clair de la soirée à me demander si j'irais.

C'était Dorothea elle-même qui m'avait invité. Etait-ce une attention de sa part ou était-ce Lulu qui le lui avait demandé ? Tout en me tâtant, je savais que je finirais par y aller, mais j'éprouvais un certain plaisir à imaginer le tourment de Lulu à mesure que l'heure passait (il était déjà plus de deux heures du matin). J'avais pensé qu'elle me téléphonerait, et, comme elle ne le faisait pas, je la voyais appelant chaque bar, chaque boîte de nuit, dans l'espoir de m'y trouver, sans que l'effleurât la pensée que je pusse être chez moi. Et pendant tout ce temps, je marchais de long en large, torturé moi-même par le désir de la revoir...

Depuis son départ, mon existence n'avait pas été facile, mais je n'en finirais pas de dire comment j'avais passé mon temps — à boire, à essayer d'écrire, à étudier l'état de mon compte en banque. Pendant deux jours, j'avais erré dans le désert avec mon appareil, photographiant les cactus sous les angles les plus bizarres. Cela n'avait pas réussi à me distraire. J'avais peur. Pour la première fois depuis que j'étais à Désert d'Or, je m'étais même battu dans un bar, un soir, sans savoir ce qui se passait en moi. Il m'arrivait de penser que j'étais fait pour la bagarre, et d'y chercher un exutoire... Quoi qu'il en fût, après avoir lutté de toutes mes forces contre la tentation d'aller chez Dorothea, je finis bien entendu par sauter dans ma voiture...

J'arrivai à La *Gueule-de-Bois* à près de trois heures du

matin, et, lorsque j'en franchis le seuil, toutes les bonnes raisons que je m'étais voulues de ne pas y aller s'évanouirent devant l'évidence exaspérante du désir que j'avais de voir Lulu. Soudain, je craignis qu'en raison de l'heure tardive elle fût déjà partie : la soirée était manifestement terminée depuis longtemps, à en juger par l'état des lieux. Je ne vis d'abord que des verres sales, de la vaisselle brisée, des cendriers renversés, et deux ou trois invités affalés dans les coins, ivres ou endormis. Mais j'en trouvai d'autres, se racontant des histoires dans la cuisine ou se soulageant dans la salle de bains.

Lulu était à l'office. Les bras passés autour des épaules de deux hommes, elle chantait une vieille chanson, que les autres poursuivirent sans elle, abominablement faux, lorsqu'elle les eut quittés pour venir vers moi.

— Je désire te parler, lui dis-je.

— Oh ! Sergius, je suis saoule. Est-ce que ça se voit ?

— Où pouvons-nous bavarder ?

— Allons en haut, dit-elle.

Elle me sembla moins ivre qu'elle ne le prétendait.

Nous gagnâmes la chambre à coucher des maîtres de la maison, transformée en vestiaire, et notre conversation allait sans cesse être interrompue par l'apparition d'importuns, auxquels nous finîmes par ne même plus accorder d'attention.

— Sergius, j'ai été très cruelle avec toi, commença Lulu.

Je l'interrompis :

— Où en es-tu avec Tony ?

— Sergius, tu es un chou... Mais quand on a été aussi intime que nous l'avons été, je crois qu'il vaut mieux ne plus parler de ce qui s'est passé ensuite... Je voudrais que nous restions des amis, ajouta-t-elle avec un peu d'emphase.

— Ne t'en fais pas pour ça, dis-je. Tu m'es devenue indifférente.

A cet instant précis, c'était vrai. Après des jours et des jours passés à me demander si je l'aimais ou si j'avais envie de la tuer, j'en étais arrivé à cet état de calme passager qui donne parfois le sentiment d'être guéri. Bien sûr, il m'arriverait de nouveau de regretter Lulu — encore tout récemment la seule vue de son nom sur une affiche de cinéma ou la rencontre d'une fille qui lui ressemblait m'ont fait éprouver un pincement douloureux. Mais cela est sans importance. Ce que je veux dire, c'est qu'au moment dont je parle Lulu m'était devenue indifférente. Je ne la jugeais plus capable de me faire mal. Je pouvais donc me montrer généreux et sûr de moi.

— Tu serais une fille très bien, lui dis-je, si seulement tu avais un peu plus d'estime pour toi-même.

Elle éclata de rire.

— N'essaie pas de jouer les psychologues, dit-elle. Ça te donne l'air bête... Sois gentil, Sergius. Je trouve que tu n'as jamais été aussi séduisant que cette nuit...

Elle dit cela d'une manière qui impliquait que je n'avais jamais dû avoir beaucoup de séduction à ses yeux.

— C'est vraiment fini, nous deux ? lui demandai-je, à ma propre surprise.

— Tu es un amour, dit-elle avec le désir évident d'être gentille. Je ne t'oublierai jamais.

— Viens..., dis-je en l'attirant vers le lit.

— Non, Sergius... j'ai trop bu, et puis... Non, je ne veux pas te faire de la peine.

— Essaie, pour voir...

— Je voudrais que nous ne parlions plus de tout ça, chéri... Vois-tu, entre nous, ça n'a pas toujours été parfait, physiquement. Je veux dire que ce n'était pas cela qui comptait surtout.

— Mais rappelle-toi...

Et je me mis à évoquer certains souvenirs, à lui rappeler ce que nous avions fait, sans lui épargner un seul détail, une seule de ses propres paroles — et Lulu m'écoutait avec un sourire de cinéma, le sourire compatissant de la jeune fille désolée de ne pas aimer le jeune premier qui lui fait la cour...

— Oh, Sergius, c'est affreux ! dit-elle. Je devais être saoule !

— Non, tu n'étais pas saoule.

— De toute manière, ç'a toujours été avec toi, ajouta-t-elle en manière de conclusion.

— Et maintenant ? Tu comptes rester avec Tony ?

— Peut-être... Il est tellement drôle.

Elle s'appuya à mon bras.

— Je suis ennuyée, chéri, dit-elle comme si elle eût parlé

à un vieil ami. Je dois voir Herman Teppis après-demain. Je voulais demander conseil à Eitel, mais ça n'a pas été possible.

— Pourquoi es-tu ennuyée ?

— Parce que je connais Teppis... Jure-moi que tu ne parleras de Tony à personne !

En bas, les derniers invités s'en allaient.

— Ramène-moi au *Yacht-Club,* dit Lulu. Le temps de me poudrer le nez...

Elle se remaquilla devant le miroir de la chambre à coucher, avec un soin minutieux, si minutieux que son reflet finit par me paraître plus réel, plus vivant qu'elle-même — et je crois que la même pensée dut lui venir, comme si cette image lui eût murmuré : « Te voilà, te voilà vraiment... C'est toi que tu regardes ainsi, et jamais tu n'auras un autre visage ! » Lorsque nous descendîmes, Lulu était silencieuse, préoccupée. Elle devait songer à la femme qui vivait dans le miroir...

En bas, c'était la fin.

Dorothea embrassa Lulu et lui dit :

— Sois prudente, mon chou ! Tu m'entends ?

Dans la rue, devant la porte de Dorothea, une douzaine de jeunes gens attendaient dans la fausse lumière de l'aube. Lorsque nous sortîmes, ils se mirent à crier :

— La voilà !

— Bon Dieu, dit Lulu, il y a une fille que je connais !

L'un des jeunes gens s'avança.

— Miss Meyers, dit-il gravement, nous voudrions votre autographe... Vous voulez bien signer nos albums ?

— Le mien d'abord ! supplia un autre.

J'attendis patiemment que Lulu eût signé tous les albums qu'on lui tendait. Après quoi nous prîmes ma voiture pour regagner le *Yacht-Club.* C'était la première fois qu'elle me laissait tenir le volant en sa compagnie. Je lui jetai un rapide regard. Elle avait l'air radieux. Ses soucis s'étaient envolés au vent de l'adulation qui la réchauffait encore.

— Oh, Sergius, dit-elle, la vie n'est-elle pas merveilleuse ?

XX

Deux jours plus tard, une demi-heure avant de voir Lulu, Herman Teppis attendait Teddy Pope. Il avait l'habitude (Lulu me l'avait dit) d'avoir ainsi, de temps en temps, une « conversation intime » (comme il disait) avec l'une de ses vedettes. Ses agents de publicité ne manquaient pas d'en informer le public, par le truchement des journaux, en présentant cette tradition comme le symbole de l'esprit de famille qui régnait à la *Supreme Pictures*. Chez lui, à son club, aux réunions du conseil d'administration, Teppis se livrait volontiers à de petits speeches, mais ces « conversations intimes » n'avaient lieu que dans son bureau, toutes portes closes.

Les murs de ce bureau étaient d'une couleur crémeuse, comme ceux de tous les dirigeants de la *Supreme Pictures*. C'était une pièce immense éclairée par une immense fenêtre, et son ornement principal était le bureau lui-même, un vieux bureau italien qui provenait, disait-on, du Vatican. Mais, pareil à ces vieilles maisons dont on n'a gardé que la façade, l'intérieur du meuble avait été aménagé de manière à pouvoir contenir un magnétophone, un téléphone, un appareil de conditionnement d'air et un petit bar. Le reste du mobilier était constitué par quelques profonds fauteuils de cuir, un tapis café au lait, une grande « Maternité » dans un cadre doré, et deux photos dans des cadres d'argent, celle de la femme et celle de la mère de Teppis.

Celui-ci accueillit Teddy Pope avec chaleur :

— Teddy, lui dit-il, après lui avoir serré la main et donné une claque dans le dos, je suis bien content que vous soyez venu me voir.

Sur quoi il pressa le bouton invisible qui déclenchait le magnétophone.

— Je suis toujours heureux de pouvoir bavarder avec vous, Mr. T., dit Teddy.

— Un cigare ?

— Non, merci.

— C'est mon vice, le cigare, mon seul vice... Je devine que vous vous demandez pourquoi j'ai tenu à vous voir ?

— En effet, Mr. T.

— C'est bien simple. Ma réponse tient en une seule phrase : je voudrais pouvoir passer plus de temps avec vous tous, les jeunes, que j'ai vus devenir des étoiles... cela me manque beaucoup, mais cela ne veut pas dire que je me désintéresse de vous. Je pense souvent à vous, Teddy...

— J'espère que c'est avec indulgence, Mr. T.

— Voyons, pourquoi êtes-vous si nerveux, Teddy ? Vous ai-je jamais pris à partie ?

Teddy secoua la tête. L'autre poursuivit :

— Mais non, bien sûr... Vous savez bien que j'ai pour vous une affection sincère. Je suis un vieil homme, à présent...

— Vous n'en avez pas l'air, Mr. T.

— Ne dites pas le contraire, Teddy. C'est, hélas ! la vérité. Je pense parfois à toutes les années que j'ai passées dans cette pièce, aux vedettes que j'ai vues monter, à celles que j'ai vues tomber... Et puis je pense à toutes ces starlettes d'aujourd'hui, dont on parlera dans quelques années. Jamais elles ne prendront votre place, Teddy. Vous pouvez dire que je vous en ai donné l'assurance, car je désire qu'on le sache ; je suis sensible à l'affection que toutes mes vedettes et mes starlettes me portent, et je suis heureux que des conversations de ce genre me permettent de le leur dire. Je ne crois pas m'en rappeler une seule qui soit sortie de ce bureau sans me dire : « Dieu vous bénisse, H. T. ! » Je suis un homme de cœur, Teddy. C'est pourquoi j'ai réussi dans notre industrie. Voulez-vous me dire ce qu'exige d'abord le succès ?

— Du cœur, dit Teddy.

— Exactement : du cœur... Le public américain l'a également, ce cœur. Il faut savoir en trouver le chemin. Un exemple : vous connaissez ma fille Lottie. Je l'adore, et elle me téléphone chaque jour, à dix heures du matin. Ma secrétaire le sait, et s'arrange pour que ma ligne soit toujours libre à cette heure-là. Si je n'étais pas ponctuel au rendez-vous de ma fille, comment pourrais-je en attendre autant d'elle ?... Eh bien, voyez-vous, Teddy, quel que soit l'amour qui m'attache à ma fille, il m'en reste assez pour le partager entre tous les autres membres de ma famille, de la grande famille qu'est pour moi la *Supreme Pictures* !

— Soyez sûr que c'est réciproque, H. T., dit Teddy Pope.

— Je l'espère, je l'espère sincèrement. Le contraire me briserait le cœur. Vous n'imaginez pas comme je pense à vous tous, les jeunes, à vos problèmes, à vos peines de cœur et à vos succès. Je suis votre carrière, à chacun. Vous seriez étonné de savoir à quel point je m'intéresse à votre vie personnelle, à tous. Je n'ignore même pas vos convictions religieuses — car je crois à la religion, Teddy. Je me suis moi-même converti et un homme ne change pas de religion comme il boirait un verre d'eau... Je puis vous dire que j'ai trouvé une grande consolation dans ma nouvelle foi. Il y a, à New-York, un grand homme, un grand prêtre dont je suis fier de dire qu'il est l'un de mes amis les plus chers. Cet homme m'a converti, Teddy, en sorte qu'aujourd'hui vous et moi pourrions nous retrouver à la porte de la même église.

— J'ai peur d'avoir un peu négligé mes devoirs religieux, ces temps derniers, dit Teddy.

— Quel dommage de vous l'entendre dire ! Je vous aurais fait un petit sermon, si je n'avais à vous parler d'un autre sujet...

Teppis leva les bras.

— Regardez-moi, Teddy. Regardez ces deux mains, qui appartiennent à un seul corps. Voyez-vous, deux religions m'ont fait tel que je suis : celle où je suis né, celle que j'ai choisie en me convertissant. Je sens en moi l'héritage de deux grandes traditions religieuses... Cela vous surprend ?

— Non, pas du tout.

— Savez-vous ce que dit la première ? Suivant l'une des plus belles traditions du peuple dont je suis né, c'est aux parents qu'il appartient d'assumer l'avenir de leurs enfants, leurs fiançailles, leur mariage, la naissance de leurs descendants. Les plus pauvres se préoccupent du mariage de leurs enfants autant que s'il s'agissait d'unions royales... Mais nous sommes ici, Dieu en soit loué ! dans un pays démocratique, nous ne sommes pas partisans de mariages royaux et, pour ma part, je ne voudrais pas avoir à m'occuper de telles questions. Il n'y a pas moins beaucoup à dire sur le sujet... J'en parlais un jour au bey Omi Kim Bell. Savez-vous ce qu'il m'a dit ? « H. T., nous n'arrangeons pas les mariages de la manière que le public américain incline à le penser. Nous nous contentons de les encourager, et il appartient ensuite aux enfants de décider eux-mêmes. » Voilà qui est vraiment « royal ». Je suis fier d'avoir pour ami un homme tel que le bey.

— On mésestime beaucoup la royauté, dit Teddy.

— En effet. Savez-vous pourquoi ? Par envie...

Teppis tira son mouchoir et y cracha.

— Les gens envient les grands de ce monde, ajouta-t-il.

— A mon avis, dit Teddy, les rois sont des hommes pareils aux autres, mais ils font davantage parler d'eux.

— Non, vous avez tort. La royauté est un lourd fardeau... Savez-vous ce qui rend les grands de ce monde différents des autres ? C'est que le public a toujours l'œil fixé sur eux. Il leur faut en conséquence mener une vie exemplaire, autant en privé qu'en public. Vous savez ce que signifie le scandale pour un homme en vue ? C'est une bombe dix fois plus puissante que la bombe atomique. Ceux dont je vous parle doivent faire certaines choses qui leur brisent le cœur. Pourquoi ? Parce qu'ils ont une responsabilité à assumer aux yeux du public... Cela est vrai pour les rois, et c'est aussi vrai pour les vedettes de cinéma, pour des gens comme vous et moi. Telle est la loi. Essayez d'aller à son encontre !... Teddy, nous parlons ici d'égal à égal, n'est-ce pas ?

— Bien sûr, dit Teddy.

— Eh bien, regardez ce tableau... Je n'oserais pas vous dire combien je l'ai payé. Mais le jour où pour la première fois j'ai vu ce chef-d'œuvre de l'art français, cette mère merveilleuse et ce merveilleux enfant, je me suis dit : « H. T., même s'il te faut travailler dix ans pour le payer, tu dois acheter ce tableau ! » Et savez-vous pourquoi ? Parce que cette peinture est la vie même. Quand je la regarde, je ne puis m'empêcher de me dire : « C'est la maternité elle-même que tu contemples... » Et quand je pense à vous, Teddy, quand je pense à ce qui se passe dans votre cœur, je me dis que vous devez rêver d'une jeune femme et de beaux enfants qui vous accueilleront, chez vous, après votre travail. Je n'ai jamais connu cela, Teddy, parce que, à votre âge, je travaillais durant des heures interminables, je me tuais à travailler — et aujourd'hui, lorsque je suis seul, il m'arrive de penser à ce temps-là et de me dire : « H. T., tu n'as pas goûté aux plus beaux fruits de la vie !... » Il serait déplorable qu'un garçon comme vous eût un jour à se dire cela, Teddy. Dieu merci, il n'en sera pas ainsi. Vous savez que ma femme — qu'elle repose en paix ! — a dû travailler dur, elle aussi, durant les premières années de notre mariage. Jamais elle ne s'est plainte, jamais...

Les yeux de Teppis se mouillèrent, et il les essuya avec un mouchoir immaculé qu'il tira de sa poche de poitrine. Le parfum délicat de son eau de toilette flotta un instant dans l'air. Il poursuivit :

— Epousez n'importe quelle fille, Teddy, vous n'aurez jamais à affronter de tels problèmes. Vous pourrez lui assurer la sécurité matérielle, et elle vous apportera en échange la stabilité... Nous pourrions même étudier avec votre homme d'affaires le moyen d'éclaircir votre situation financière, de manière que vous n'ayez plus à nous demander ces avances sur vos traitements...

Il fronça les sourcils.

— C'est une honte, Teddy ! Ces emprunts que vous faites finiront par donner à croire que nous ne vous payons pas...

— J'aimerais vous dire un mot à ce sujet, H. T., dit Teddy rapidement.

— Nous en reparlerons, le moment n'est pas venu... Rappelez-vous seulement ceci, Teddy : vous êtes une idole du public américain, et une idole n'a jamais besoin de se préoccuper d'argent, tant qu'elle a la faveur de son public.

Teppis se versa un verre d'eau et le vida lentement, en gourmet.

— Je sais ce que pense un jeune homme comme vous, reprit-il. Il a le monde à ses pieds. Il se dit : « Pourquoi me marier ? Qu'ai-je à y gagner ?... » Teddy, vous avez beaucoup à y gagner, croyez-moi et pensez-y. Le monde déteste les célibataires. Ils ne sont pas populaires. Les gens essayent toujours de les calomnier. Les histoires qu'il faut entendre ! Quatre-vingt-dix fois sur cent elles sont sans fondement, bien sûr, mais je rougirais de vous les répéter... Quand on m'en rapporte une, à votre sujet, je dis : « Ne me racontez pas de telles saletés sur Teddy, je ne veux pas les écouter ! Si ce garçon ne veut pas se marier, cela n'a rien à voir avec ces histoires écœurantes. Un point, c'est tout ! » On me connaît. On sait mon horreur de la calomnie.

Brusquement, Teppis se mit à taper du poing sur le bureau.

— La moindre rumeur circulant à propos d'un garçon comme vous se répand immédiatement partout ! Nous recevons des lettres de vos admirateurs des provinces les plus reculées, de petites villes qui s'appellent Kokoshkosh ou Two-Bits, dans le Kansas. Elles nous disent, ces lettres, que les membres du Club Teddy Pope de l'endroit ont le cœur brisé, à la suite des histoires terribles qu'ils ont entendu raconter sur leur idole. Leur ferveur en est ébranlée... En pareil cas, je prends votre défense. Savez-vous pourquoi ? Ce n'est pas pour des raisons commerciales, ni parce que je vous connais depuis longtemps, ni même parce que vous m'êtes cher — bien que vous me le soyez. Non, c'est parce que, au fond de moi-même, je sais que vous prouverez que j'ai eu raison. Je ne me battrais pas pour quelqu'un, même si cela devait me rapporter un million de dollars, si je ne pensais pas que ce quelqu'un finira par démontrer qu'H. T. a eu raison de le faire. C'est ça, la confiance. Puis-je vous accorder ce genre de confiance ?...

Il leva la main.

— Ne me répondez pas, ce n'est même pas nécessaire. Je sais que je puis avoir confiance en vous.

Sur quoi il se leva et alla à la fenêtre.

— Voyez-vous, Teddy, cette confiance a déjà reçu sa récompense... J'ai vu, dans les journaux, cette photo de Lulu et de vous, à Désert d'Or — celle où vous vous tenez les mains. C'est une des plus belles choses, une des choses les plus touchantes que j'aie jamais vues. Un jeune amour... Cela m'a fait souhaiter que l'auteur de ce tableau, que vous voyez là, sur mon mur, fût toujours en vie et pût peindre le jeune amour de Lulu et de Teddy...

— Mr. Teppis, dit Teddy... Il ne s'agissait que d'une photo publicitaire !

— Et alors ? Si je vous disais le nombre de mariages heureux qui se sont faits de cette manière, dans notre profession ! Quatre-vingt-dix pour cent n'ont pas eu d'autre origine. La publicité ? Mais c'est un peu comme une dot au temps jadis ! Je vous connais, Teddy. Vous êtes un garçon sincère. J'ai vu un tas de photos de vous deux. Ni vous ni Lulu ne seriez capables de prendre sur commande ces airs de tourtereaux. Ne me dites pas que Lulu n'est pas folle de vous : cette fille est incapable de feindre des sentiments qu'elle n'éprouve pas. Lulu est l'une des plus chic filles que je connaisse, une authentique jeune fille américaine du meilleur cru... Une telle femme est un présent du Seigneur. Quand je regarde la photo de ma mère, savez-vous que je me sens meilleur ? Je la porte sur mon cœur, cette photo. Et je voudrais que vous fassiez de même avec celle de Lulu...

Teddy s'était mis à transpirer. Il se pencha en avant. Il allait parler.

— Mr. Teppis, dit-il, permettez-moi de vous dire...

— Non ! dit Teppis. Je ne veux pas vous écouter. Vous êtes un jeune entêté. Pourquoi vous obstiner à aller ainsi à l'encontre de vos sentiments véritables ? Vous ne désirez rien tant que me donner raison, mais vous ne voyez pas assez clair en vous. Vous avez besoin d'un homme comme moi pour vous y aider.

Alors, d'une voix tranquille, Teddy déclara :

— Mr. Teppis, vous savez très bien que je suis homosexuel.

— Taisez-vous ! cria Teppis. Je ne veux pas entendre une chose pareille !

— C'est pourtant ainsi, dit doucement Teddy. Il n'y a rien à faire à cela. Les choses sont ce qu'elles sont.

— De la philosophie, maintenant ? éclata Teppis. Ecoutez, Teddy : quand un homme est dans la merde, ne doit-il pas chercher à en sortir ?

— Mr. Teppis, ne pouvez-vous pas comprendre mes sentiments ?

— Vous êtes le garçon le plus ingrat que j'aie jamais connu. Vous m'empêchez de dormir la nuit... Pensez-vous donc que la sexualité soit la seule chose qui compte au

monde ? J'ai déjà oublié ce que vous m'avez dit. Je préfère
ne plus y penser : mais prenez garde, j'ai le pouvoir de rui-
ner votre carrière !

— Laissez-moi essayer de vous dire...

— *Lulu,* voilà ce que vous avez à me dire. Je sais ce qui
se passe. Vous êtes un lâche, un être asocial. Vous devriez
rendre grâce à la société de ce qu'elle a fait pour vous !...
J'aime la société, moi, je la respecte. Vous êtes un malade,
Teddy, mais ensemble, vous et moi, nous saurons bien vous
guérir... Je ne voudrais pas vous accabler, mais je n'ai jamais
entendu, de toute ma vie, des propos aussi scandaleux que
les vôtres !

L'interphone grésilla. Teppis se pencha vers le micro.

— Ça va, dit-il. Dites à la personne d'attendre un peu.
Je serai à elle dans un instant.

— Mr. Teppis, reprit Teddy, je suis désolé. Peut-être
aimerais-je avoir des enfants... mais je n'ai jamais eu de rapports avec une femme.

Teppis le regarda longuement.

— Teddy, nous avons beaucoup parlé, dit-il. Je ne vous
demande qu'une chose : ne vous mettez pas dans la tête que
vous puissiez rester insensible au charme d'une fille aussi
attirante que Lulu. C'est impossible... Donc, ne vous mettez
pas martel en tête, c'est tout ce que je vous demande. Vous
y réfléchirez. C'est entendu ?

Pope haussa les épaules avec accablement.

— Parfait ! Enfin, je vous retrouve, dit Teppis en le
reconduisant jusqu'à la porte de son bureau... Dites-vous
bien que personne n'essaye de vous obliger à faire quoi que
ce soit... Si vous me disiez « oui » à cet instant précis, je
vous répéterai : « Teddy, réfléchissez encore. » Vous voyez
bien que je ne fais rien pour vous contraindre ?

— Qui oserait insinuer une chose pareille ?

— Bien sûr. Je ne fais jamais pression sur personne.
Jamais. Je préfère discuter à cœur ouvert avec les gens... Un
jour, Teddy, vous aussi vous direz : « Dieu vous bénisse,
H. T. !... »

Une fois Teddy sorti, Teppis revint à l'interphone.

— Faites entrer Lulu, dit-il.

Et il alla l'accueillir à la porte de son bureau, les bras tendus.

— Je voudrais vous dire quelle joie c'est pour moi de vous recevoir ici, Lulu, dit-il... Vous me consolez de bien des soucis, ma chérie — et Dieu sait si j'en ai ! Vous êtes adorable...

Lulu avait adopté l'attitude d'une jeune fille de dix-sept ans.

— Je vous aime bien aussi, Mr. T., dit-elle d'une voix enfantine.

— Je sais... Toutes mes vedettes me disent la même chose. Mais vous, je sais que c'est vrai.

Il la fit asseoir dans le fauteuil que Teddy venait de quitter et, d'un tiroir de son bureau italien, sortit une bouteille de whisky.

— Oh, Mr. T., je ne bois pas d'alcool en ce moment, dit Lulu.

— Allons, allons... Je vous connais, mon petit ! Ne croyez pas que vous puissiez m'en conter...

— Vous êtes le seul homme qui me comprenne, H. T...

— Mais non ! Personne n'est assez fort pour vous comprendre ! Savez-vous pourquoi ? Vous êtes un grand personnage... Vous n'êtes pas seulement une grande actrice, non : il y a en vous de grandes choses, de l'esprit, du charme, de la fougue. Je ne voudrais pas que vous gâtiez tout cela, mais vous pouvez bien boire un verre de temps à autre. Vous avez mérité le droit de faire tout ce que vous voulez !

— Sauf celui de ne pas être de votre avis, H. T...

— Je vous adore. Quelle langue ! Quelle impétuosité ! Je me demande parfois : « H. T., qu'a donc Lulu pour connaître un tel succès ? », et la réponse n'est pas difficile à trouver. Elle tient en un mot : « De la vitalité ! »

Il se versa lui-même quelques gouttes de whisky et les but poliment. Puis, après une pause, il reprit :

— Vous vous demandez sans doute pourquoi je vous ai priée de venir me voir ? Je vais vous le dire. J'ai beaucoup pensé à vous. Lulu Meyers, me suis-je dit, est la plus grande actrice de ce pays, et ce pays possède les plus grands acteurs du monde entier...

— C'est vous, le plus grand acteur du monde, Mr. T., dit Lulu...

— Vous me flattez, Lulu, mais vous faites erreur. Je suis incapable de jouer la comédie. Je suis trop sincère, je sens trop profondément des choses que je ne puis exprimer... Il m'arrive de passer des nuits blanches à cause de vous. Savez-vous ce que je regrette ? De ne pas être le public américain, pour pouvoir vous mettre en tête de liste de mes acteurs favoris... En quelle place venez-vous actuellement ?

— En dix-septième place, je crois, Mr. T.

— En dix-septième place ! C'est incroyable ! Il y a dans ce pays seize acteurs qui l'emportent sur vous dans la faveur du public... Je n'arrive pas à le comprendre. Si j'étais le public, Lulu Meyers serait la première !

— Pourquoi n'y a-t-il pas dix millions de gens qui pensent comme vous, H. T. ? dit Lulu.

Sur quoi elle se leva pour remplir son verre.

— Lulu, savez-vous que l'an dernier vous étiez en douzième place ? Je ne comprends pas que vous ayez reculé, au lieu d'avancer.

— Peut-être suis-je « finie », Mr. Teppis...

Teppis leva la main.

— Lulu, pour une telle réflexion, vous mériteriez que je vous donne la fessée !

— Oh, Mr. T. ! Qu'allez-vous me donner à penser ?

— Ha, ha ! Ha, ha ! Vous êtes délicieuse... Ecoutez-moi, Lulu : à mon avis, tout vient de ce que vous ne soignez pas votre publicité.

— Mais j'ai pris le meilleur agent du pays ! dit Lulu, très vite.

— Vous pensez donc que la publicité s'achète ? La bonne publicité est un don de Dieu. Laissez-moi vous parler franchement : le temps est passé où une fille pouvait se permettre de fréquenter n'importe qui sans que cela nuise à son standing. Aujourd'hui, le public désire respecter ses idoles. Et savez-vous pourquoi ? La vie elle-même n'inspire plus de respect... Il y a dix ans, une femme fidèle se plaisait à rêver qu'elle avait une aventure avec un acteur, mais cela n'allait pas plus loin. Aujourd'hui, la même femme a des amants dans tous les coins. Peut-être pensez-vous qu'elle souhaite qu'il en soit de même pour les vedettes qu'elle voit à l'écran ? Pas du tout. Au fond elle a honte d'elle-même — et, en conséquence, son admiration va à des idoles qu'elle puisse respecter : une épouse fidèle, un couple princier, le ménage uni des amants n° 1 des Etats-Unis.

Lulu s'agita un peu dans son fauteuil.

— Vous auriez dû diriger une agence matrimonale, H. T., dit-elle.

— Vous me l'avez déjà dit... Savez-vous ce qui se passerait si vous épousiez le garçon qu'il fallait — disons, par exemple, un acteur qui viendrait en neuvième ou en septième position sur la liste des grands favoris du public ? Vous pensez peut-être que la cote de votre couple serait une moyenne entre vos deux cotes individuelles ? Pas du tout. Vous atteindriez tous les deux la cote la plus élevée du pays. Savez-vous pourquoi ? Deux plus deux ne font pas quatre, mais cinq, et bientôt dix, en vertu de la loi des intérêts composés. Pensez à cela, Lulu. Un bon mariage est plus sûr que n'importe quel placement à intérêts composés. Lulu Meyers épousant n'importe quel homme ayant une cote élevée dans la faveur du public, cela donnerait le couple n° 1 des Etats-Unis d'Amérique, c'est-à-dire du monde entier !

Teppis envoya du bout des doigts un baiser à Lulu.

— Vous savez que vous êtes déjà ma chérie n° 1 ?

— Je l'espère bien, H. T...

— Prenez, par exemple, cet ami à vous... Comment s'appelle-t-il encore ? Shamus, Sugar, quelque chose comme ça...

— Vous voulez dire Sergius ?

— Oui... Je l'ai vu. C'est un gentil garçon. Il m'a plu. J'ai songé à l'engager ici. Pas comme acteur, bien sûr, mais pour faire n'importe quoi, installer des décors, conduire un camion, que sais-je ? Mais quand je pense à lui et à vous, ensemble !... Lulu, ce garçon n'est pas pour vous. Il est insignifiant. Il vous ferait du tort dans votre carrière. Peu importe le nombre d'avions qu'il dit avoir abattus, c'est un raté, rien de plus...

— Pourquoi mépriser Sergius, Mr. T. ? Il est très gentil.

— Peuh ! Il y en a treize à la douzaine, des gentils garçons dans son genre ! C'est un gosse. Vous êtes une femme. Toute la nuance est là. Je pense que nous nous comprenons... Non, ce que je vais vous dire va vous surprendre davantage.

Lulu, voulez-vous savoir qui, à mon avis, vous devriez épouser ?

— Comment savoir ce que vous pensez, Mr. Teppis ?

— Essayez. Allons, devinez...

— Tony Tanner ?

— Tony Tanner ? Lulu, vous me faites honte ! Connaissez-vous sa place dans la liste des acteurs favoris du public ? La cent quatre-vingt-neuvième ! Autant dire qu'il n'existe pas. Comment une femme peut-elle se sous-estimer à ce point ? Non, j'ai pensé à quelqu'un de beaucoup mieux. Ne me répondez pas tout de suite, je veux que vous y réfléchissiez... Il s'agit de Teddy Pope. Qu'en dites-vous ?

Lulu se leva, la bouche ouverte.

— Mr. T., je suis profondément choquée, dit-elle enfin.

— Asseyez-vous. Je vais vous apprendre une chose que vous ignorez peut-être, mais que je n'ai pas l'intention de vous cacher. Teddy Pope est homosexuel... Cela vous surprend, n'est-ce pas ? Vous vous demandez peut-être : « H. T. s'abaisserait-il à supplier une jolie femme comme moi d'épouser une tapette ? »

— Vous ? Impossible, dit Lulu. Vous êtes un homme beaucoup trop respectable pour cela !

— Ne nous écartons pas du sujet. Je voudrais vous demander de répondre en toute franchise à cette question : admettez-vous, toute considération personnelle mise à part pour le moment, que le fait d'épouser Teddy Pope serait pour vous, du point de vue publicitaire, un triomphe ? Le couple n° 1 des Etats-Unis... Reconnaissez-vous que j'ai raison ?

— Je n'irai pas jusque-là, Mr. Teppis. Je dirais plutôt que vous êtes égoïste...

— Voilà une chose que personne au monde à part vous n'oserait me dire !

— Je le dis avec tristese. J'ai toujours proclamé que je vous considérais comme un père...

— Alors ne me faites pas de peine, Lulu.

— H. T., j'ai peur que les choses ne soient plus jamais les mêmes entre nous.

— Comment pouvez-vous parler ainsi ? s'écria Teppis. C'est lamentable... Après tout ce que j'ai fait pour vous !

Lulu se mit à pleurer.

— Je n'aime pas Teddy, dit-elle d'une petite voix.

— Cessez de pleurer ! Je vous connais, Lulu. Teddy Pope est le seul homme que vous puissiez aimer. Vous pensez que je suis fou ? Pas du tout. Vous vous croyez blessée, parce que Teddy est pédéraste ? Mais je suis un vieil homme, je connais les êtres. Teddy a souffert, il a un cœur sensible. Auprès de lui, vous apprendrez beaucoup de choses sur la complexité de la nature humaine. Seule une femme comme vous saurait le guérir, Lulu, et il vous adorerait de l'avoir fait.

Lulu s'essuya les yeux.

— H. T., je vous déteste ! dit-elle avec un sanglot.

— Mais non ! Vous m'aimez, c'est pour cela que mes propos vous bouleversent. Voulez-vous que je vous dise ? Vous êtes lâche ! Une fille comme vous, avec votre beauté, votre séduction, devrait relever le défi. Vous êtes la fille la plus désirable que j'aie jamais connue. Il n'est pas digne de vous de vous contenter d'allumer n'importe quel petit jeune homme bien portant. Est-ce qu'un champion de tennis joue au ping-pong ? Songez au respect que l'on vous porterait si vous faisiez de Teddy Pope un homme véritable !

— Et si j'échouais ?

— Vous me décevez, Lulu. Jouer perdant avant le départ, vous !

— Mr. Teppis, laissez-moi vous rappeler une chose que vous avez dite, un jour, devant témoins : « Regardez toujours où vous posez le pied : un chien a pu passer par là avant vous... »

— Vous me faites de la peine. Je pensais que vous aviez une âme de joueur, comme moi.

Lulu laissa couler ses larmes et dit d'une voix brisée :

— H. T., je souhaite me marier, je souhaite n'aimer qu'un seul homme, avoir de beaux enfants et une belle carrière...

— Voilà qui est parler, Lulu !

— ... mais si j'épousais Teddy, cela ne marcherait pas. J'aurais une vie de bâton de chaise... Cela vous plairait-il ?

— Voyons, voyons, Lulu ! Vous êtes beaucoup trop bien pour vous gaspiller. En mettant les choses au pire, vous auriez un ami ou deux avec qui vous flirteriez un peu — et puis après ? Je ne vous conseillerais pas, mais ce sont des choses qui arrivent tous les jours, et cela n'empêche pas la Terre de tourner.

— H. T., vous me faites honte ! Quelle suggestion immorale !

— Je vous fais honte ? murmura Teppis. Comment pouvez-vous parler ainsi ? Je passe des nuits entières à chercher le moyen de sauver votre carrière, et voilà comment vous me remerciez ! Vous êtes un petit animal sauvage... Savez-vous ce que c'est qu'une star ? C'est un fruit délicieux et périssable. Il faut faire un long chemin pour l'amener au marché, et puis le vendre, sans quoi il se gâte... Lulu, je vous parle comme un homme à une femme. Bon nombre de dirigeants de ce studio en ont assez de vous. Vous n'imaginez pas combien de fois il me faut prendre votre défense. « Lulu a besoin de discipline — me disent-ils — Lulu est trop difficile à mener. Elle nous donne plus d'ennuis qu'elle ne le mérite... » Croyez-moi, Lulu, j'en prends Dieu à témoin, vous vous êtes fait des ennemis, des centaines d'ennemis rien que dans ce studio. Si vous ne vous décidez pas à vous montrer conciliante, ils vous mettront en pièces. Voilà exactement la situation. Je ne veux pas vous déprimer, mais il faut que votre cote remonte dans les mois qui viennent — sinon... (Il montra le plancher du doigt.) Sinon ce sera la dégringolade, Lulu. Vous vieillirez, perdrez votre charme, il vous deviendra plus difficile de travailler, vous n'aurez plus un studio pour vous soutenir. Vous savez ce que c'est qu'un studio ? C'est un navire de bataille. Voyez Eitel... Vous aurez tellement honte de vous-même que vous changerez de nom et ce sera la fin : vous finirez dans la peau d'une taxi-girl, ou quelque chose comme ça. Quelle perspective !

— Je m'étonne que vous vous abaissiez à m'intimider, répondit Lulu.

— N'essayez pas de me leurrer, reprit Teppis. Vous tremblez de peur — parce que vous savez ce que je pense des gens qui me laissent tomber...

Il s'approcha d'elle et lui prit l'épaule.

— Lulu, ne me répondez pas trop vite, c'est la seule faveur que je vous demande : voudriez-vous laisser tomber H. T. ? Réfléchissez bien. Pesez vos mots.

Lulu fondit à nouveau en larmes.

— Oh ! Mr. Teppis, je vous aime tant ! s'écria-t-elle.

— Alors faites quelque chose pour moi.

— Tout ce que vous voudrez !

— Même épouser Teddy Pope ?

— Même épouser Teddy Pope, dans l'heure qui vient ! sanglota Lulu... Malheureusement, c'est impossible !

— Mais non ! Pourquoi serait-ce impossible ?

— Parce que j'ai déjà épousé Tony Tanner ce matin...

— .....

— Mr. Teppis, ne vous mettez pas en colère, je vous en prie !

— Vous mentez !

— Non. Nous nous sommes mariés secrètement.

— Comment avez-vous pu me faire cela, à moi ?

— Ce n'est pas si terrible, Mr. Teppis.

— Vous n'avez pas tenu votre parole ! Vous m'aviez promis, si vous songiez à vous marier, de m'en parler avant qui que ce fût.

— C'était à propos de Sergius... Voulez-vous un verre d'eau, Mr. Teppis ?

— *Non !*

Il frappa du poing la paume de sa main gauche.

— Je ferai annuler ce mariage !

— Impossible... Tony s'y opposerait.

— Je n'en doute pas. Et vous, vous vous y opposeriez aussi ?

— Mr. T., vous avez toujours dit qu'une femme doit obéir à son mari...

— Lulu, vous vous êtes mariée pour me contrarier !

— H. T., je vous prouverai le contraire en vous consacrant le reste de ma vie !

— J'en suis malade...

— Pardonnez-moi, H. T...

— Je saurai vous le faire regretter !

— H. T., punissez-moi, mais ne faites pas de mal à Tony !

— Pas de mal à Tony ! Vous me dégoûtez, Lulu... Vous êtes incapable de penser à autre chose qu'à vous-même. Si vous mourriez, je n'irais même pas sur votre tombe...

Les bras tendus, il avança vers elle. Lulu se prépara à s'enfuir hors de la pièce.

— Venez ici, dit Teppis. Vous ne vous en sortirez pas ainsi !

— H. T., je vous adore...

— Vous abrégez ma vie !

— H. T., faites ce que vous voudrez, je dirai toujours : « Que Dieu vous bénisse ! »

Il lui montra la porte, la bouche frémissante.

— H. T., je vous en prie, écoutez-moi !

— Sortez d'ici ! Vous n'êtes qu'une putain !

Lorsqu'elle fut sortie, Teppis se mit à trembler de tout son corps.

— C'est un miracle que je n'aie pas une attaque... dit-il tout haut.

Le son de sa propre voix dut le calmer un peu, car il s'approcha de l'interphone et dit d'une voix rauque dans l'appareil :

— Envoyez-moi immédiatement Collie.

Quelques instants plus tard, Munshin entra dans le bureau, en demandant joyeusement :

— Alors c'est pour quand, ce mariage ?

— Collie, vous êtes un imbécile ! gronda Teppis. Le plus bel imbécile que je connaisse !

— H. T. ! Que se passe-t-il ?

— Lulu a épousé Tony Tanner ce matin !

— Seigneur ! dit Collie.

— Ce Teddy Pope ! Cette espèce d'homosexuel dégénéré. Je l'ai réduit en poussière !

— Je n'en doute pas, H. T....

— Taisez-vous ! Tout ça, c'est votre faute. C'était une idée à vous. Je m'en lave les mains !

— Vous avez raison, H. T.

— N'êtes-vous même pas capable de voir ce qui se passe sous votre nez ? Lulu m'a mis devant un fait accompli. Je pourrais la sacquer !

— C'est tout ce qu'elle mérite, la sale petite...

— C'est écœurant. Un acteur de quatre sous, un rustre comme ce Tony Tanner ! Je déteste les rustres. Personne au monde n'a donc plus de dignité ?

— Si, H. T., vous !

— Taisez-vous !

Teppis arpenta la pièce un moment, pareil à un animal blessé, puis se laissa tomber dans un fauteuil.

— Collie, déclara-t-il, c'est moi qui ai fait de vous ce que vous êtes. Je suis encore capable de vous démolir. Rappelez-vous ce que vous étiez quand nous avons fait connaissance : un agent de deux sous, un rien du tout, un lamentable rien du tout...

— Un peu plus que cela, tout de même...

— Ne me contredisez pas ! Je vous ai laissé épouser ma fille unique, je vous ai pris comme bras droit, j'ai fait de vous un producteur, je vous connais, Collie, je connais vos combines... Un jour, vous me couperez la gorge. Mais d'abord j'aurai votre peau, vous entendez ?... Qu'avez-vous à dire ?

Collie était calme, presque placide.

— H. T., je serai franc, dit-il. Je reconnais que tout cela est de ma faute.

— Vous faites aussi bien ! Je ne sais pas ce qui vous arrive, ces temps-ci, vous êtes incapable de faire quoi que ce soit de sérieux... Quand je pense à cet aviateur et au film que nous aurions pu faire si vous n'aviez pas aussi lamentablement échoué !

— H. T., je vous connais et je ne me fais pas de souci. Je vous sais capable de retourner n'importe quelle situation. Un jour, je m'en souviens, vous avez dit que ce sont les coups durs qui donnent des idées... H. T., vous êtes capable de tirer un parti encore meilleur de Tony que de Teddy ! Ce sera un rude boulot, oui, mais vous m'avez dit vous-même que Teddy était « fini ». Un de ces jours, en ouvrant le journal, on apprendra qu'il est en prison pour attentat à la pudeur...

— Vous avez une imagination répugnante, grogna Teppis.

— Je suis un réaliste. Vous aussi, H. T. Je sais qu'il n'y a pas un seul studio dans cette ville qui saurait tirer un sou de Tony. Mais vous, vous en êtes capable.

— J'en suis malade, dit Teppis.

— Je vois d'ici comment vous procéderez. Dites-moi si je me trompe...

Il hésita un moment, puis reprit :

— Non, ça n'ira pas. Ce serait trop difficile...

— Dites toujours, je vous dirai ce que j'en pense.

— Voyons... Ce n'est qu'une idée en l'air, bien sûr, mais je me demandais si vous ne pourriez tenir secret le mariage de Lulu jusqu'à la sortie de son film. Ensuite, nous l'annonçons officiellement. Nous organisons peut-être même une grande cérémonie. Quelle plate-forme sensationnelle pour lancer Tony !... Tony Tanner, l'homme qui a enlevé Lulu Meyers au Don Juan de l'écran, Teddy Pope ! Les gens diront : « Quel coup magnifique vous avez réussi là, H. T. ! » Et ils auront raison...

— Pas de compliments, je vous en prie. Je suis trop bouleversé. J'ai une de ces crampes d'estomac !

Munshin alluma une cigarette et, pendant un moment, fuma en silence. Puis il dit :

— Le docteur m'a dit que vous devriez faire quelque chose pour votre tension nerveuse...

— Vous êtes mon gendre, et vous êtes un proxénète ! s'écria Teppis... Savez-vous ce que Charley Eitel m'a dit, un jour ? « Mr. Teppis, nous avons tous nos petites singularités... » Je n'aime pas ça, Carlyle. Ces choses-là font jaser.

— H. T., croyez-moi. Quoi que vous fassiez ou ne fassiez pas, on jasera toujours...

— Je n'en donne jamais l'occasion.

— C'est exact.

— Je n'ai pas couché avec une femme depuis dix ans.

— C'est vrai, H. T.

Teppis regarda le plafond.

— A quelle fille pensez-vous ?

— Une gosse délicieuse, H. T.

— Je présume que vous l'avez engagée au studio ?

— A dire vrai, oui. Un de mes amis me l'a présentée à Désert d'Or. C'est mieux ainsi, croyez-moi. Elle se taira, en se disant qu'elle pourrait faire une carrière ici. C'est une gentille petite figurante.

— C'est ce que vous dites toujours, Collie.

— J'ai eu une petite conversation avec elle. Elle sera aussi discrète qu'une vierge qui s'est fait peloter.

— Vous êtes un ignoble individu.

— Elle est vraiment sûre.

— Si ce n'était pas pour Lottie, je vous flanquerais à la porte.

— Un homme comme vous a besoin de détente, dit Collie. Vous avez tort, H. T., de mépriser les charmes de la vie...

— Bon, envoyez-la-moi.

— Elle sera ici dans cinq minutes.

— Vous êtes diabolique, Collie ! Pensez-vous qu'un homme puisse faire fi des lois de la société ? Ces lois ont une raison d'être. Chaque fois que vous m'envoyez une fille, vous savez que je refuse de la revoir. Je refuse de coucher avec elle !

— Personne ne travaille comme vous, H. T., dit Collie en quittant le bureau.

Quelques minutes plus tard, une fille d'une vingtaine d'années, aux cheveux couleur de miel, fraîchement teints, y pénétra sans s'être fait annoncer, par une porte dérobée. Elle portait un tailleur gris et de très hauts talons. Elle avait la bouche très maquillée, pour dissimuler la minceur de ses lèvres.

— Asseyez-vous, asseyez-vous ici, dit Teppis en tapotant le divan à côté de lui.

— Merci, Mr. Teppis, dit la fille.

— Vous pouvez m'appeler Herman...

— Oh ! non, je ne pourrais jamais !

— Vous me plaisez. Vous avez l'air d'une gentille fille. Vous avez de la classe... Dites-moi votre prénom, je ne retiens jamais les noms de famille...

— Je m'appelle Bobby, Mr. Teppis.

Il posa sur elle une main paternelle.

— Collie m'a dit que vous travaillez ici ?

— Je suis actrice, Mr. Teppis. Je suis une bonne actrice.

— Il y a tant de bonnes actrices, mon petit ! C'en est une honte.

— Mais je suis vraiment bonne, Mr. Teppis !

— Dans ce cas, vous aurez votre chance. Dans ce studio, le talent a toujours sa chance.

— Je suis heureuse que vous pensiez ainsi, Mr. Teppis.

— Vous êtes mariée ? Vous avez des enfants ?

— Je suis divorcée, mais j'ai deux petites filles.

— Parfait, dit Teppis. Il faut que vous songiez à leur avenir, que vous essayiez de les envoyer au collège...

— Mr. Teppis, ce sont encore des bébés !

— Il faut voir loin. J'ai toujours essayé de rendre service

aux gens... J'espère que vous ferez une belle carrière, mon petit. Depuis combien de temps travaillez-vous ici ?

— Une ou deux semaines seulement.

— Une actrice doit savoir être patiente. C'est ce que je dis toujours... Vous me plaisez. Vous avez des problèmes. Vous êtes une fille sensible.

— Merci, Mr. Teppis.

— Venez ici, mon petit... Asseyez-vous sur mes genoux.

Bobby obéit. Aucun des deux ne dit un mot pendant une bonne minute.

— Que vous a dit Collie ? demanda enfin Teppis d'une voix un peu rauque.

— Il m'a dit de faire ce que vous me demanderiez, Mr. Teppis.

— Vous n'êtes pas bavarde, au moins ?

— Oh ! non, Mr. Teppis !

— Très bien... Voyez-vous, on ne peut faire confiance à personne. Tout le monde bavarde à propos de tout. Comment aurais-je confiance en vous ? Vous irez raconter des choses...

— Mr. Teppis, vous pouvez avoir confiance en moi.

— C'est très dangereux de me trahir, vous savez...

— Oh ! je ne pourrais jamais trahir un homme aussi bien que vous !... Je ne suis pas trop lourde, Mr. Teppis ?

— Mais non, mon petit, ça va très bien...

Le souffle de Teppis se fit un peu haletant.

— Qu'avez-vous répondu à Collie, quand il vous a dit de faire ce que je vous demanderais ?

— Je lui ai dit que je le ferais, Mr. Teppis.

— Parfait, parfait...

Elle leva la main avec hésitation pour lui caresser les cheveux. A ce moment précis, Herman Teppis écarta les cuisses et Bobby se retrouva assise par terre. Une expression de surprise se peignit sur son visage, et Teppis se mit à rire.

— N'ayez pas peur, mon petit, dit-il.

Et son regard se fixa sur les lèvres de Bobby pareilles à toutes les lèvres souriantes qu'il avait regardées ainsi, prêtes à se faire dociles à sa puissance — et, d'une petite voix trouble, il se mit à murmurer :

— C'est ça... Tu es une bonne petite fille, une bonne petite...

Tu es un ange... Tu me plais, tu es ma chérie, ma petite chérie...

Moins de deux minutes plus tard, Teppis reconduisit gentiment Bobby jusqu'à la porte par où elle était arrivée.

— Je vous appellerai quand je voudrai vous revoir, mon petit, dit-il.

Resté seul dans son bureau, il alluma un cigare et pressa le bouton de l'interphone.

— A quelle heure la réunion du conseil ? demanda-t-il.

— Dans une demi-heure, monsieur.

— Dites à Nevins que je désire voir ses bouts d'essais avant la réunion. Je vais descendre.

— Bien, monsieur.

Teppis écrasa son cigare dans le cendrier.

— Il y a un monstre dans le cœur de tout être humain, dit-il tout haut dans la pièce vide.

Et, se parlant à lui-même comme une vieille femme amère, proche des larmes, il ajouta dans un murmure :

— Ils le méritent, ils méritent tout ce qui leur arrive...

CINQUIÈME PARTIE

XXI

POUR LE RESTE DE mon séjour à Désert d'Or, je renonçai à la maison que j'occupais depuis plusieurs mois et louai une chambre meublée, à la semaine, dans l'un des rares immeubles bon marché de l'endroit. Puis je pris un emploi. Comme si j'eusse voulu donner raison à la prophétie de Collie Munshin, je devins plongeur dans un restaurant élégant où j'avais souvent dîné avec Lulu. Mon salaire était de cinquante-cinq dollars par semaine.

J'aurais pu trouver d'autres emplois. J'aurais pu devenir ouvreur de portières, comme Munshin l'avait également suggéré, ou gardien de voitures, ou employé d'hôtel, mais je choisis de laver la vaisselle et de passer huit heures par jour dans la vapeur, la graisse et l'eau chaude comme dans une sorte de bain turc pour clochards. Mon travail terminé, je mangeais dans un *drugstore*, le moins cher que j'eusse pu dénicher, ce qui ne signifiait pas grand-chose — car il eût été plus facile de trouver un yacht qu'un restaurant bon marché, dans cette partie du désert. Celui où je travaillais ne nourrissait pas son personnel, bien que je me fusse mis bien — suivant la dernière des prédictions de Munshin — avec une serveuse qui me glissait de temps à autre une salade ou une pêche Melba que j'avalais à la sauvette, me retenant avec peine de goûter aux plats qui défilaient sous mes yeux tandis que m'obsédait la question classique que se posaient tous les gens de ma nouvelle condition : pourquoi ces cochons mangent-ils tant ?

J'avais comme collègue un plongeur d'une cinquantaine d'années qui ne me dit pas cent mots durant toute la période où nous travaillâmes ensemble. Il travaillait pour boire, et buvait pour se tuer. Comme tous les ivrognes, il semblait increvable, malgré des gueules de bois épouvantables, qui lui donnaient la nausée pendant la moitié de la journée. Il passait l'autre moitié à grignoter des restes, un morceau de viande par-ci, quelques haricots par-là, pareil à un moineau picorant du crottin, en attendant fébrilement l'averse du soir qui lui permettrait d'assouvir sa soif, plus impérieuse que sa faim. Quand je le regardais faire, j'en venais à l'envier comme je n'avais envié encore personne à Désert d'Or. Son travail était beaucoup plus agréable que le mien, non point en raison des avantages en nature qu'il lui procurait, mais parce qu'il n'avait pas continuellement, comme moi, les mains dans l'eau bouillante. Je redécouvrais cet état d'esprit où l'on ne souffre pas plus de ne pas avoir une Cadillac que le simple soldat ne souffre de ne pas être général, mais où l'on envie le voisin d'avoir le genre de corvée qui lui épargne l'inspection du matin.

En somme, je me retrouvais un peu à l'orphelinat. C'était comme si je ne l'eusse jamais quitté. Après mon travail, après mon frugal et coûteux repas au *drugstore,* je regagnais ma chambre meublée, je prenais un bain — le luxe du pauvre — et m'allongeais nu sur mon lit pour lire le journal, jusqu'à ce que vînt le sommeil. Je passai ainsi trois ou quatre semaines, faisant des calculs inutiles, étudiant mon budget, décidant par exemple que je pourrais réduire mes dépenses à trente-quatre dollars par semaine, ce qui signifiait que j'arriverais *grosso modo* à économiser à peine cinquante dollars par mois, soit six cents dollars en un an. Bref, j'aurais regagné en six ans et huit mois ce que j'avais perdu en douze jours avec Lulu — et cette pensée me procurait une sorte de délectation morose.

Telle était mon existence. J'avais toujours près de trois mille dollars à la banque et j'aurais pu ne pas travailler, mais, Lulu partie, qu'eussé-je pu faire d'autre, sinon mon apprentissage d'écrivain ? Or cette ambitieuse perspective m'effrayait tellement que j'eusse plutôt pris l'avion pour l'Equateur, et que je préférais encore laisser passer les jours et les semaines dans l'arrière-salle de mon restaurant, en manière de mortification. Le romantisme étant la plus tenace de toutes les mauvaises herbes qui poussent dans un orphelinat, je n'arrivais pas à me délivrer de l'idée qu'un jour Lulu y apparaîtrait, m'y verrait en tablier de plongeur, fondrait en larmes et m'aimerait comme elle ne m'avait jamais aimé...

Mais cela ne pouvait durer éternellement. Les potins des journaux se mirent à battre en brèche mes contes de fées, et je goûtai le plaisir masochiste de me forcer à lire, chaque soir, les informations concernant la vie à Hollywood. On y commentait beaucoup le mariage de Lulu. Les journalistes en parlaient comme du « grand roman d'amour de l'année ». Les magazines qui, un peu plus tôt, avaient publié des articles intitulés « *Teddy Pope et moi, par Lulu Meyers* », s'étaient mis à parler avec autant d'enthousiasme de Tony et Lulu Tanner. Je ne savais pas au juste la part de vérité qui entrait dans tout cela, car j'avais cessé de voir Eitel, Faye, Dorothea ou qui que ce fût. Je croyais donc tout ce que je lisais, et, à ma propre surprise, cela me guérit de mes rêveries. Je commençai même à envisager de renoncer à mon travail et de me mettre à écrire. En fin de compte, un soir, j'allai voir Eitel.

Je croyais que, de ce côté, rien n'aurait changé. Comme il ne m'était rien arrivé, à moi, je n'imaginais pas que quelque chose eût pu arriver aux autres. Quand je pensais à Eitel et à Elena, je les voyais dînant tranquillement dans le restaurant où je travaillais, j'imaginais Dorothea et Pelley en ribote ou Marion combinant un rendez-vous. En fait, il s'était passé pas mal de choses que j'ignorais...

Le soir où j'allai voir Eitel, il se préparait à quitter Désert d'Or pour Hollywood. Il me dit qu'il avait rompu avec Elena, laquelle vivait à présent avec Marion Faye. Nous passâmes des heures à boire, durant lesquelles il me raconta toute l'histoire, qui me consterna.

Tout était sa faute, me dit-il. Après la soirée chez Dorothea, il avait bien dû réfléchir à la proposition de Crane, qui appelait une prompte décision. Une seule alternative lui était offerte : ou bien il resterait à Désert d'Or et continuerait en secret à faire le « nègre » pour Munshin — ou bien il ferait le nécessaire pour rentrer à Hollywood. Mais y retourner avec

Elena ne semblait pas possible : elle n'y serait pas une compagne présentable. Il se sentait prisonnier d'un cercle vicieux et, après la nuit où il avait pleuré dans les bras d'Elena, il se mit à se méfier de la tendresse qu'il éprouvait pour elle.

Le matin où, au téléphone, il entendit la voix de Don Beda, il comprit combien il avait été sage en oubliant la conversation qu'ils avaient eu chez Dorothea. Mais Beda, lui, ne l'avait pas oubliée...

— Alors, mon vieux, quelles nouvelles ? Voulez-vous venir à la maison avec Elena, ce soir, *sans façons* (1) ?

— Qui sera là ? demanda Eitel.

— J'ai dit : *sans façons*... Zenlia m'assomme à me parler des charmes d'Elena...

Eitel se sentit mal à l'aise.

— Je vous rappellerai, dit-il. Il faut que j'en parle à Elena.

La réaction de celle-ci l'étonna. Il s'était attendu à ce qu'elle refusât l'invitation de Beda — au lieu de quoi elle se mit à se trémousser.

— Qu'est-ce qui se passera ? demanda-t-elle. Qu'est-ce qu'on fera ?

— Personne ne t'obligera à faire quoi que ce soit...

— Ça me fait un drôle d'effet, Charley...

— A moi aussi...

Il haussa les épaules d'un air désinvolte.

— N'y allons pas, dit-il — tout en sentant qu'il serait déçu si elle était de son avis.

Elena le regarda d'un air pensif.

— Tu trouves sa femme attirante ?

— Ma foi, elle est très bien, dit Eitel, mais je ne peux pas dire que ce soit mon type...

— Menteur ! dit Elena... Lui est très séduisant, mais moins qu'elle...

— Si on veut.

— Ne te fâche pas... Si tu as envie d'y aller, nous irons. Mais à mon avis, c'est une folie.

Eitel rappela Beda — et passa le reste de la journée dans un curieux état d'excitation. Il se rappelait la première fille qu'il avait embrassée, à treize ou quatorze ans, et la journée

(1) En français dans le texte. (N. du T.)

qu'il avait passée le lendemain dans l'attente du rendez-vous dont il lui avait arraché la promesse... Il retrouvait la même impatience confuse et se sentait à nouveau pareil à un jeune homme. Elena, elle, était silencieuse. Lorsqu'ils montèrent en voiture pour se rendre chez Beda, elle posa sa main sur son bras et lui dit :

— Charley, nous faisons peut-être une sottise.

— Un peu tard pour y penser, grogna-t-il.

— Tu as envie d'y aller, n'est-ce pas ?

— Je m'en fiche. Si tu veux, je peux encore téléphoner pour nous excuser.

Elle avait l'air malheureux.

— Je ne suis pas bégueule, dit-elle. Ce n'est pas ça. Ce qui me gêne, c'est que cela ait été arrangé d'avance...

— Tu m'as dit qu'il t'était arrivé de faire des choses de ce genre pour te donner de l'importance aux yeux de ton psychanalyste. Ça aussi, c'était « arrangé d'avance », non ?

— J'étais encore une gamine, en ce temps-là... D'ailleurs ça ne m'a jamais vraiment donné du plaisir. Il n'y a qu'avec toi...

Elle l'embrassa sur la joue.

— Charley, promets-moi que ce qui se passera ce soir ne changera rien entre nous ?

— Nous ne savons même pas s'il se passera quelque chose, dit Eitel, en poussant sur le démarreur.

La soirée chez Don Beda commença de la manière la plus banale. Pendant plusieurs heures, on se contenta de boire sans entrain. Zenlia était morose. Elle fumait avec un long fume-cigarette et souriait avec une complaisance distante aux bons mots d'Eitel ou de Beda.

Mais l'alcool finit par animer Elena. Beda ne lui ménageait pas les compliments, et elle commença à se montrer plus sûre d'elle, à faire de petites réflexions dont Eitel dut reconnaître la saveur. Ses yeux verts brillaient, ses lèvres étaient humides et sa robe sombre faisait ressortir l'éclat de sa peau. Eitel essayait d'attirer l'attention de Zenlia, mais elle ne semblait pas prendre garde à sa présence ; seule Elena paraissait l'intéresser.

— Vous me rappelez une de mes cousines que j'aime beaucoup, lui dit-elle.

— Vraiment ? dit prudemment Elena.

— Oui, vous avez la même grâce...

— Jusqu'ici, je me croyais plutôt en disgrâce, dit Elena en imitant plaisamment l'accent britannique de Zenlia.

Tout le monde éclata de rire, et l'atmosphère s'en trouva modifiée. Beda dansa avec sa femme, puis avec Elena, et offrit des cigarettes de marijuana.

— Goût mexicain, premier choix, annonça-t-il.

Eitel, seul, refusa de fumer. Un peu plus tard, Beda mit un point final aux préliminaires en disant :

— J'ai l'impression qu'on se sent en meilleure forme, à présent, grâce à Dieu...

Eitel, quoi qu'il fît pour s'en défendre, éprouvait une espèce d'affolement.

Les choses commencèrent bientôt à se passer en dehors de lui. Il renonça à suivre le mouvement et resta seul dans son coin, fumant, buvant, essayant de freiner les battements de son cœur.

Cela lui parut durer d'interminables heures.

Finalement, Elena parut s'aviser de sa présence et, laissant les deux autres, lui demanda d'un air embarrassé :

— Tu veux rentrer ?

— Quand tu voudras...

— Eh bien ! rentrons.

Ils quittèrent les deux autres comme s'ils avaient passé la soirée à jouer au bridge— mais, en montant dans sa voiture, Eitel entendit un éclat de rire s'élever dans la maison.

Le retour fut silencieux. A un moment, Elena posa une main timide sur la cuisse d'Eitel, mais il ne parut pas s'en aviser. Lorsqu'ils se mirent au lit, il resta un long moment immobile, les yeux au plafond. Elena remuait sans arrêt. Une ou deux fois, elle le regarda et il sentit qu'elle hésitait à parler. Lorsqu'elle fit mine de lui prendre la main, il frissonna des pieds à la tête.

— Ne me touche pas, dit-il dans l'obscurité.

— Charley...

— J'essaye de dormir.

— C'est toi qui as voulu y aller, dit-elle avec malaise.

276

Il s'entendit murmurer :

— Je ne savais pas quelle sale petite putain tu étais...

— Charley, je t'aime.

— Tu m'aimes ? Tu aimes n'importe quoi, dit-il. Un gorille, une hyène, un veau à cinq pattes...

Il ne pouvait plus se taire, ni s'empêcher de trembler.

— Tu m'aimes, oui, bien sûr, pourvu que tu puisses coucher avec le premier chien qui passe...

— Charley, ce n'est pas la même chose, dit-elle d'une petite voix, en commençant à pleurer.. Je ne les aime pas, eux... Ne m'en veuille pas. Je t'aime. Tu es mon seul amour...

— L'amour, c'est du vent...

Ce qu'il ne pouvait supporter, c'était la pensée qu'elle ne l'aimât pas complètement, sans s'intéresser à quoi que ce fût d'autre au monde.

— Tu es cruel...

— Cruel ? s'écria-t-il. Tu dois m'avoir donné des leçons !

Elena s'assit dans le lit, le visage dur. Elle lui parut soudain très belle et un peu effrayante.

— C'est bien, dit-elle. Puisque tu le prends ainsi, écoute-moi... C'est toi qui as arrangé cette soirée, et à présent tu me traînes dans la boue. Si les choses avaient mieux tourné pour *toi*, tu n'aurais pas assez de mots pour me complimenter...

Il était accablé, épuisé. Comment demander à un vaincu d'avoir l'attitude d'un vainqueur ? Il se tourna vers Elena et lui dit froidement :

— Est-il vraiment indispensable que tu sois, en plus, aussi stupide ?

Elena fondit en larmes. Il l'entendit se glisser hors du lit, gagner la salle de bains, s'y enfermer, allumer la lumière — et il resta seul, dans le noir, avec sa rage, sa rancœur froide, le corps couvert d'une sueur glacée. « Je ne la toucherai plus jamais », se jura-t-il, tout en sachant qu'il serait incapable de la laisser pleurer dans la salle de bains, face à face avec son image dans le miroir. « C'est ma faute », se dit-il.

Il se leva à son tour et rejoignit Elena. Il la prit dans ses bras, tremblante et glacée, et, tandis qu'il essayait d'apaiser ses sanglots, il sentit sa propre colère se fondre dans la tendresse qu'il avait envie de lui offrir, sans pouvoir lui dire autre chose que :

— Là, là, mon petit, c'est fini maintenant...

Elena semblait à peine se rendre compte de sa présence.

— Charley, pardonne-moi, dit-elle enfin... Je croyais que tu ne me parlerais plus jamais... Oh ! Charley, pardonne-moi ! Je jure qu'il n'arrivera plus jamais rien... Jusqu'à ma mort...

Elle balbutiait, elle était proche de la crise de nerfs, elle se serrait contre lui comme un enfant perdu.

— C'est parce que... sanglota-t-elle... Oh ! Charley, si j'ai fait cela... c'est parce que je sentais que je leur plaisais.

Eitel la força à se recoucher, et elle s'endormit dans ses bras, en répétant encore, dans l'obscurité :

— Je leur plaisais... C'est pour cela...

Il se sentait presque heureux, à présent. Il avait découvert combien il tenait à elle. Et pourtant, il savait qu'en l'injuriant à l'instant même où elle avait vu le plus clair en lui, il lui avait refusé sa dernière chance de s'élever jusqu'à lui — en sorte que, tout en la serrant contre lui comme un enfant désobéissant mais pardonné, il s'endormit avec, au cœur, un sentiment de profonde tristesse.

Durant toute la journée du lendemain, Eitel se sentit moulu, comme s'il eût été roué de coups de bâton. C'était seulement après des crises et des disputes de ce genre qu'il avait conscience d'éprouver pour Elena l'amour qu'il souhaitait. Pourtant, une certaine surprise se mêlait à ses sentiments : était-il si facile d'oublier ?

Il en fit l'expérience. Tout alla bien jusqu'au moment où ils voulurent à nouveau faire l'amour. Alors Elena lui parut lointaine, et les choses n'allèrent pas mieux en ce qui le concernait, lui. Il éprouvait une espèce de haine à l'endroit d'Elena. Comment eût-il oublié son comportement avec les autres ? Cette pensée transformait, aux yeux d'Eitel, chaque expression de son visage, lui faisait évoquer un passé plus lointain et imaginer, par delà Don Beda, la légion sans nombre des amants auxquels elle s'était probablement livrée de la même manière. En sorte que, finalement, oubliant qu'il était celui qui lui avait tout donné et qui comptait le plus, il se sentit une quantité négligeable. Jamais il n'avait éprouvé une telle humiliation.

. Elena, bien sûr, s'en rendait compte. Elle était tendue, mal à l'aise, et ses tentatives pour le lui dissimuler blessaient Eitel, en lui rappelant ses propres paroles : « L'amour, c'est du vent... » Ce n'était plus seulement elle qu'il haïssait ni lui-même, mais la vie elle-même. Le plus odieux, c'était que, bien qu'ils se fussent pardonné et manifesté de la tendresse, il n'y eût pas entre eux d'amour véritable. Si Eitel se couchait près d'Elena et la caressait, c'était surtout pour éviter toute scène éventuelle. Pendant une semaine, presque chaque nuit, Elena l'y encouragea — après quoi elle se repliait sur elle-même, pensant — il le savait — à tout ce qu'il lui avait dit lors de la fameuse nuit. Il y avait tout de même un progrès : au début de leur liaison, elle n'eût pas « tenu » ainsi plus d'une journée...

Dans le même temps, Eitel acheva son scénario. Jusqu'au dernier moment, il avait redouté de voir venir le moment où il lui faudrait ramener « Freddie » au séminaire. Il s'en tira finalement à grands renforts de chœurs angéliques... Bien sûr, .l n'avait pas la naïveté de croire que cela rappelât, même de loin. l'histoire primitive qu'il avait imaginée. Il se rendait parfaitement compte de ce qu'il y avait, dans son nouveau scénario, de clinquant, de convenu, de calculé — mais c'était justement là le problème : tout cela était si astucieusement présenté qu'il ne fallait pas que l'épilogue semblât trop artificiel. Ce genre de scénario commercial devait attester une sorte de fausse sincérité, et c'était ce qui effrayait un peu Eitel. Mais tout se passa très bien, et l'aisance avec laquelle il arrivait à écrire des choses auxquelles il ne croyait pas lui donna une espèce de sentiment de puissance.

C'est au point que son scénario lui parut finalement beaucoup trop réussi pour qu'il s'en tînt aux termes de son accord primitif avec Munshin. Tout en travaillant pour Collie, il se rappela le député Crane et entreprit de se convaincre lui-même. N'était-il pas stupide, pour un homme qui depuis dix ans se moquait de la politique, de jouer les entêtés ? Les noms qu'on lui demandait de livrer, même si cette perspective le hérissait, étaient des noms d'hommes qui ne s'étaient pas privés, eux, de le charger. Durant ces derniers mois, quand bien même il n'eût rien appris d'autre, il avait du moins appris qu'il n'était pas un artiste — et qu'est-ce qu'un homme d'affaires sans affaires, un commerçant sans commerce ?...

Eitel écrivit donc à Crane une lettre prudente pour lui dire qu'il serait bientôt prêt à rencontrer ses désirs — et, lorsque Munshin lui téléphona, il lui dit au contraire que plusieurs semaines lui seraient encore nécessaires pour terminer son scénario.

— Pourquoi ce retard ? demanda Munshin.

— Ne vous bilez pas, dit Eitel avec aisance. Ce film vous rapportera une fortune.

Il passa même une journée à Hollywood, pour consulter son avocat et discuter avec son homme d'affaires.

Avec Elena, les choses se terminèrent plus simplement qu'il ne s'y attendait. Comme elle l'annonçait depuis longtemps, un matin, elle se fit couper les cheveux — et tout vint de là. Lorsqu'elle rentra à la maison, Eitel la considéra d'un œil morne. Il lui trouvait un air de lapin tondu. Pour lui, elle n'était plus rien d'autre qu'une femme de ménage. En même temps, et tandis qu'elle vaquait aux soins du ménage, il sentit qu'elle-même n'espérait plus rien.

La veille au soir, Eitel avait reçu un télégramme de Crane. La Commission d'enquête se réunirait quinze jours plus tard, et Crane comptait sur lui. Il le dit à Elena.

— Cela veut dire que tu vas pouvoir recommencer à faire des films ? dit-elle.

— Je pense, oui.

Elle hésita un peu avant de poser la seule question qui l'obsédait :

— Quand pars-tu ?

— Dans une quinzaine, sans doute, dit Eitel.

Ils n'en dirent pas plus.

Au déjeuner, lorsqu'il la rejoignit à table. Eitel lui toucha l'épaule et dit :

— Tu sais, j'aime beaucoup ces cheveux courts...

— Ne mens pas. Tu les détestes.

— Mais non.

Elena ne put retenir les larmes qui se mirent à couler sur

ses joues. Eitel s'assit en face d'elle et la regarda tristement. Il éprouvait une espèce de douce mélancolie à l'idée qu'ils n'avaient pas réussi à trouver ensemble le bonheur. Cet état d'esprit lui était familier. Il l'éprouvait toujours à la fin d'une aventure et si, par la suite, il en avait un peu honte, pour l'instant il éprouvait un sentiment encourageant que cela l'aiderait à en finir sans plus attendre.

— Elena, dit-il, je voudrais te parler...

— Tu veux que je m'en aille, dit Elena. Je le sais. C'est entendu, je partirai.

— Ce n'est pas exactement cela...

— Mais si, tu en as assez. C'est fini. Pour moi aussi, peut-être...

— Ecoute...

— Je savais que cela finirait ainsi.

— C'est ma faute, s'empressa de dire Eitel. Je gâche toujours tout.

— Peu importe de qui c'est la faute, dit-elle en commençant à pleurer. Tu es... tu es terrible !

— Allons, allons, mon petit...

Il essaya de lui caresser l'épaule, mais elle repoussa sa main.

— Je te hais, dit-elle.

— Comment te le reprocher ?

— Je te hais vraiment. Tu es... ignoble.

— D'accord, dit Eitel. Je suis ignoble.

— Je vais partir, faire mes valises. Merci pour le bon temps que tu m'as donné.

Eitel eut pitié d'elle : elle maniait si maladroitement le sarcasme !

— Pourquoi ne serait-ce pas *moi* qui m'en irais ? demanda-t-il. Tu pourrais rester ici pendant quelque temps. Tu es chez toi autant que moi-même.

— Non, je ne suis pas chez moi, ici. Je ne l'ai jamais été.

— Ne dis pas cela.

— Oh ! tais-toi ! dit-elle.

— Elena, nous pouvons toujours nous marier, dit Eitel avec plus de sincérité qu'il ne l'eût pensé.

Elle ne répondit pas, mais quitta la pièce. Eitel l'entendit manipuler ses affaires avec des sanglots qu'elle n'arrivait pas à maîtriser. De toute manière, c'était fini. Il n'avait plus qu'à attendre qu'elle s'en allât...

Mais ce fut moins simple qu'il ne le pensait. Le bruit de ses sanglots gênait Eitel. Que faisait-elle encore, dans la chambre à coucher ? Il se dit qu'il n'y en avait plus que pour cinq minutes, puis cinq minutes encore, et encore cinq minutes... Il n'était pas question de faiblir ; Eitel songeait à toutes les histoires qui se prolongeaient plus qu'il n'eût fallu parce qu'on avait passé trop de temps à boucler une valise... Il pensa à aller faire un tour, mais non, ce n'était pas possible : il fallait qu'il appelât un taxi, mît Elena dedans et lui dît adieu en agitant la main, avec le sourire penaud de l'homme qui regrette de s'être mal conduit... Et, soudain, il se dit que c'était ainsi que Collie Munshin avait dû lui dire adieu, lorsqu'il l'avait laissée à Désert d'Or. Cette pensée le troubla. Elena ne méritait pas cela...

Il l'entendit téléphoner pour appeler un taxi. Il l'entendit fermer ses deux valises, qui contenaient tout ce qu'elle possédât au monde. Lorsqu'elle sortit de la chambre, Eitel était prêt à capituler. Il eût suffi qu'Elena fît un geste, un pas vers lui, qu'elle le regardât, seulement — et peut-être tout eût été changé. Il eût pu aller jusqu'à lui proposer de l'accompagner à Hollywood...

— Je pensais qu'il t'intéresserait peut-être de savoir où je vais, dit-elle.

— Où ?

— Chez Marion.

L'animosité d'Eitel se réveilla.

— C'est vraiment indispensable ?

— Qu'est-ce que ça peut te faire ?

Il lui en voulut d'user de ce pauvre moyen pour le forcer à la retenir.

— Mettons que je sois curieux, dit-il, la gorge serrée... Quand as-tu combiné cela ?

— Hier. Je lui ai téléphoné. C'est ensuite que j'ai décidé de me faire couper les cheveux de cette manière que tu n'aimes pas. Cela t'étonne ? Tu croyais peut-être avoir à me jeter dehors ?

Elle s'éclaircit la gorge et reprit :

— Je vais peut-être devenir une putain. Que cela ne te

tracasse pas. Je n'essaie pas de te donner des remords. D'ailleurs, tu me considères *déjà* comme une putain, alors, quelle différence ?

Eitel comprit qu'elle ne pleurerait plus.

— En fait, dit-elle, tu m'as toujours considérée comme une putain. Mais tu ne sais pas comment, moi, je te considère... Tu crois que je ne peux pas vivre sans toi ? J'ai peut-être trouvé mieux à faire...

Ils entendirent le taxi s'arrêter devant la maison. Eitel fit mine de se lever, mais Elena saisit ses valises et, telle une actrice faisant une sortie, elle se retourna une dernière fois vers lui.

— Pour une fois, au moins, j'aurai eu le dernier mot, dit-elle.

Et elle sortit.

Eitel resta immobile jusqu'à ce qu'il eût entendu le taxi s'éloigner, puis il se rassit et commença à attendre. Elle allait l'appeler au téléphone, c'était évident. Mais une heure s'écoula, puis l'après-midi et une bonne partie de la soirée. Eitel était toujours assis à la même place. Il buvait, trop las même pour aller chercher de la glace. Quand la nuit tomba, il se demandait toujours s'il était soulagé d'avoir retrouvé sa liberté, ou s'il était plus malheureux qu'il ne l'avait jamais été.

XXII

QUAND EITEL EUT
fini de me raconter tout cela, nous restâmes un long moment
silencieux, dans le living-room encombré de cartons à demi
remplis et de valises.

— Voulez-vous que je vous aide à tout emballer ? lui
. demandai-je enfin.

Il hocha la tête.

— Non. Figurez-vous que cela m'amuse. C'est la dernière
occasion que j'aurai d'être seul avant un bon bout de temps.

Je devinai sa pensée.

— Tout est arrangé en vue de votre comparution ?

Eitel haussa les épaules.

— Il vaut mieux que vous le sachiez, dit-il. Les journaux
en parleront bien assez tôt.

— Que diront-ils ?

Sans répondre directement à ma question, il reprit :

— Voyez-vous, une fois Elena partie, je n'aurais pu rester
ici, du moins pendant les premiers jours... Le lendemain, je
suis donc allé à Hollywood. J'y ai vu mon avocat. Je vous
fais grâce des détails... J'ai dû m'entretenir avec une douzaine
de gens. Tout cela est extraordinairement compliqué.

— Vous avez obtenu que votre comparution ait lieu
secrètement ?

— Non, dit Eitel en regardant ailleurs. C'eût été trop
simple. Ces gens sont des artistes dans leur genre. Si vous
vous dites prêt à témoigner à huis clos, ils en déduisent que
vous l'êtes également à parler en public. Vous comprenez ?
(Il sourit d'un air pensif.) Oh ! je leur ai donné du souci...

Lorsqu'ils m'ont annoncé que la séance serait publique, je les ai plantés là, et je suis retourné chez mon avocat. J'étais furieux, hors de moi — mais je savais que je finirais par accéder à leur caprice.

Il but une gorgée d'alcool, lentement.

— Si j'avais eu au moins une raison de revenir à Désert d'Or... oui, dans ce cas, peut-être... Je ne sais pas. Je ne cherche pas d'excuses. Mais le fait est que je n'avais plus rien. Il ne me restait qu'à reconnaître leur force : ils vous arracheraient un empire mètre par mètre... Lorsque nous fûmes d'accord sur la question de la séance publique, se posa celle des noms. Ah ! les noms ! Vous n'imaginez pas combien il peut y avoir de noms ! Bien sûr, je n'ai jamais appartenu au parti politique en question, et il n'était donc pas question de faire de moi un candidat au titre de « Mouchard de l'année ». Mais ils n'en savaient pas moins comment tirer parti de moi. J'ai eu plusieurs entretiens avec deux enquêteurs que Crane utilise pour ses recherches. Ils en savaient beaucoup plus long sur moi que moi sur eux... Je ne m'étais jamais rendu compte du nombre de papiers sur lesquels un homme, en dix ans, peut apposer sa signature... Ils me demandèrent qui m'avait invité à signer je ne sais quelle pétition contre l'exploitation de la main-d'œuvre enfantine dans les mines de sel de l'Alabama, et mille choses de ce genre, touchant cent, deux cents, quatre cents signatures. Cela se ramenait le plus souvent à quelques mots que j'avais échangés, au cours d'un cocktail, avec quelque littérateur idiot qui se prenait pour un libéral « musclé » et qui m'avait donné un papier à signer... Pendant un moment, tout cela me troubla un peu. Il y avait certaines personnes qu'on souhaitait me voir accuser, et certaines autres auxquelles on ne s'intéressait absolument pas — par exemple deux ou trois vedettes que je connaissais bien, à la *Supreme* ou à la *Magnum*. Les choses commencèrent à se clarifier quand je compris le genre d'accords existant entre la Commission d'enquête et les studios. Ils me soumirent une liste de cinquante noms, parmi lesquels ceux de sept personnes que j'aurais juré n'avoir jamais rencontrées — mais il paraît que je me trompais. Il est vrai que j'avais assisté à tant de cocktails, et mes deux anges gardiens avaient l'air tellement bien informés ! « Vous étiez ensemble tel jour, à telle heure, chez Untel », m'assuraient-ils, et finalement j'en arrivais à me rappeler les termes de la conversation que nous avions eue sur tel ou tel problème politique... Vers la fin, mes deux bonshommes devinrent même cordiaux. L'un d'eux prit la peine de me dire qu'il avait aimé un film que j'avais fait, et nous allâmes jusqu'à parier sur le résultat d'un match de boxe. Je finis par avoir l'impression que j'avais autant de sympathie pour eux que pour certaines personnes que j'allais mettre en accusation. Au reste, la moitié des noms figurant sur la liste dont je vous parlais étaient ceux de gens parfaitement antipathiques...

Eitel sourit d'un air maussade.

— Cet interrogatoire dura deux jours, puis je revis Crane. Il était très content, mais il m'apparut qu'il avait encore autre chose à me demander. Je n'en avais pas fait assez.

— Pas fait assez ?...

— Non. Crane convoqua mon avocat, et ils m'assurèrent qu'il me fallait signer une déclaration à l'intention des journaux, qui la publieraient après ma comparution. Crane l'avait rédigée pour moi. Bien entendu, j'étais libre de la tourner autrement, mais, de son point de vue, son texte convenait tout à fait... Voulez-vous le lire ? Il paraîtra dans la presse la semaine prochaine...

— Volontiers, dis-je.

Voici ce texte :

« Il m'a fallu un an pour reconnaître l'utilité et la mission patriotique de la Commission d'enquête. Aujourd'hui, c'est en dehors de toute contrainte que je lui apporte mon témoigagne, et je suis fier de contribuer ainsi, pour ma modeste part, à la défense de ce pays contre la subversion et les menées de l'étranger. Convaincu de la valeur de l'héritage démocratique que nous partageons, je dirai seulement qu'il est du devoir de tout citoyen d'aider la Commission dans son œuvre, en lui fournissant tous les renseignements dont il pourrait disposer. »

— C'est fortement pensé, dis-je...

Mais Eitel pensait déjà à autre chose.

— Il faut reconnaître que Crane tient ses promesses, dit-il. Il a téléphoné devant moi à plusieurs studios, pour parler en ma faveur. Cela m'a même un peu ahuri. Je dois être trop compliqué. Je n'aurais jamais pensé qu'il donnerait ces coups de téléphone *devant moi*...

La migraine commençait à me gagner. Je demandai :

— Et votre scénario ?

— Ça, c'est le côté comique de l'histoire, Sergius... Savez-vous quand j'ai commencé à me sentir honteux ? C'est quand l'idée m'est venue de rouler Collie Munshin. Je me suis dit qu'il me fallait d'abord lui parler. Lorsque je lui ai dit mon intention de placer ce scénario sous mon nom, il ne s'est même pas mis en colère. Je crois qu'il l'avait prévu. Il m'a simplement dit qu'il était heureux de mon retour et m'a proposé de m'installer chez lui. Voyez-vous, j'ai compris que Collie avait de l'amitié pour moi, et cela m'a beaucoup touché ! Nous avons mis au point un nouveau contrat, aux termes duquel nous partagerons les bénéfices s'il obtient de Teppis que je dirige le film. Tout doit être arrangé demain, à mon retour à Hollywood.

Incapable d'en écouter davantage, je demandai brusquement à Eitel :

— Oui... mais quel effet tout cela vous fait-il ?

— A moi ? Oh ! rien de bien extraordinaire... Le premier moment passé, j'ai compris qu'ils m'avaient eu, et que, si je n'étais pas prêt à avaler un tube de véronal, il ne me restait qu'à me laisser glisser, sans essayer de résister. Pour la première fois de ma vie, j'avais le sentiment d'être la pire putain qui fût au monde, prêt à accepter toutes les injures, tous les coups et toutes les gentillesses possibles avec gratitude, en me disant chaque fois que ç'aurait pu être encore bien pire... A présent, je n'éprouve plus rien que de la fatigue et un certain plaisir à être seul, car, croyez-moi, Sergius, ç'a été un boulot *dégueulasse*...

Il alluma une cigarette, mais la garda à la main.

— Après cela, dit-il, on ne croit plus qu'à une seule forme de dignité : celle qui consiste à pouvoir se dire qu'on est parfaitement ignoble...

Il aspira une bouffée de fumée et ajouta :

— A propos... Je me suis dit que j'avais été un peu présomptueux en vous conseillant de refuser l'offre de la *Supreme*...

— Je ne regrette rien, dis-je, sans en être tellement convaincu.

— Vous êtes sûr ?... Sergius, l'idée m'est venue de vous offrir de devenir mon assistant.

La colère m'envahit brusquement.

— C'est eux qui vous l'ont suggéré ? demandai-je. Ils pensent toujours à faire ce film sur moi ?

Eitel eut l'air blessé.

— Vous allez un peu loin, dit-il.

— Peut-être, mais, si je n'étais pas venu vous voir ce soir, auriez-vous pensé à me faire cette proposition ?

— Non, dit Eitel. J'avoue que je viens seulement d'y songer. Mais quelle importance ? Vous ne pouvez pas passer le reste de votre vie à nettoyer des assiettes...

Pendant une minute, je me sentis tenté. Mais je me vis au studio, y rencontrant Lulu, et j'imaginai la façon dont elle s'adresserait à l'assistant d'Eitel...

— Laissez tomber, dis-je en regardant ma montre.

Et, me levant, j'ajoutai brusquement :

— Désirez-vous que je veille un peu sur Elena ?

Eitel eut l'air soudain perdu au milieu de ses valises.

— Sur Elena ? dit-il... Je ne sais pas. Faites comme vous voudrez...

— Avez-vous de ses nouvelles ?

Il fut sur le point de dire non, mais se ravisa.

— Elle m'a écrit à Hollywood. Une longue lettre...

— Vous comptez lui répondre ?

— Non. Je ne saurais trop quoi lui dire...

Il me reconduisit jusqu'à la porte et, comme je m'éloignais, me rappela.

— Je vous enverrai sa lettre, dit-il. Je ne veux pas la garder, et je ne veux pas la détruire.

— Voulez-vous que je vous écrive lorsque je l'aurai lue ?

— Je ne crois pas, dit-il lentement... Il me semble que, si je l'écoutais, je regretterais beaucoup Elena...

— Eh bien, adieu.

Il m'adressa son plus charmant sourire.

— Je vous en prie, Sergius, pardonnez-moi de vous avoir fait cette proposition...

— Je suis sûr que vous ne pensiez pas à mal, dis-je.

Il fut sur le point d'ajouter quelque chose, parut hésiter et dit enfin :

— Vous savez, je ne voudrais pas vous alarmer, mais ces enquêteurs m'ont posé un tas de questions sur vous.

Je fus moins surpris que je n'aurais dû l'être.

— Et que leur avez-vous dit ? demandai-je d'une petite voix.

— Rien. Je leur ai donné quelques détails touchant votre vie, en me demandant si cela ne paraîtrait pas suspect, mais je crois que j'ai réussi à les convaincre qu'il était superflu de vous embêter.

— Vous n'en n'êtes pas tellement sûr...

— Non, reconnut Eitel. Ils pourraient bien venir vous dire bonjour...

— Merci de m'avoir averti, dis-je froidement.

Il me regarda dans les yeux pour la première fois et, d'une voix basse, me dit simplement :

— Sergius, pourquoi êtes-vous si dur avec moi ? J'ai toujours été aussi franc que je l'ai pu avec vous.

J'acquiesçai. Malgré moi, j'avais toujours de l'amitié pour Eitel, et je ne mentis qu'à peine en lui disant, d'une voix qui tremblait un peu :

— Je suis désolé... Peut-être, aujourd'hui, avez-vous été un peu *trop* franc pour mon goût...

Un instant ses yeux s'éclairèrent, et sans chercher à savoir si j'étais cruel ou s'il était plus important d'être sincère, je me laissai aller à lui porter un dernier coup.

— Sans doute ai-je eu tort de vous croire plus grand que vous n'étiez, dis-je...

Il ne broncha pas.

— Oui, dit-il... A présent, vous êtes en âge de vous passer de héros...

Sur quoi il me donna une tape amicale sur l'épaule et rentra chez lui.

Je ne reçus pas tout de suite la lettre d'Elena.

Entre temps, j'entendis pas mal parler d'Eitel. Chaque soir, dans ma chambre meublée, je lisais son nom dans un journal. Durant la semaine qui suivit sa déposition devant la Commission d'enquête, les échotiers le présentèrent comme une manière de héros — puis ils l'oublièrent. Je lus pourtant encore un communiqué de la *Supreme Pictures* annonçant qu'elle avait acheté un scénario original intitulé *Saints et amants,* qui était l'œuvre commune de Charles Francis Eitel et de Carlyle Munshin. Le film qui en serait tiré serait dirigé par Eitel et produit par Munshin. A l'intention de ceux que cette collaboration eût pu surprendre, les échotiers expliquèrent ensuite que c'étaient Munshin et Teppis qui avaient convaincu Eitel qu'il était de son devoir de témoigner devant la Commission d'enquête. La chose eût été assez difficile à prouver, mais, en fait, elle n'eut jamais à l'être, car, je l'ai dit, les journaux cessèrent bientôt de s'intéresser à Eitel. Lui-même s'employait à préparer la distribution de son film.

Mais, auparavant, il m'avait envoyé la lettre d'Elena, que je lus non sans peine. Elle était d'une écriture inégale, pleine de ratures, de pâtés, avec, dans les marges, des notes ajoutées après coup, des parenthèses et des renvois, et, en la lisant, je me sentais très loin de la dernière conversation que j'avais eue avec Eitel.

XXIII

Cher Charley,

*Je te vois d'ici sourire quand tu liras cette lettre. Quelle
fille stupide, diras-tu, mais cela n'est pas nouveau, nous
savons tous les deux que je suis stupide et vulgaire et je me
rappelle que tu m'as dit un jour : « Elena, n'emploie pas ce
jargon de psychanalyste pour te donner l'air cultivé. » Mais
n'oublie pas que j'ai été cultivée d'une drôle de manière et
qu'il n'y a rien de pire qu'une catholique sans culture. Tu
n'imagines pas à quel point je suis encore effrayée à l'idée de
t'écrire, je connais ton esprit critique, et pourtant au collège,
que tu le croies ou non, c'est en anglais que j'avais les meilleures notes, je ne te l'ai jamais dit, mais il est vrai que tu ne
croyais jamais ce que je te disais. Ça me déplaît de t'écrire
ainsi parce que je sais que j'ai l'air de te courir après, mais ce
qui compte pour moi c'est que je sois capable de t'écrire.*

*Mais ce n'est pas ce que je voulais te dire. J'ai commencé
à t'écrire pour te remercier parce que tu as été très bon pour
moi à ta manière. Tu es beaucoup meilleur que tu ne le crois,
Charley, et quand je pense à toi ça me donnerait envie de
pleurer, enfin pas encore, car je t'en veux toujours, mais
j'espère que dans cinq ans ou dans je ne sais combien de
temps je serai vraiment capable de penser à toi avec reconnaissance, car bien que tu sois un snob, et quel snob, Charley !
ça ne te plaît pas d'en être un, pas plus que je n'aime être telle
que je suis, je t'assure.*

*J'ai commencé cette lettre pour une seule raison. Je voulais
te dire de ne pas te sentir fautif, parce que c'est ridicule. Tu
ne me dois rien et je te dois beaucoup. Depuis que je suis
avec Marion Faye, il est arrivé une chose très curieuse. En*

fait, cela s'est passé avant, la nuit où nous sommes allés chez ton ami D. B. et sa femme Z. et où nous avons eu exactement ce que nous méritions. Je déteste repenser à cette nuit bien que probablement les choses auraient dans tous les cas fini de la même manière. Pour dire toute la vérité, ce à quoi je pense s'est passé longtemps avant cette nuit-là, avant même que je te rencontre, exactement la nuit avant. A la vérité, je crois que je n'ai jamais aimé personne de toute ma vie, pas même moi. Je ne sais pas ce que c'est, l'amour. Je pensais l'avoir découvert avec toi, mais ce n'était pas vrai. Car figure-toi que je n'aime pas non plus Marion, et que je le sais. Pourtant (je ne dis pas ça pour te vexer, Charley) Marion est très doué sexuellement. Sans vouloir entrer dans les détails, il a au moins un point commun avec toi, c'est qu'il pense que s'il fait quelque chose de sale ça transformera le monde ou ça le fera sauter ou quelque chose comme ça. De toute manière il y a quelque chose en lui qui fait que c'est un peu comme avec toi. Je sais ce que tu penses : tu te dis que, bien sûr, avec moi ça a toujours été ainsi, mais ce n'est pas vrai et la première fois que je me suis amusée avec Marion (tu sais, quand nous avons commencé à nous voir, toi et moi) je ne désirais pas que ça marche avec lui et ça n'a pas été tellement fameux parce que je me croyais amoureuse de toi. Après, je t'ai même menti, je t'ai dit que je connaissais Marion depuis très longtemps, mais ce n'était pas vrai. Je l'avais rencontré dans un bar, ici, à Désert d'Or, un après-midi, et je savais que c'était un maquereau, je connaissais sa réputation et, même si je ne l'avais pas connue, il ne faisait rien pour la cacher. Mais à présent je ne me fais plus d'illusions sur moi, Charley : je suis moche, je suis une putain comme toutes les autres. Ma mère me disait toujours que j'étais une mauvaise fille, et brusquement, hier, je me suis dit qu'elle avait raison et ça m'a fait peur. C'est effrayant, Charley, de penser que les gens stupides et jaloux peuvent avoir raison !

En tout cas il y a quelque chose que je ne t'ai jamais dite du tout. C'est que le jour où je t'ai quitté, à un certain moment j'ai eu envie de rire, parce que, en partant, je t'avais dit la même chose que j'avais dite à Collie, à propos du « dernier mot », tu te souviens ? Le plus drôle c'est que trois ou quatre hommes m'ont demandée en mariage, dont deux dès la première nuit que j'ai passée avec eux, et je leur ai dit non à tous parce que je ne les trouvais pas assez bons pour moi. L'un d'eux était même un gangster, tu te rends compte ? Mon docteur m'a toujours dit que je me prenais pour une reine, une impératrice et une tigresse mangeuse d'hommes, et il avait raison. Au fond, je suis très orgueilleuse. Pour te donner le plus bel exemple de ma stupidité, sais-tu ce que j'ai fait quand Collie et moi nous nous sommes séparés ? J'ai essayé de me suicider. Je n'ai jamais osé te le dire parce que j'en avais honte, mais c'est la vérité et ce qui est drôle c'est que je l'ai dit à Marion la première fois que je l'ai vu. Je lui ai raconté comment, après le départ de Collie, j'étais restée assise dans la chambre qu'il avait louée pour moi, une horrible chambre d'hôtel, parce que Collie était toujours très prudent, et ce qu'il y avait de terrible c'était de penser que je l'avais aimé si longtemps pour finir par le haïr, mais en réalité je n'éprouvais plus rien du tout. Alors, je me suis mise à boire toute seule, ce que je n'avais presque jamais fait, et je ne me sentais plus qu'un peu abandonnée et un peu effrayée. Ensuite je me suis saoulée et les murs de la chambre se sont mis à bouger, et j'avais l'impression que c'était ça le plus terrible, et que si cette chambre ne s'arrêtait pas de bouger, j'allais mourir, ce qui m'a donné, je ne sais trop comment, l'idée que je devrais me tuer pour ne pas mourir — avoue que c'est extravagant ! J'avais un tube de somnifère dans ma valise et je l'ai avalé tout entier. Après quoi j'ai eu l'impression que j'allais vomir, et puis que je devenais de plus en plus saoule. Et je me suis rappelé ce que Collie me disait toujours quand nous nous disputions : « N'en parlons plus pour l'instant, chérie. Nous trouverons une solution plus tard... » Il me disait toujours ça, et voilà que dans cette chambre d'hôtel où j'étais complètement saoule, je me disais la même chose, comme si c'était lui qui m'avait parlé : « Nous trouverons une solution plus tard », et je lui répondais : « Sûrement, car je reviendrai te hanter, Collie ! » Et alors je me suis dit qu'il ne fallait pas que je meure, car si je mourais mon fantôme reviendrait vraiment le hanter, et cette idée m'ennuyait tellement que j'ai eu envie de lui téléphoner pour lui dire de ne pas s'en faire, que je ne ferais rien pour l'embêter, mais lorsque j'ai entendu sa voix dans l'appareil, j'ai été *terrifiée, j'avais l'impression de parler à mon docteur ou à saint Pierre, je ne sais pas trop, et je me suis mise à crier que j'avais pris du poison et que j'allais mourir. Alors Collie est arrivé avec son air d'homme d'affaires, il s'est mis à me gifler parce que je devais être en pleine crise de nerfs, et puis il m'a questionnée à propos du poison, je lui ai montré le tube et je me rappelle qu'il a dit : « Dieu merci, espèce d'idiote ! » et qu'il s'est mis à rire. Alors je me suis sentie encore plus mal parce que j'ai compris que je n'avais même pas été capable de me tuer, et plus tard je me suis aperçue que ce que j'avais avalé n'était même pas un somnifère, mais un calmant. Collie m'a fait vomir et boire du café, si bien qu'il n'a même pas fallu appeler un docteur. Mais pourquoi est-ce que je te raconte tout ça ? Je me rappelle que quelques heures plus tard, alors que je n'étais plus malade mais seulement très énervée, j'ai senti que ça m'était égal de perdre Collie, que je ne le détestais même pas, mais qu'il était devenu un étranger pour moi. Alors je me suis sentie excitée à la pensée qu'il m'avait fait vomir et qu'il m'avait regardée pendant que je vomissais, et je n'ai pas besoin de te dire l'impression que ça m'avait fait : tu sais mieux que personne que je n'ai jamais supporté que tu me regardes pendant que je me maquillais, par exemple, et que j'ai toujours désiré être seule pour faire certaines choses. Mais, quoi qu'il en soit, ça m'a excitée que Collie m'ait vue ainsi et nous avons fait l'amour... Voilà ce que je voulais te dire. Auparavant, je ne m'étais jamais sentie excitée avec Collie et pourtant, excuse-moi si je te choque, il est très adroit et très raffiné comme toi, en plus prétentieux, mais avec lui je faisais toujours semblant d'avoir plus de plaisir que je n'en avais. En un sens, c'était ma faute plus que la sienne ; je n'ai jamais eu confiance en lui et à mon avis une fille qui au fond d'elle-même n'a pas confiance en un homme ne peut pas avoir de plaisir avec lui. Bien sûr, c'est un sujet compliqué, et je me demande de quel droit je dis cela puisque, la première nuit que j'ai passée avec toi, je n'avais aucune raison d'avoir confiance en toi, je crois même que tu me déplaisais un peu (je me rappelle que j'étais jalouse de voir Sergius faire la cour à Lulu), tu avais l'air supérieur et condescendant, et pourtant je n'ai pas eu besoin de faire semblant... En un sens, tu as été le premier homme avec qui ça* a marché — mais là, je mens un peu, parce que la nuit d'avant, avec Collie, ça avait été bien aussi. Ensuite nous avons eu une longue conversation et nous avons décidé que Collie me verrait de temps en temps pour une nuit et qu'il me payerait exactement comme une call-girl. Il me semble que nous avons décidé qu'il me donnerait cinquante dollars chaque fois. Quand il est parti il a encore insisté sur le fait qu'il n'y aurait plus rien d'autre entre nous et il m'a dit que le lendemain il t'enverrait me voir. Ce qu'il faut que tu comprennes, Charley, c'est que la première fois que nous avons été ensemble, pendant toute cette soirée au Yacht Club et ensuite chez toi, je pensais que tu serais pour moi un « client » et cela m'excitait terriblement. Je ne veux pas dire que j'ai joué la comédie, parce que ce ne serait pas vrai, mais je ne savais pas et je ne sais toujours pas si mon plaisir venait de toi ou de la situation. Le lendemain, quand j'ai commencé à me rendre compte que tu ne me considérais pas comme une call-girl et que Collie n'avait rien fait pour ça, je me suis sentie en même temps très heureuse et très déprimée. Tu étais si bon et si poli avec moi que je me suis sentie mal à l'aise et c'est alors que j'ai fait une bêtise. J'aurais dû avoir le bon sens de m'en aller, mais j'étais incapable de penser à autre chose qu'à ma petite chambre d'hôtel, où je serais devenue folle, et d'autre part je ne voulais pas rentrer à Hollywood parce que je n'y connaissais personne. C'est pour ça que j'ai laissé aller les choses avec toi et que, sans même m'en rendre compte, je me suis engagée dans cette nouvelle aventure. Je ne voulais même pas y croire, parce que la dernière fois que j'avais fait l'amour avec Collie, j'avais compris que l'important était de ne pas se laisser prendre à tout ce que racontent les petits bourgeois, et voilà que ça m'arrivait de nouveau. Je déteste le genre de choses qui arrivent aux femmes qui se mettent à penser au mariage parce qu'elles sont sorties deux ou trois fois avec un homme. C'est comme ça que ma mère et mes sœurs se sont mariées et elles ont eu une vie épouvantable.

Je me rappelle une histoire qui m'est arrivée : un samedi soir que Collie était je ne sais plus à quelle réunion, j'étais allée voir une amie à moi et son amant, et nous nous sommes amusés ensemble. Je ne voudrais pas te reparler de Don Beda et je sais que tu ne me croiras pas, mais avec ces amis-là ça n'était pas la même chose : le lendemain, je me suis sentie très bien et nous avons continué à nous voir comme de bons amis. Je dirais presque que nous avons eu autant de plaisir à prendre notre petit déjeuner ensemble le lendemain que nous en avions eu la nuit précédente, tout simplement parce que nous avions fait ça sans histoire et que la fille m'aimait beaucoup et qu'aucun de nous trois ne demandait aux deux autres de lui sacrifier le reste de leur existence. Or c'est cela que nous nous sommes demandé l'un à l'autre, toi et moi, et je t'en ai voulu autant que toi de l'avoir fait. C'est pour cela que j'ai couché avec Marion Faye la semaine même où je t'ai connu, mais j'étais lâche et je me disais que tu étais merveilleux, que je t'aimais, que l'amour et la vie étaient magnifiques. Quelle cruche j'ai été, Charley ! J'avais peur, je m'accrochais à toi et quand Collie est venu nous voir je n'ai même pas voulu le regarder. Je le trouvais répugnant et prétentieux, mais en réalité c'était parce que je ne pouvais pas m'empêcher de penser au plaisir que j'avais éprouvé avec lui, au moins une fois, et cela me gênait parce que je désirais croire que je ne pouvais aimer que toi.

Ce que je peux être névrosée ! Je devrais peut-être écrire plus souvent, car je me rends compte que je n'ai jamais réussi à te parler vraiment, comme je le fais maintenant. C'est peut-être parce que nous avons rompu, mais il y a certaines choses que tu dois savoir, parce que tu ne saurais jamais, autrement, par quoi j'ai passé. Je pense par exemple au genre de choses qui m'arrivent avec les chauffeurs de taxis : je ne sais pas ce qu'ils pensent de moi, mais on dirait qu'ils savent qu'ils ne doivent pas me parler poliment. Même le jour où je suis partie de chez toi, cela m'est arrivé. Tu te souviens que j'ai pris un taxi pour aller chez Marion, eh bien, nous ne roulions pas depuis deux minutes que le chauffeur m'a dit : « Vous le connaissez depuis longtemps, ce Faye, bébé ? » Il m'a dit ça d'un tel ton que je me suis mise en colère et que je lui ai crié de la boucler. Et quand je suis arrivée chez Marion j'étais prête à tout, j'espérais presque qu'il m'enverrait tout de suite chez un client, tellement je me sentais humiliée.

Mais Marion ne l'a pas fait. Il m'a fait boire et cela m'a rendue encore plus saoule, parce que je ne sais pas si tu l'avais remarqué, mais j'étais déjà saoule quand je t'ai quitté. Le matin, j'avais téléphoné à Marion pour lui dire que j'allais venir le retrouver et ensuite j'avais bu sans arrêt jusqu'au déjeuner. Donc, Marion m'a encore fait boire et je ne me rappelle plus ce qui s'est passé ensuite, mais je me souviens que je pensais tout le temps : « Ce que Collie va souffrir ! C'est bien fait pour lui ! », ce qui fait que je me demande si dans un certain sens je n'aimais peut-être pas Collie plus que toi, Charley, puisque c'est à lui que je pensais, tandis que j'ai à peine pensé à toi jusqu'à maintenant où je t'écris. Peut-être même que, d'une certaine manière, j'aime Marion encore plus que vous deux, je ne sais pas et d'ailleurs ça m'est égal, mais en tout cas avec lui c'est parfois sensationnel, même si d'autres fois ce n'est pas mieux qu'avec toi. Je crois que tu avais raison de dire que je ne suis pas capable de penser à autre chose qu'à moi-même. Mais il y a tout de même une chose que je sais, c'est que Marion n'est pas n'importe qui, ce n'est pas un lâche et un faiseur d'embarras comme toi. Nous avons parfois de drôles de discussions. Je lui demande de faire de moi une call-girl, mais il veut pas, il dit qu'il veut d'abord m'épouser, et qu'ensuite je pourrai devenir une call-girl... J'ai l'impression qu'il voudrait devenir le champion des maquereaux, quelqu'un dans le genre de Don Beda. Bien sûr, il n'est pas question que je l'épouse, pour lui c'est une plaisanterie et je n'en ai pas envie, mais il insiste et quand je lui demande pourquoi, il me dit que ça l'amuserait de me voir devenir la bru de sa mère et des choses comme ça. Nous passons notre temps à boire et à fumer de la marijuana et parfois j'en suis malade au point que j'ai l'impression que je vais mourir. Marion ne cesse pas de dire du mal de toi. J'ai l'impression que tu lui as fait quelque chose, mais je ne sais pas quoi. Je ne sais pas où tout ça nous mènera. Je ne voudrais pas te blesser, mais il a insisté pour que nous allions voir Zenlia et Don Beda et je pourrais encore te raconter pas mal de choses mais c'est sans intérêt. Ce qui me dégoûte c'est de t'écrire tout ça à propos de Marion comme s'il était un étranger pour moi. J'ai même fait pire : je lui ai parlé de toi comme je te parlais de Collie, et en même temps j'en avais honte parce que je me rendais compte que j'étais une putain et que tu avais raison de dire que j'en étais une. Je voudrais que tu me croies, Charley.

parce que tu es un homme à plaindre, tu es malheureux et ce n'est pas juste. Je voudrais que tu aies un coup de chance, que tu sois heureux, bien que je me demande ce qui pourrait te rendre heureux. En tout cas je peux bien t'avouer que j'ai souffert autant que toi en découvrant que je ne t'avais pas aimé comme je l'aurais souhaité, et je te demande pardon pour le mal que j'ai dit de toi. Comment ai-je pu faire cela ? Tu mérites quelque chose de bien, Charley. Ce n'est pas juste...

Là-dessus Elena avait fait un pâté, commencé un nouveau paragraphe et, ayant apparemment choisi d'en rester là, elle avait biffé quelques mots et signé de son prénom.

En regardant ces mots biffés, cette tache et cette signature, je me demandai combien de temps elle était restée devant cette page inachevée, à s'interroger sur ce qu'elle pourrait encore ajouter, comme si soudain la raison qui l'avait poussée à écrire cette lettre lui eût échappé... Et je l'imaginai, saoule, s'attardant à fouiller parmi les débris de son existence jusqu'au moment où, renonçant à fouiller davantage, elle avait signé, fermé l'enveloppe et mis sa lettre à la poste.

XXIV

APRÈS AVOIR LU
cette lettre, j'allai voir Elena et Marion. Mais je les trouvai,
elle embarrassée, et lui renfrogné, en sorte que je ne m'attar-
dai pas. J'avais choisi un mauvais jour pour leur faire cette
visite, car j'étais moi-même plus déprimé que jamais.
Lorsque je les quittai, après une demi-heure de conversation
languissante, Elena me dit à voix basse, en me reconduisant :
— Vous ne m'aimez plus...
— Peut-être, murmurai-je.
La porte refermée, je me sentis un instant soulagé de
l'avoir blessée, mais cela ne dura pas et, de retour dans ma
chambre meublée, je me retrouvai deux fois plus déprimé
qu'avant. La lettre d'Elena à Eitel m'avait accablé. La voir
avec Marion avait eu un effet pire encore. Je croyais n'avoir
plus rien à apprendre sur la misère humaine — mais on n'en
a jamais fini de s'instruire sur ce sujet et, si bas que l'on
soit allé, on peut toujours aller plus bas encore. Je m'enfon-
çai donc dans mon cafard jusqu'au moment où celui que
j'avais connu les jours précédents m'apparut par contraste
comme une aimable mélancolie et où je me sentis vidé de toute
énergie.
Le lendemain matin, quand je me levai, j'étais plus fatigué
qu'en me couchant. Les jours qui suivirent, j'essayai de me
secouer. Je commençai à écrire et, pour me venger de ce que
m'avait fait Lulu, pour prendre sur elle cette lâche revanche
qui est la pire des choses que puisse faire un écrivain, je
noircis de longues pages incohérentes à seule fin de la détruire.
Tout le catéchisme que m'avait enseigné l'excellente Sœur

Rose, à l'orphelinat, me revint à l'esprit pour fustiger les gens que j'avais connus à Désert d'Or, et non seulement Lulu, Eitel, Marion ou Elena, mais moi-même. Je n'avais jamais à la fois éprouvé autant de pitié et d'antipathie à mon propre égard, et le pire de tout était la conviction qui me gagnait que je n'écrirais jamais rien de convenable. Je n'avais aucun talent, je n'avais même pas une amie, je me demandais si j'arriverais jamais encore à avoir une fille, et tout cela ensemble faisait que je me sentais à peu près autant de courage qu'un garçon de huit ans au fond d'un puits de mine abandonné. Je pensais que cela n'aurait plus jamais de cesse, mais finalement quelque chose arriva qui mit un terme à mon malaise.

Un soir, en rentrant de mon travail, je trouvai deux hommes assis dans ma chambre. Ils portaient des costumes d'été en tissu gris clair, et chacun avait posé sur ses genoux un chapeau de paille havane au ruban de couleur. Eitel ne les avait pas trop mal décrits...

L'un d'eux était très grand, puissant, le type même du « salaud » selon les catégories chères à Dorothea. Au premier regard, je compris que si les choses se gâtaient je n'avais pas trop d'illusions à me faire : il devait savoir se servir de ses mains aussi bien que moi et, de toute évidence, n'était pas homme à accepter d'être battu. Il devait, au cours de son existence, avoir modifié l'apparence de plus d'un adversaire... L'autre était un peu plus petit, un peu plus gras, et il avait un air cordial. C'était le type d'homme à arborer un sourire modeste et attristé avant de se lancer dans une bagarre de café, puis à envoyer son voisin le plus proche à l'autre bout de la salle. Tous deux exprimaient, en outre, l'intelligence pratique des bons athlètes.

— Hello ! dis-je. Vous m'attendiez depuis longtemps ?

En même temps, je sentis que les choses n'iraient pas toutes seules. J'étais fatigué, comme toujours, et je n'arrivais pas à empêcher ma voix de trembler. Je me souviens encore que je pensais combien les choses eussent été différentes si, au lieu de me trouver dans cette minable chambre d'hôtel meublée, ils étaient venus me voir dans la maison moderne que j'habitais précédemment, avec son bar et son grand miroir mural, qui leur eût renvoyé leur image.

Le plus grand regarda une coupure de journal qu'il avait dans la main.

— Vous vous appelez O'Shaugnessy, ou Mac Shonessy ? dit-il en me regardant d'une manière bizarre, non pas *dans* les yeux mais *entre* les yeux, ce qui devait être un truc à lui, car je me sentis encore plus mal à l'aise.

— Le premier nom est le bon, dis-je.

— Marine ou Armée de l'Air ?

— Armée de l'Air.

L'autre continuait à me sourire.

— Pourquoi vous êtes-vous fait passer pour un officier de marine ? reprit le premier.

— Cette idée ne m'a jamais effleuré.

— Vous voulez dire que ce journal a menti ?

— Ne me dites pas qu'il arrive aux journaux de se tromper...

Il grogna et passa la coupure à son copain, qui dit avec un fort accent du Sud :

— Pourquoi écrivez-vous O'Shaughnessy sans « h » ?

— Vous auriez dû demander ça à mon père.

— C'était un repris de justice, non ?

— Mon père a été beaucoup de choses...

— Oui, dit le premier. C'était un repris de justice...

Je m'assis sur le lit (ils occupaient les deux seuls sièges de la pièce) et entrepris d'ouvrir un paquet de cigarettes en réussissant presque à empêcher mes mains de trembler. Mais il eût été au-dessus de mes forces de leur offrir une cigarette et de l'allumer. Je me demandais s'ils étaient simplement de passage à Désert d'Or et s'ils étaient venus me voir pour s'amuser un moment, ou si cette petite séance n'était que le prélude de quelque mésaventure plus grave.

— Avant de poursuivre, dis-je, voudriez-vous avoir l'obligeance de me montrer vos papiers ?

Une minute passa, puis le premier tira de sa poche un porte-carte et me mit sous le nez une carte officielle, portant le cachet de la Commission d'enquête sur les activités subversives et les mots ENQUÊTEUR SPÉCIAL, en lettres capitales.

sous une photo d'identité. Il s'appelait, Greene, Harvey Greene.

— Bon, dis-je. Que voulez-vous ?

— Apprendre quelques petites choses sur quelques personnes, vous compris.

— Apprendre quoi ?

— C'est nous qui posons les questions. Autant que vous sachiez que vous risquez d'avoir des ennuis.

— Je ne vois pas lesquels, dis-je.

— Dites-moi, mon gars, dit le second : Lulu Meyers est-elle une « rouge » ?

Je me forçai à rire.

— Vous savez, je n'ai jamais rencontré personne qui fût... ce que vous dites. Je n'ai jamais fréquenté ces milieux.

— Mais vous connaissez Charley Eitel, non ?

— Oui, bien sûr.

— Eitel a fréquenté, ici, des gens politiquement suspects.

Je commençai à me sentir un peu mieux.

— Il vous a probablement donné leurs noms ?

— Oui, dit Greene, il nous les a donnés.

— Parlez-nous un peu de Lulu, dit l'autre.

— Nous n'avons jamais parlé politique.

— De quoi parliez-vous, alors ? dit Greene.

— De questions personnelles.

— Vous avez eu des rapports intimes avec elle ?

— Vous devez le savoir.

— Dites toujours.

— J'étais amoureux de Lulu, dis-je.

Greene eut une grimace de dégoût.

— Vous voulez dire que vous avez eu avec elle des relations immorales ?

— Je ne le pense pas.

— Vous ne le pensez pas, dit Greene... Parce que, si vous l'aviez pensé, un brave garçon d'Irlandais comme vous ne se serait jamais mêlé à ces débauchés...

Soudain, j'eus très peur. La seule chose chez Harvey Greene qui correspondît à son nom (1), c'étaient ses yeux d'un vert sombre. Et il me rappelait tout à coup un agent de police,

---

(1) *Green* signifie à la fois *vert* et *novice*. (N. du T.)

qui avait les mêmes yeux verts et qui, jadis, était venu à l'orphelinat à la suite d'un petit larcin que quelques-uns d'entre nous avaient commis dans une confiserie. Ce policier m'avait interrogé pendant une demi-heure, me faisant finalement pleurer en me forçant à avouer que je me masturbais. Et voilà que me gagnait l'angoisse — c'est le mot qui convient — d'avoir à subir une épreuve du même genre.

Mais très peu de policiers réussissent à travailler en équipe, et le second me tira un instant d'embarras. J'ai d'ailleurs l'impression que Greene et lui étaient un peu agacés l'un par l'autre. En tout cas, l'autre s'intéressait à autre chose qu'à mes états d'âme :

— Vous avez de la veine, mon gars, dit-il... Coucher avec une vedette de cinéma, fichtre !

Il dit ces mots d'un air sarcastique, mais d'un ton qui évoquait aussi les cent vingt dollars qu'il devait gagner par semaine, et la femme et les gosses qui devaient l'attendre dans quelque triste faubourg.

— Ça a dû vous paraître agréable, ajouta-t-il, de gagner tant de galette simplement en vous couchant...

Je ne pus m'empêcher de sourire.

— Vous avez le sens des détails personnels, dis-je.

— J'en sais assez pour reconnaître vos qualités.

— Vous me flattez.

— Ne soyez pas trop fier. Tout le monde sait que les actrices de cinéma sont frigides...

Il avait soudain l'air furieux. Greene secoua la tête d'un air écœuré.

— Ce n'est pas votre avis ? insista l'autre.

— Ça dépend... de l'homme, dis-je prudemment.

— Oui, c'est une opinion... Alors, parlez-nous un peu de Lulu, poursuivit-il d'un air excité.

Mais avant que j'aie eu le temps de trouver une réponse, il continua :

— J'ai entendu dire que Lulu...

Il parla pendant deux bonnes minutes. Il n'avait pas énormément d'imagination, mais le sujet l'intéressait manifestement. Finalement il conclut :

— A mon avis, une call-girl qui se respecterait n'adresserait même pas la parole à une femme comme elle...

Je rassemblai tout mon courage — et même celui que je n'avais pas — et répliquai :

— Si cela fait partie de mon interrogatoire, je voudrais l'enregistrer au magnétophone...

L'autre se tut. Il ne souriait plus. Il n'avait plus l'air excité, mais embarrassé. C'était la dernière expression que j'eusse souhaité lui voir. Un instant, j'eus le sentiment d'être allé trop loin, et je me voyais déjà, sur un lit d'hôpital, la mâchoire brisée, déclarant à un sténographe de la police, pour éviter le pire : « Oui, je reconnais être tombé sur un coin de table... J'étais ivre mort... »

L'autre se pencha en avant et me toucha la cuisse du doigt :

— On nous a dit que vous portiez une chemise que Teddy Pope vous a donnée, dit-il. Vous n'avez pourtant pas l'air d'une tante...

— Vous devriez être plutôt à la brigade des mœurs, dis-je.

Greene intervint. Son regard se posa à nouveau *entre* mes deux yeux.

— Répétez ça, pour voir ? dit-il.

J'étais au bord de la crise nerveuse. Je réussis pourtant à dire d'une voix calme et posée :

— Greene, j'ai trois mille dollars en banque, que je suis prêt à verser à un avocat. Réfléchissez une minute au genre de publicité que cela fera pour votre Commission, si on apprend que vous avez cassé la figure à un pilote de l'Armée de l'Air...

— Vous êtes un révolutionnaire et un débauché, dit Greene.

— Ecrivez donc cela noir sur blanc : je vous poursuivrai pour diffamation...

— Vous parlez un peu trop...

J'imagine que, si j'avais été un héros, j'aurais dû l'inviter à aller poursuivre notre entretien sur le trottoir, mais je me contentai de sourire et de dire :

— Tout le monde parle trop...

Sur quoi ils se levèrent tous deux pour partir, et je pensai avec un rien d'étonnement qu'ils étaient peut-être un peu effrayés, eux aussi ; effrayés *par moi*... A la porte, Greene s'arrêta et se retourna.

— Ne quittez pas la ville sans nous en avertir.

— C'est ça. Vous me le confirmerez par écrit ?

— Ne quittez pas la ville, c'est tout, répéta-t-il, et il sortit.

J'attendis une minute, puis j'allai fermer la porte de ma chambre à clef, à toutes fins utiles, et me laissai tomber sur mon lit.

En fin de compte, ces deux types ressemblaient au genre d'hommes qui avaient hanté mon enfance — leur ombre planait sans cesse sur l'orphelinat — et je découvrais que je n'étais pas tellement différent d'eux, du moins pas autant que je l'eusse souhaité. Au cours de notre conversation, une partie de moi ne pouvait se défendre de leur donner raison, et je prenais aussi conscience de l'espèce de débat secret qui s'était poursuivi en moi tout au long de ma vie...

Je passai ainsi plus d'une soirée, épuisé, vidé après mon travail de la journée, à réfléchir sur moi-même, ou du moins à m'y essayer, car c'est un jeu difficile et plein d'embûches que de chercher les mobiles secrets de notre comportement, souvent très éloignés de ses raisons apparentes. Au reste, qu'avais-je à découvrir ? Je n'étais rien qu'un faux Irlandais sorti d'un orphelinat bien réel, un boxeur sans punch, un pilote qui avait perdu ses réflexes, un mouchard en puissance à la disposition de n'importe quel policier à poigne et, ce qui était pire que tout, un novice en amour. N'en était-ce pas assez pour me décourager de poursuivre plus avant mon enquête sur moi-même ? Comment souhaiter en apprendre plus long, lorsqu'on sait à quoi cela risque d'entraîner ?

Je n'entendis pourtant plus parler de mes deux visiteurs et j'en vins tout doucement à me dire qu'il était temps pour moi de quitter Désert d'Or. Tant pis si cela m'attirait des ennuis — ce dont je doutais. J'étais tenté d'aller au Mexique, où je pourrais essayer d'obtenir une bourse d'ancien combattant pour entreprendre des études artistiques, ou me consacrer à l'archéologie — un bon moyen pour passer sa vie au soleil. Après tout, le gouvernement avait une dette envers moi, et un homme ne peut pas gagner chaque année quartorze mille dollars au poker... Je commençai même à caresser une curieuse idée. Plus je pensais à Elena, plus je m'en voulais de l'avoir traitée comme je l'avais fait lors de notre dernière rencontre chez Marion, et j'en vins à penser que mon opinion sur elle, après avoir lu sa lettre à Eitel, était née en partie de mon échec avec Lulu et de mon refus de reconnaître la part de responsabilité que j'y avais. Je relus plusieurs fois cette lettre, comme j'avais relu naguère la déposition d'Eitel, et je n'en arrivai à la conclusion que j'avais une dette envers Elena.

J'irais donc les revoir, elle et Marion, et s'il m'apparaissait que les choses n'allaient pas bien pour elle (ce dont, au fond de moi-même, j'étais convaincu), je lui offrirais de m'accompagner au Mexique. Si elle le souhaitait, nous ferions même le voyage en frère et sœur, bien que cette hypothèse me parût peu vraisemblable et qu'aujourd'hui encore je ne croie pas l'avoir envisagée très sérieusement. De toute manière, plus je considérais ce projet, plus il me souriait, même si à certains moments il me parut démentiel — car je me disais que, si Elena et moi nous nous engagions dans une telle aventure, elle ne serait pas sans conséquences. Serions-nous capables de nous rendre l'un l'autre meilleurs ? J'en doutais beaucoup. D'autre part, j'étais encore assez jeune pour tenter l'expérience.

Quoi qu'il en soit, je passai un peu trop de temps à me tâter, à tergiverser et à me complaire dans l'idée que j'étais un altruiste. Un soir, en sortant du restaurant où je lavais la vaisselle, j'appris de la bouche d'une serveuse ce qui venait d'arriver à Marion et à Elena, le jour même.

Pour le meilleur ou pour le pire, j'avais probablement attendu un peu trop...

XXV

FAYE CONNAISSAIT LA solitude intérieure d'Elena aussi bien qu'il se connaissait lui-même. Cette solitude était pareille à l'eau hostile que contient une digue : qu'une brèche se creuse dans la digne, et le flot s'y précipitera, emportant ses débris, noyant tout... Marion savait qu'Elena était une parfaite candidate au suicide.

Depuis des mois, il était obsédé par l'idée qu'il avait raté sa vie. Durant les heures précédant l'aube, qu'il passait à frissonner de terreur dans son lit, pensant à sa porte non fermée, croyant souvent entendre dans la rue les pas des tueurs qu'il attendait toujours, une autre souffrance le torturait, encore plus cuisante, car elle lui rappelait qu'il était un lâche. « Je ne suis qu'un maquereau, se disait-il. Je n'ai jamais su aller plus loin... » Un an avait passé, puis deux, et Faye en était toujours au même point. Plus personne ne voyait en lui un jeune homme riche, avec de petites manies : il était devenu un commerçant, et il le savait. Déjà la déformation professionnelle s'était emparée de lui : il tenait une comptabilité (en partie double), il avait un avocat, il payait des commissions, il s'était même surpris à faire des avances à l'un des dirigeants du syndicat (1) qui, de Hollywood, avait étendu à Désert d'Or son champ d'action. Pire : une semaine avant qu'Elena vienne vivre avec lui, il avait été roué de coups par un mauvais garçon qui lui avait pris une fille et avait refusé de payer.

(1) En Amérique, comme en d'autres pays, la prostitution est soumise à des organisations qui sont de véritables « syndicats » clandestins. (N. du T.)

Marion n'avait pas fait appel à ses hommes de main. Ceux-ci eussent réglé l'affaire à leur manière, mais il se sentait trop humilié, à l'idée d'être devenu si peu respectable que même les mauvais garçons ne le respectaient plus. Après la bagarre, il s'était dit : « Je suis un petit boutiquier », et avait cédé à une rage ridicule à ses propres yeux.

Lorsqu'il avait quinze ou seize ans, il y avait eu une époque où il s'était longuement demandé qui était son vrai père. Il en voulait à Dorothea lorsqu'elle assurait avec fierté qu'il s'agissait d'un prince européen ; il aimait à penser, parfois, qu'il était le fils d'un prêtre débauché. Il se souvenait encore de la manière dont l'avait gourmandé son confesseur, le jour où il lui en avait parlé. Car Marion avait eu sa crise religieuse. Il avait jeûné, songé à se faire moine, et avait même fait une retraite d'une semaine, à l'étonnement vaguement flatté de Dorothea. Cette semaine l'avait presque rendu fou. Finalement, il avait fui, en emportant un fragment de la nappe d'autel qu'il avait coupée avec une lame de rasoir. Ensuite, il s'était plongé dans de vieux grimoires relatifs à la magie noire et à des procès de sorcières, à des envoûtements et à des exorcismes. Son adolescence s'était passée ainsi et, à dix-huit ans, il avait fait son entrée dans le monde avec l'orgueil d'être riche d'un savoir et de pensées que nul ne soupçonnait...

Depuis qu'Elena vivait avec lui, il retrouvait un peu de ces vieilles hantises. Il se plaisait à rêver qu'il faisait d'elle une sorcière, qu'il l'envoûtait, qu'il l'acculait au suicide. De plus en plus fréquemment, il pensait au suicide d'Elena comme à une nécessité. Quelque chose en lui essayait de plaider, de protester contre cette idée monstrueuse — mais une autre voix, qu'il avait souvent entendue, lui disait : « Si tu n'es pas capable de cela, tu ne seras jamais capable du reste... » Cette perspective lui semblait plus horrible et plus excitante que s'il eût envisagé de tuer lui-même Elena. Un meurtre n'était rien. Les hommes s'entre-tuent par millions, et trouvent cela plus simple que d'aimer. Mais faire Elena se tuer serait mieux qu'un meurtre — et cette idée fascinait Marion...

Elena n'était pas chez lui depuis une heure qu'il lui demanda, sans trop savoir pourquoi, de l'épouser.

— Ce serait aussi simple, dit-il. Tu souhaites te marier, et moi ça m'est égal.

Malgré son ivresse, elle eut un rire dubitatif.

— La vie est absurde, dit-elle.

— Ça, oui.

— J'ai été trois ans avec Collie ; il ne m'a jamais emmenée à une soirée...

— Et Eitel ne t'a jamais proposé de t'épouser...

Comme elle buvait sans répondre, il murmura en la regardant :

— Qu'en penses-tu ? Veux-tu m'épouser ?

— Ça me fait un drôle d'effet d'être ici, dit-elle.

Marion rit à son tour.

— Nous en reparlerons demain, dit-il.

Ainsi commença leur liaison. Ils passèrent des jours entiers à mi-chemin entre l'ivresse et la lucidité. L'alcool, qu'Elena supportait beaucoup moins bien que Faye, la rendait le plus souvent bavarde et gaie. Mais il lui arrivait de connaître des dépressions, des angoisses soudaines et, à plusieurs reprises, Marion ayant à sortir pour arranger quelque rendez-vous, elle sembla terrifiée à l'idée de rester seule.

— Faut-il absolument que tu sortes ? lui dit-elle un jour.

— Mon boulot ne se fera pas tout seul.

— J'ai l'impression que je te verrais davantage si j'étais l'une de tes *call-girls*.

— Ça se pourrait...

— Marion, je veux devenir un *call-girl* !

— Pas encore, dit-il.

Elle le regarda d'un air bizarre.

— Que veux-tu dire ? Que je suis une putain ?

— Quelle différence ?

Il alla pour sortir. Elle l'implora :

— Marion, reviens vite !...

Lorsqu'il rentra, quelques heures plus tard, elle lui dit comme si elle venait seulement d'y penser :

— Tu crois que je t'aime ? Je veux devenir une *call-girl*...

— Tu es saoule, bébé, dit Marion.

— Réfléchis un peu, Marion ! cria-t-elle. Pourquoi crois-tu que je sois venue vivre avec toi ? C'est parce que je suis trop paresseuse pour vivre seule... Tu ne me crois pas ?

— Tout le monde a peur d'être seul.

— Sauf toi, n'est-ce pas ? Tu es si grand, si fort... C'est du moins ce que tu crois. Eh bien, pas moi !

Sur quoi elle se mit à pleurer, à lui demander pardon, à lui dire qu'elle ne pensait pas ce qu'elle disait, qu'elle l'aimait peut-être...

— Laisse tomber, dit Faye, et marions-nous.

Elena hocha la tête.

— Non, je veux être une *call-girl*.

— Ce n'est pas ton genre. Marions-nous d'abord, on verra ensuite...

Il n'était pas très fixé sur ses propres sentiments à l'égard d'Elena. Il lui semblait la détester, la considérer seulement comme un « test » pour ses nerfs. Au lit, elle lui répugnait, et il lui eût été pénible de coucher avec elle, sans le plaisir qu'il goûtait à analyser cette répugnance et son impuissance à cesser d'être lucide un seul instant. Il la fit prendre part ainsi à diverses « parties », chez Don Beda, chez eux, avec des filles qui travaillaient pour lui, avec des personnages bizarres, avec Jay-Jay, avec quiconque y était disposé. Elle était tour à tour morose et gaie, et Marion la menait comme un dompteur faisant claquer son fouet, s'employant à dresser son corps à des pratiques qu'elle eût repoussées en esprit s'il lui en avait laissé le loisir.

Elle essayait parfois de demander grâce. Un matin, après qu'ils eurent passé la nuit chez Don Beda, comme Marion lui demandait une fois encore de l'épouser, Elena dit :

— Je vais bientôt m'en aller d'ici.

— Et où iras-tu ?

— Tu crois me détester, n'est-ce pas ? Si je le croyais vraiment, moi aussi, je ne resterais pas avec toi.

— Je t'aime, dit-il. Pourquoi crois-tu que je veuille t'épouser ?

— Parce que cela te semble une bonne farce.

Il éclata de rire.

— Je suis un homme plein de contradictions, dit-il d'un air presque enfantin.

Et il était vrai qu'à certains moments Marion éprouvait pour Elena une réelle compassion.

Un soir, Don Beda, que Zenlia avait quitté pour retourner dans l'Est, vint chez eux sur l'invitation de Marion.

Beda avait l'air sombre.

— C'est à cause de Zenlia ? lui demanda Marion.

L'autre rit.

— Pas une femme en quinze ans n'a su me rendre morose, dit-il. Non, c'est à cause de l'altitude.

Elena dit d'un air maussade :

— J'aime bien Beda. J'aime un homme qui ne souffre pas.

— Moi aussi, je t'aime, ma jolie, dit Beda. Tu es plus mignonne que tu ne crois.

Elena regarda Faye.

— Que veux-tu qu'on fasse ? demanda-t-elle.

— Ne vous occupez pas de moi, dit Marion.

— Très bien, dit-elle. Dans ce cas...

Et elle alla avec Beda dans la chambre à coucher, tandis que Faye restait dans le living-room à fumer sa cigarette de marijuana, en se répétant sarcastiquement : « J'ai un visage de jeune homme et un corps de vieillard... »

Un peu plus tard, Beda reparut seul. Il était pâle.

— Elle est à bout, dit-il à Marion.

— Mais non. Un peu nerveuse, simplement.

— Ne va pas trop loin, Marion... C'est une brave fille à sa manière.

— Oui, dit Faye. Tout le monde est brave, paraît-il.

— Tu es un beau salaud, tu sais...

— Je ne savais pas que ça pouvait te gêner ?

— J'irai te voir quand tu seras en prison.

Après le départ de Beda, Marion rejoignit Elena dans la chambre à coucher. Elle était allongée sur le lit.

— J'aurais dû partir avec lui, dit-elle d'un air froid.

— Il t'aurait gardée vingt-quatre heures.

— Tu ne me demandes plus de t'épouser ?

— M'aimes-tu ?

— Je ne sais pas, dit-elle en regardant le mur. Qui pourrait t'aimer ?

Il éclata de rire.

— Il y a pourtant pas mal de poules qui m'ont à la bonne !

Elena soupira.

— Je suis ignoble. Je me dégoûte...

Il sentit la colère le gagner brusquement.

— Tu es bien comme toutes les autres ! Tu fais ce dont tu as envie, et puis tu prends des airs dégoûtés comme si ce n'était pas toi qui l'avais fait...

— Et puis après ? Serais-tu tellement heureux, toi-même ?

— Cela ne signifie rien. Ce n'est pas parce qu'une idée ne me convient pas qu'elle est fausse...

Il alluma une nouvelle cigarette de marijuana et reprit :

— Tu croyais que tu désirais épouser Eitel. Tu l'aimais, dis-tu. L'aimes-tu toujours ?

— Je ne sais pas. Ne parlons plus de lui.

— Plus j'y pense, plus je crois que tu l'aimais, dit Marion en riant. Mais oui ! Tu l'aimais vraiment !

— Assez, Marion.

— C'est pathétique ! Dirons-nous que tu l'aimais passionnément ?... Le drame, c'est que Charley et toi, vous n'avez pas su vous rejoindre vraiment. Veux-tu que je te dise le secret de Charles Francis ? C'est un professeur déçu. Au fond de lui-même, un type comme Eitel est toujours obsédé par le désir qu'on croie en lui.

— Qu'en sais-tu ?

— ... Et tu n'as pas su croire en lui, n'est-ce pas ?

— Laisse-moi, Marion.

— Lui as-tu dit tout ce que tu as fait ? Tous les types avec qui tu as fait la foire ?

— Il y en a eu moins que tu ne penses. Que tu le croies ou non, j'ai ma fierté.

— Oui, bien sûr. Et c'est ta fierté qui t'a peut-être empêchée de voir qu'Eitel t'aimait. Il ne le savait pas lui-même. Tu as été stupide, tu as mal joué le jeu, mais il t'aimait.

Elle l'écoutait avec un sourire ambigu.

— Reste avec moi, Elena. Je m'en fiche, que tu ne croies pas en moi. Je suis un spécialiste des idiotes.

— Je t'ai dit que je voulais devenir *call-girl,* murmura-t-elle d'un air borné.

— Je ne crois pas que tu réussirais...

— Pourquoi pas ?

— Non, dit Marion froidement. Tu manques de classe...

Elle réagit comme s'il l'eût frappée.

— Alors, fais de moi une putain ! cria-t-elle.

— Marions-nous, dit-il.

— Je ne t'épouserai jamais !

— C'est toujours ta fierté qui parle, hein ? Mais que dirais-tu si c'était moi qui refusais de t'épouser, très chère ?

— Je veux être un putain, répéta Elena.

— Les putains, ce n'est pas mon rayon. Mais je pourrais te recommander à un ami, qui dirige un bordel à la frontière mexicaine...

Elena eut l'air effrayé.

— Non, Marion, dit-elle. Pas ça...

— Serais-tu snob, ma chère ? Pense à tous les pauvres types dont tu ferais le bonheur.

— Tu ne peux pas m'obliger à ça !

— Je ne peux t'obliger à rien. Seulement, écoute-moi bien, Elena : j'en ai marre de toi. Tu ferais peut-être mieux de partir d'ici.

— Bien, dit-elle d'une voix tremblante. Je vais partir.

— C'est ça. Va-t'en...

Elle se laissa retomber sur le lit et murmura :

— Je voudrais être morte. J'ai envie de me tuer...

— Tu n'en aurais pas le courage.

— Ne me tente pas, Marion...

— Tu ne pourrais pas.

— Si, je pourrais, je pourrais...

Il alla dans le cabinet de toilette, fouilla, les doigts tremblants, parmi les tubes et les médicaments de la pharmacie, et revint en tenant un petit flacon contenant deux cachets.

— Voilà, dit-il. Je les avais mis de côté pour mon propre usage. Cela agit comme un somnifère.

Il posa le flacon sur la table de chevet.

— Veux-tu un verre d'eau ?

— Tu crois que je n'oserais pas ?... demanda Elena d'un air étrangement lointain.

— J'en suis certain.

— Sors d'ici. Laisse-moi seule.

Il retourna dans le living-room et s'assit, écoutant les battements de son propre cœur. Il frémit en entendant Elena se lever et aller dans la salle de bains. Il y eut un bruit de robinet, puis ce fut à nouveau le silence. Avec un peu d'étonnement, Marion se demanda : « J'ai donc su aller *jusque-là* ? »

Il resta immobile, décidé à ne pas bouger avant au moins une heure, à s'imposer comme un devoir envers Elena cette immobilité qui lui coûtait. S'il avait pu seulement faire quelques pas dans la pièce ou même allumer une cigarette, il en eût été soulagé — mais il ne cessait de se répéter qu'il devait partager la peine d'Elena. Et, convaincu qu'elle était en train de mourir, il se disait : « Elle était meilleure que les autres. Elle était la plus forte de tous... »

Une heure durant, il garda les yeux fixés sur la pendule, puis il alla à la porte de la salle de bains. Elena s'y était enfermée à clef. Il appela :

— Elena ?... Elena ?...

Pas de réponse. Il se dit qu'elle ne pouvait plus lui ouvrir. Il cogna contre la porte, en vain. Alors il se mit à gémir, envahi par une terreur enfantine, comme si c'était lui qui eût été enfermé. Il allait enfoncer la porte, quand il se souvint qu'il avait à son trousseau une clef de secours. Il l'enfonça dans la serrure d'une main qui essayait de ne pas trembler.

Elena était assise sur le bord de la baignoire. Elle avait passé un peignoir de bain et tenait le flacon de cachets serré dans sa main crispée. Des larmes ruisselaient sur ses joues, et elle regarda Marion d'un air de chien perdu.

Faye fit un pas en avant et lui prit le flacon. Il contenait toujours les deux cachets. Il poussa une espèce de grognement où il y avait du soulagement mais aussi de la haine, et cette haine l'emporta très vite sur le soulagement, et il eut envie de frapper Elena.

Elle murmura :

— Oh ! Marty, je te demande pardon, je n'ai pas pu... Je te jure que je n'ai pas pu.

Puis elle se remit à pleurer, doucement, et ajouta :

— Je partirai dans un jour ou deux, je te le promets.

Faye eut conscience de sa propre défaite. Il ne pouvait s'empêcher d'éprouver pour Elena un peu de pitié. Il la mit au lit et se coucha près d'elle. La nuit s'acheva ainsi, sans qu'il pût dormir ni même penser, brisé par l'épuisement.

Deux jours passèrent. Tous deux étaient déprimés, mais Marion savait qu'il avait perdu la partie, et un nouveau désespoir s'était installé en lui. Lorsque Elena commença à préparer ses valises, il ne protesta pas. Lorsqu'elle lui dit qu'elle partait, il dit simplement :

— Où comptes-tu aller ?

— A Hollywood, je chercherai du travail.

— Bon. Je vais t'y conduire en voiture.

— Non, dit-elle en secouant la tête. Je préfère pas.

— Laisse-moi au moins te conduire à l'aéroport.

— Je n'ai pas assez d'argent pour prendre l'avion.

— Je payerai ton voyage.

— Non. Je ne veux pas.

— Mais si, voyons, je t'en prie.

Le son de sa voix fit qu'elle le regarda.

— Je ne te comprends pas, dit-elle...

— Moi non plus. Mais laisse-moi payer ton voyage.

Elle accepta enfin. Marion téléphona à une agence de voyages pour réserver une place et mit les bagages d'Elena dans sa voiture.

Sur la route de l'aéroport, Marion doubla une voiture dans le seul virage que comportait le trajet. Il la doubla en sachant qu'une autre voiture, dont il voyait les lumières, venait en sens inverse. Il s'aperçut trop tard qu'il s'agissait d'un camion. Il appuya à fond sur l'accélérateur, tout en se rendant compte qu'il ne réussirait pas sa manœuvre. Il entendit Elena crier — et, lorsque l'avant du camion heurta son aile arrière, il sentit un choc terrible, qui lui fit lâcher le volant. Il eut l'impression que son corps était mis en pièces, puis tout s'immobilisa. Il souffrait atrocement, mais une pensée traversa son esprit. Il voulut dire à Elena, qu'il entendait gémir à côté de lui, de prendre le revolver qui se trouvait dans la boîte à gants et de le jeter hors de la voiture, car si on le trouvait là, il aurait des ennuis. Il avait toujours su qu'il finirait en prison pour une raison aussi ridicule que le fait de porter un revolver sans permis. Mais il était incapable de parler... « Tant pis, pensa-t-il, tant pis... Ça me fera peut-être du bien... » Puis il perdit conscience.

Le camion et l'autre voiture s'arrêtèrent. En quelques instants, une douzaine de personnes s'attroupèrent autour de la voiture de Faye. On en retira Elena la première. Elle n'était pas évanouie. Son nez saignait et elle gémit lorsque quelqu'un toucha son bras brisé. Elle eut pourtant la force de se mettre debout et de faire deux ou trois pas. Lorsqu'on l'arrêta, lorsqu'on la força à s'étendre, elle comprit qu'elle eût voulu s'enfuir dans la nuit comme un enfant apeuré — et elle murmura :

— Oh ! Charley, pardonne-moi, pardonne-moi...

Pourtant ce n'était pas ce qu'elle eût voulu dire, elle le savait, mais tout se confondait dans son esprit. « Marion, pensa-t-elle, Marion, pourquoi ne m'as-tu pas aimée, rien qu'un peu ? Pourquoi n'as-tu pas compris que tu aurais pu m'aimer ? »

Puis l'ambulance arriva, et elle n'entendit plus que le hurlement menaçant de la sirène.

XXVI

A L'HOPITAL, MARION fut placé sous la surveillance de la police, et personne ne fut autorisé à approcher Elena avant le lendemain. Après dix minutes de discussion avec l'infirmière en chef, qui s'inquiétait de savoir qui payerait les soins, je lui remis mon salaire d'une semaine et décidai de téléphoner à Eitel, à Hollywood. Je me disais que, s'il ne venait pas, il me faudrait prendre Elena en charge, et je savais à présent que je n'en avais aucune envie — ce qui me donna à penser qu'il me faudrait un bon moment avant d'être à nouveau fier de moi...

Ni le numéro d'Eitel ni celui de Munshin ne se trouvaient dans l'annuaire, mais je me souvins du nom de l'agent du premier, et c'est lui que j'appelai.

— Qui êtes-vous ? me demanda-il.

— Peu importe. Je suis un ami d'Eitel. Je téléphone de Désert d'Or.

— Ne me parlez pas de cet endroit... Ecoutez, si vous laissiez Charley tranquille ?

— Voulez-vous, oui ou non, me donner son numéro ?

— Pour quoi faire ?

— Il le faut. C'est urgent.

— N'insistez pas. Tout le monde persécute Charley avec ses ennuis personnels...

— Une de ses plus chères amies est peut-être en train de mourir, dis-je en exagérant.

— Ecoutez ! Charley Eitel est à nouveau, grâce à Dieu, un homme occupé. Pour l'instant, il dort. Je ne vais pas le réveiller pour une femme. N'insistez pas.

— Si vous ne lui transmettez pas ce message cette nuit même, criai-je dans l'appareil, c'est *lui* qui vous le fera regretter demain matin...

Finalement, après avoir passé une demi-heure à transpirer dans la cabine téléphonique, dépensé deux dollars et obtenu un faux numéro, je réussis tout de même à parler à Eitel. J'étais tellement furieux et tellement énervé que j'en bafouillais.

— Qu'est-ce que c'est que ce type qui vous sert d'agent ? commençai-je par lui demander.

— Sergius, vous êtes saoul ? dit Eitel.

Je lui dis ce qui était arrivé. Il y eut un silence de vingt secondes à l'autre bout du fil. Etait-ce un effet de mon imagination ? J'eus l'impression que la nouvelle que je venais de lui apprendre rendait Eitel furieux. Pourtant il me dit :

— Va-t-elle bien ?

— Je pense, dis-je en lui donnant les seuls détails que je possédais.

— A votre avis, dois-je venir ? me demanda Eitel.

Et, comme je me taisais, il ajouta :

— J'ai une journée chargée, demain...

— Vous voulez que je réponde pour vous ?

— Bon, je m'arrangerai... Dites à Elena que je prends l'avion. Je la verrai demain matin.

— Vous le lui direz vous-même : les visites sont interdites, cette nuit.

— Ça doit être grave, dit-il d'un air angoissé — et, pendant un moment, il me redevint sympathique.

Eitel arriva à l'hôpital dans la matinée, avant moi, et je le rencontrai dans l'escalier comme il sortait de la chambre d'Elena. A brûle-pourpoint, il me dit :

— Je vais l'épouser...

Il n'avait guère eu l'occasion d'hésiter... Il avait trouvé Elena assise dans son lit, un bras dans le plâtre et le nez recouvert d'un pansement. Elle ne l'avait regardé que lorsqu'il lui avait touché l'épaule et s'était bornée à dire :

— Oh ! Charley...

Eitel avait compris qu'elle était encore sous l'influence d'un somnifère.

318

D'abord, ils n'avaient rien trouvé à se dire. Puis elle avait murmuré :

— On m'a dit que tu travailles de nouveau...

Eitel hocha la tête affirmativement.

— Ç'a dû être pénible, de t'en aller d'ici ?

— Non, pas tellement, dit-il.

— Tu es heureux de travailler ? demanda-t-elle poliment.

— Ça ne va pas mal. La plupart des gens, au studio, ont été très aimables. On m'a même félicité pour ma déposition.

— Quelle chance ! dit-elle.

Ils essayèrent d'échanger un sourire, et Elena reprit :

— On t'a rendu ta situation ?

— Pas tout à fait. Il y a pas mal de choses à remettre en ordre...

— Mais tu vas faire un bon film ?

— J'essayerai.

— Je suis sûre que tu réussiras. Tout sera comme avant pour toi, Charley.

— Non, pas tout, dit Eitel.

Elena le regarda d'un air un peu craintif et demanda :

— Charley, est-ce que je t'ai manqué ?

— Oui, beaucoup, dit-il.

— Je voudrais que tu me dises la vérité, Charley.

— C'est vrai, Elena.

Elle se mit à pleurer silencieusement.

— Je ne te crois pas. Tu as été heureux d'être débarrassé de moi. Je ne t'en veux pas...

— Tu te trompes, Elena... Tu me connais. Je me suis interdit d'y penser. Mais...

Il toussota et chercha ses mots.

— Une nuit, je me suis mis à penser à toi... Il a fallu que je m'en empêche, cela me faisait trop mal...

— Je suis contente que tu aies eu un peu mal, dit-elle.

— Et toi ? demanda Eitel. Comment te sens-tu ? Ç'a dû être terrible, cet accident ?

En disant ces mots, il sut qu'il avait commis une erreur. C'était comme s'il eût évoqué soudain toute la période qui s'était écoulée depuis leur séparation, et il sentit qu'Elena se sentait brusquement très loin de lui, seule sur un lit d'hôpital, avec son passé saccagé, son avenir incertain, entourée par la mer froide et blanche de son lit et des murs nus d'une chambre aseptisée...

— Ça n'a pas été tellement grave, dit-elle.

Et, recommençant à pleurer, elle ajouta :

— Charley, tu ferais mieux de partir, maintenant... Je sais que tu détestes les hôpitaux...

— Non, dit Eitel presque malgré lui. Je veux prendre soin de toi.

Alors Elena s'écria :

— Charley, épouse-moi, je t'en prie, épouse-moi ! Je te promets de faire attention, cette fois...

Il fit « oui » de la tête, le cœur lourd, sans volonté, se disant qu'il devait bien y avoir un moyen de s'en tirer, tout en sachant qu'il n'y en avait pas... Car, tandis qu'Elena parlait, il avait entendu en lui l'écho de ce qu'elle lui avait dit la nuit où il lui avait fait son offre de mariage « sous condition » : « Tu n'as pas de respect pour moi. » Et il savait à présent qu'il ne pourrait plus lui dire non. Il se sentait froid comme pierre en serrant Elena contre lui, mais il savait qu'il l'épouserait, qu'il ne pourrait plus l'abandonner, car il existe une loi cruelle et juste qui exige que l'on devienne meilleur si l'on ne veut pas payer plus cher encore le privilège de rester tel que l'on est... S'il ne l'épousait pas, il ne pourrait jamais oublier qu'un jour il l'avait rendue heureuse et qu'à présent elle n'avait plus rien qu'un lit d'hôpital. Il continua donc de lui caresser l'épaule, de la questionner gentiment, de parler de leur mariage, certain maintenant que, quels que fussent ses sentiments pour elle, ils étaient désormais liés, au point que la souffrance de l'un devenait la souffrance de l'autre, et que c'était quand même mieux que rien.

Peut-être, dans un an, si elle trouvait quelqu'un d'autre, pourrait-il divorcer...

Ils se marièrent la semaine suivante, le jour même où Elena sortit de l'hôpital, et je l'appris par les journaux. La cérémonie avait eu lieu dans une petite ville proche de Hollywood, Collie Munhin avait été leur témoin — ce qui ne me surprit pas trop.

Ce n'est que le mois suivant que me parvint la lettre d'Eitel m'invitant au mariage. Je lui répondis pour expliquer mon absence et leur envoyai un cadeau. C'est qu'entre temps j'avais quitté Désert d'Or et je travaillais à un livre sur l'orphelinat de mon enfance, dans une chambre d'hôtel miteuse à trois mille kilomètres de là, à Mexico. Par la suite, je n'eus plus que de faibles échos de tout cela. Le mariage d'Eitel et d'Elena avait fait un peu de scandale et suscité peu d'attendrissement, et si certains journaux avaient publié des photos de Marion Faye, les échotiers s'étaient montrés assez discrets. Je n'ai jamais su ce qu'on en avait dit à Hollywood, mais c'était facile à deviner.

Plusieurs mois plus tard, après qu'il eut passé en jugement, Marion m'envoya une carte postale, représentant une cellule de prison, propre, bien éclairée, presque accueillante. Marion avait écrit :

Cf. nos conversations : j'ai l'impression d'être sur la bonne voie. Votre forçat et ami, Marty.

Au bas de la carte, il avait ajouté :

P.-S. — Etes-vous toujours flic ?

Un an et demi plus tard, je payai un dollar et quatre-vingts cents pour assister à la première de *Saints et amants,* dans une grande salle d'exclusivité de Broadway. La presse avait été chaleureuse, et la salle était presque comble. Je mâchai du *pop corn* pendant toute la durée de la projection. Ce n'était pas un mauvais film de modèle courant. Il était bien fait et ne comportait pas trop de scènes gênantes, mais il n'avait rien d'extraordinaire pour autant. Ma voisine, qui n'avait pas vingt ans, flirta beaucoup avec son petit ami, rit à un passage qui se voulait intelligent et bâilla une ou deux fois. Je répugne à l'admettre, mais je dus admirer toute une partie du film. En effet, bien qu'il eût affirmé qu'il ne connaissait rien aux choses de l'Eglise, Eitel s'en était très bien tiré, de manière à ravir les cœurs des cinéphiles catholiques...

Au cours des années qui suivirent, je songeai plusieurs fois à écrire à Eitel, mais je ne savais pas trop quoi lui dire, si bien que j'y renonçai. J'avais conscience d'avoir pris mes distances, mais il eût été prétentieux de le lui dire. Les années passent, et notre destin suit son cours solitaire, selon des lois qui n'ont pas grand-chose de commun avec le nombre ou le souvenir incertain des amis que nous avons eus...

SIXIÈME PARTIE

XXVII

J'AVAIS DONC GAGNÉ
le Mexique, et, après une longue attente, après que j'eus
reçu également un questionnaire inquisiteur qui me rappela les
deux délégués de la Commission d'enquête, les paperasses que
j'attendais m'y parvinrent. Le gouvernement m'accordait une
bourse qui me permettrait de vivre quelque temps. Je m'inscri-
vis dans une école d'art où je retrouvai quelques autres Amé-
ricains, notamment un grand garçon de couleur, ancien joueur
de basket-ball qui avait décidé de devenir pòète et avec qui
j'eus de longues discussions littéraires dans la moitié des bistrots de Mexico, un coureur motocycliste qui s'était fracturé
le crâne et frôlait à présent la dépression nerveuse, d'autres
encore. Je flânai ainsi quelques mois durant, et j'imagine que
je ressemblais à mes compagnons, à cela près que j'avais le
cafard : je pensais trop à Lulu.

Chaque dimanche j'allais aux courses de taureaux, à la
Plaza Mexico, et je découvrais peu à peu leur signification.
Par l'entremise de mes amis, je fis la connaissance de quelques
toreros et, lorsque j'eus appris à me débrouiller en espagnol,
je pris l'habitude de passer de longues heures avec eux, au
café. J'eus même une aventure avec une fille mexicaine, qui
était la maîtresse d'un jeune torero. Ce fait était en lui-même
assez inhabituel, car la plupart des jeunes toreros étaient trop
pauvres pour avoir une amie et, d'ailleurs, ne s'intéressaient
guère aux femmes, en vertu du principe selon lequel c'est au

lit que se prépare la défaite des champions. Le mien, pourtant, avait très bonne réputation auprès de quelques-uns et il ne tarderait pas, grâce à l'appui de son argent et de ses amis, à devenir matador. Tous mes copains me conseillaient de me méfier de lui. Cependant, lorsqu'il découvrit ma liaison avec son amie, au lieu de me tuer, il m'invita à dîner. Les toreros sont des êtres complexes. Nous passâmes une longue soirée ensemble, en commençant par échanger des insultes et en finissant ivres morts, avec chacun un bras entourant l'épaule de l'autre — ce qui n'était pas tellement commode, mon rival mesurant à peine plus de un mètre soixante. Il avait dix-neuf ans, ne pesait pas cinquante-cinq kilos, était à peu près illettré et avait le visage criblé d'acné.

Plus tard, il essaya de prendre une revanche bien mexicaine : il me donna quelques leçons et, alors que j'étais à peine capable de tenir une *muleta* et de porter une cape qui me donnait un air d'officier hongrois d'opérette, il m'emmena dans un ranch et m'autorisa à « travailler » l'une des génisses qui lui étaient réservées. Pour corser la chose, il avait convié son amie à assister au spectacle. Ces génisses ne sont pas vraiment dangereuses. Il leur est presque impossible de tuer un homme et, si l'on est assez souple, il n'est pas beaucoup plus pénible d'être renversé par elles que par une bicyclette, comme ce fut mon cas quatre ou cinq fois de suite. Pourtant le spectacle devait être assez pittoresque, car tous les Mexicains présents, assis sur la *barrera* de pierre du ranch, se tordaient de rire. Au bout de cinq minutes, je réussis une passe, puis une autre, et encore une troisième, avant d'être à nouveau renversé. Je me vois encore allongé dans la poussière, la génisse me mugissant dans les oreilles, tandis que les *peons* s'employaient à la distraire en agitant leurs capes. Mais j'avais au cœur une nouvelle passion ; je savais désormais ce que c'était que « travailler » un taureau, ou plus exactement une future mère de taureaux — et je voulais devenir toréador.

Les six mois qui suivirent furent assez curieux. J'accompagnai dans leur déplacement mon *novillero* et son amie. Il continua de m'enseigner son art, tout en sachant que la petite avait des faiblesses pour moi, au point qu'il finit par se contenter de payer ses dépenses sans lui en demander davantage. Plus il souffrait du goût qu'elle avait pour moi, plus il s'acharnait à me retenir lorsque je manifestais l'intention de les quitter et, chaque fois qu'il réussissait à me convaincre, il me haïssait un peu plus. Ce qu'il endurait pendant les heures que la petite passait avec moi était incroyable, car, comme la plupart des Latins, il était, en ces matières, doté d'une imagination volcanique. Le lendemain, s'il avait à combattre, il y allait d'un air féroce. Toutes choses égales d'ailleurs, c'était un terrible froussard, mais le tiers des meilleurs toréadors savent tirer parti de leur frousse et en deviennent encore plus étonnants que les courageux, du moins à mes yeux. J'avais toujours été extrêmement intrigué par les toréadors qui manifestent la peur la plus intense et réussissent ensuite les combats les plus brillants. C'est que les froussards savent tout ce qu'un homme peut craindre d'un taureau, de sorte que, les rares jours où ils sont capables de maîtriser leur corps, ils font montre d'un art et d'une subtilité incomparables.

Tel était mon *novillero* mexicain. Il était maladroit et détestable lorsqu'il avait peur : avec un mauvais taureau, il semblait désespéré — mais de temps en temps, pâle comme la mort, glacé par la peur au point que, ce jour-là, on eût dit qu'il fût prêt à mourir ; s'il avait affaire à un animal à peu près convenable, il combattait avec une sorte de génie et, quoi qu'il se fût passé entre nous, je ne pouvais me défendre de voir en lui un grand artiste. La moitié des spectateurs délirait d'enthousiasme, tandis que l'autre moitié le huait, en raison de son style très peu orthodoxe. C'est le seul torero que j'aie jamais vu faire trois fois le tour de l'arène en brandissant les oreilles et la queue du taureau qu'il avait abattu, tandis que la partie « conservatrice » des *aficionados* lui lançaient des coussins à la tête. J'en arrivai ainsi à le considérer comme un héraut révolutionnaire de son art et à penser que sa maîtresse et moi-même étions en quelque sorte l'aiguillon de sa vocation. Dieu sait pourtant qu'il nous en voulait ! J'ai essayé à plusieurs reprises d'en faire un roman, et peut-être l'écrirai-je un jour.

Je finis pourtant par les quitter, mais l'histoire serait trop longue à raconter. Je poursuivis ma route seul et il m'arriva pas mal de choses, car il est assez inhabituel pour un Américain de vouloir devenir toréador au Mexique. C'était pourtant ma préoccupation primordiale, et je confesse qu'après quelques petits combats bien menés je me mis à rêver que je pourrais être le premier grand matador américain. Mais j'imagine que j'étais déjà trop vieux pour devenir vraiment bon, car ce n'est pas seulement affaire de courage. Je fus blessé plusieurs fois, la dernière assez sérieusement, puis mon permis de travail fut renouvelé illégalement, comme c'est toujours le cas au Mexique si l'on y reste assez longtemps ; la chose transpira, et finalement je fus reconduit à la frontière. Je n'étais plus ni matador, ni *novillero,* je n'étais même plus un ancien combattant doté d'une bourse par son gouvernement ; tout ce qui me restait consistait en une curieuse cicatrice à la jambe, la perspective d'avoir à refaire pas mal de chemin, et une nouvelle compassion pour moi-même.

Après une ou deux escales, je me retrouvai à New-York, dans un pauvre logement situé hors des limites du Village (1). J'eus quelques aventures très compliquées avec diverses filles, ce qui contribua à parachever mon éducation, et j'entrepris d'écrire le roman auquel je rêvais sur la tauromachie — mais n'y réussis guère. Comme il fallait s'y attendre, c'était une pâle imitation des brillants ouvrages de Mr. Ernest Hemingway, et cela m'apprit seulement qu'il était décevant de vouloir recommencer l'œuvre d'un bon écrivain.

Et puis, un jour, les journaux m'apprirent que Dorothea O'Faye-Pelley était à New-York. Je ne résistai pas à la tentation de téléphoner à plusieurs hôtels. Elle se trouvait dans le troisième que j'appelai et j'allai l'y retrouver. Notre conversation nous rapprocha. Elle avait pas mal de choses à me raconter sur les gens que nous connaissions. A notre surprise mutuelle, nous passâmes la nuit ensemble, à son hôtel, et le plus clair des dix jours qui suivirent dans mon appartement, ce qui me permit de découvrir un nouvel aspect du personnage de Dorothea. Son manteau de zibeline posé sur un de mes fauteuils à dix dollars, elle balayait le linoléum crasseux de ma chambre tout en m'enseignant la manière de traiter mon concierge — car elle savait que le drame essentiel de la pauvreté réside dans le problème des ordures ménagères, et

(1) Greenwich Village, le Saint-Germain-des-Prés new-yorkais. (N. du T.)

dans la guerre froide qu'il provoque entre les locataires et le brigand alcoolique du rez-de-chaussée.

Durant les moments d'un caractère moins domestique, l'expérience que je vivais avec Dorothea était intéressante — moins par ses agréments que par son côté pimenté. Dorothea était sensiblement plus âgée que moi et d'une grande voracité (qui l'en eût blâmée ?), en sorte qu'elle m'offrit bientôt de me prendre en charge pendant que j'écrirais mon livre. Mais cela équivalait un peu à me transformer en gigolo, et bien que je n'eusse rien, en principe, contre les gigolos (il m'était déjà arrivé de penser que c'eût été un moyen comme un autre d'assurer mon existence), je me rendais compte combien il est difficile à un gigolo de sauvegarder sa dignité.

Finalement, je la persuadai que nous étions faits, elle pour la côte Ouest, et moi pour la côte Est, et lorsqu'elle fut partie, je me trouvai en face d'une nouvelle énigme à résoudre : vaut-il mieux être celui qui aime ou celui qui est aimé ? Cela m'amena à repenser à Eitel et à sa Roumaine, à mon toréador et à sa bien-aimée, à l'amour que Dorothea prétendait me porter et à mon indifférence pour elle. Je repensai également à Lulu, pour m'apercevoir avec plaisir que je ne souffrais plus ou presque plus : il me suffisait de l'évoquer assise aux pieds de Dorothea...

Je me remis à écrire, mais, au lieu de travailler à mon roman tauromachique, j'écrivais des bribes de ce roman-ci. J'avais grandi, j'avais survécu, j'étais devenu capable de donner une forme durable à ces parties de moi-même qui valent mieux que moi, et je pouvais trouver une consolation dans le sentiment que je commençais d'appartenir à ce monde d'orphelins qu'est celui des artistes, des créateurs.

J'avais toujours remis à plus tard le moment de m'instruire, mais la culture m'appelait maintenant de tous côtés et j'avais une conscience de plus en plus vive de tout ce que je ne savais pas. C'est pourquoi, cette année-là, je passai des journées entières à la bibliothèque publique, où je lus les grands romanciers, des essais critiques, des ouvrages d'histoire, quelques philosophes, des psychanalystes aussi (ceux dont je trouvais le style supportable), des anthropologistes. J'appris plusieurs langues, le français, l'italien et même un peu d'allemand. Je passai deux mois à lire *Le Capital* et j'eusse été bien près de me croire socialiste si je ne m'étais souvenu de certains propos de Munshin (au bout du compte, je me retrouvais l'anarchiste que je serais toujours, me semblait-il). Je connus aussi de mauvais jours, durant lesquels je songeai à redevenir catholique. Quoi qu'il en fût, mon éducation se poursuivait ; il y eut des mois où mes lectures me mirent dans un état de surexcitation qu'aucune de mes expériences précédentes ne m'avait fait connaître. Et, à partir de cette année, il n'exista plus jamais pour moi d'autorités que je plaçais sur un piédestal, au-dessus de toute discussion. L'insoumission que je définis ainsi n'est guère audacieuse, mais il faut voir d'où je venais : quand j'étais à l'orphelinat, ceux qui fréquentaient l'université me semblaient aussi mystérieux, aussi éloignés de moi que des princes et des milliardaires qui se retrouvent à bord d'un yacht pour une croisière en Méditerranée.

Plus mon savoir s'étendait, plus je prenais confiance : quelle que fût la réputation d'un auteur ou l'envergure de son esprit, je me convainquais en le lisant que ni lui ni personne ne pourrait devenir pour moi un maître, car en fin de compte les expériences que les écrivains traduisaient ne coïncidaient pas avec mon expérience personnelle, et j'avais le culot de penser que mes livres seraient consacrés à des mondes mieux connus de moi que d'aucun de mes contemporains. Je continuai donc d'écrire, éprouvant et retrouvant à n'en plus finir le sentiment de l'échec ; il n'y a peut-être pas plus long voyage que du premier enthousiasme créateur à l'œuvre achevée.

Toutefois, mes ambitions n'étaient pas toujours si hautes, et je connus aussi des semaines de désespoir, hanté par le désir d'être amoureux. J'allais alors de fille en fille, jouant de mon prestige local de toréador. Depuis mon retour de Désert d'Or, j'avais pourtant bien changé. Cela ne m'empêchait pas de penser à Eitel, à Elena, d'imaginer leur vie et celle de Hollywood, de laisser mon imagination m'entraîner en des régions où je ne retournerais jamais moi-même ; leur existence à tous devenait plus réelle à mes yeux que la mienne propre, et c'était comme si j'eusse assisté à la ronde de leurs jours...

XXVIII

J E VIS AINSI EITEL,
un certain soir, plusieurs années après son retour à Hollywood. Depuis huit heures du matin, il avait travaillé à son nouveau film. A présent, tandis que les opérateurs rangeaient leurs appareils jusqu'au lendemain, que les électriciens installaient leurs projecteurs sur le plateau où l'on travaillerait le jour suivant, que les acteurs quittaient leurs loges et lui souhaitaient bonne nuit, Eitel éprouvait la mélancolie légère qui s'emparait toujours de lui à la fin d'une journée de travail, comme s'il eût été un enfant rentrant chez lui, après l'école, un soir d'hiver.

Un de ses assistants lui présenta une note à signer, et l'accessoiriste lui fit signe qu'il avait à lui parler.

— Non, leur cria Eitel. C'est tout pour aujourd'hui. Nous verrons tout ça demain matin.

Sur quoi, avec un geste de la main qui s'adressait aussi bien au matériel et au décor qu'aux membres de l'équipage qui restaient encore sur le pont, il quitta le studio. Les dirigeants de la firme passaient à quinze à l'heure dans leurs Cadillac décapotables. Les sténographes et les secrétaires franchissaient la grande sortie de marbre du bâtiment administratif. Sortant d'un autre studio, une bande de pirates encore maquillés passèrent devant Eitel en parlant très haut. Près d'une douzaine de personnes lui dirent bonsoir. Tel un homme politique, il accueillait leurs hommages, saluait l'un, souriait à un autre, regardant d'un œil blasé leurs chemises écarlates, les mouchoirs tachés d'hémoglobine qui entouraient la tête de certains et leurs costumes multicolores.

Lorsqu'il eut regagné son bureau, dans l'un des bungalows réservés aux metteurs en scène, il demanda à sa secrétaire d'appeler Collie Munshin au téléphone, puis se versa à boire et entreprit de se raser. Il n'avait pas fini lorsqu'il obtint la communication.

— Comment les choses ont-elles marché, aujourd'hui ? demanda le producteur de sa voix haut perchée.

— Très bien, je crois, dit Eitel. Nous suivons le programme prévu.

— Je viendrai vous voir demain sur le plateau. J'ai vu H. T. ce tantôt. Je lui ai dit que le film se présente bien.

— Tout le monde le sait, Collie.

— Bien sûr, bien sûr, bébé... Mais il *faut* que ce film soit réussi.

— Il faut que tous les films soient bons, dit Eitel avec humeur en continuant de se raser de sa main libre.

Puis, changeant de ton, il reprit.

— Ecoutez, Collie, j'ai téléphoné à Elena, à midi, pour lui dire que vous et moi aurions une conférence ce soir. Je ne crois pas qu'elle vous appelle, mais, si elle le fait, ne me coupez pas, voulez-vous ?

Il sentit l'hésitation de Munshin. C'était la troisième fois depuis un mois qu'il lui demandait le même service.

— Comme vous voudrez, Charley, dit lentement Munshin. Mais n'oubliez pas que la journée de demain est importante...

— Ne faites pas l'idiot, répliqua sèchement Eitel. Pourquoi croyez-vous que je sorte, ce soir ?

Munshin soupira :

— Présentez mes hommages à la dame.

Lorsque Eitel monta dans sa voiture, il faisait presque nuit. Il manœuvra pour sortir des artères encombrées qui avoisinaient le studio et gagner l'une des larges avenues conduisant à l'océan. Lulu l'attendait dans sa maison du bord de mer, et il ne voulait pas être en retard.

Depuis quelque six mois qu'ils avaient recommencé à coucher ensemble, ils se voyaient presque chaque semaine. Le problème le plus difficile à résoudre avait été pour eux de trouver un endroit où se rencontrer. La maison de Lulu, dans l'un des faubourgs de Hollywood, s'était révélée peu commode : sans cesse des amis venaient boire un verre. Ils avaient donc été obligés de se rabattre sur la maison de la plage. En raison de l'hiver et du temps pluvieux, la plus grande partie de la colonie cinématographique qui habite au bord de la mer s'était retirée en ville, ce qui leur assurait une tranquillité relative. Mais, comme quelqu'un aurait pu voir Eitel y entrer, il parquait sa voiture à quelque distance et faisait à pied le reste du chemin. Dans un mois, ce serait le printemps, et il leur faudrait trouver un autre abri.

Tout en conduisant, Eitel essayait en vain de ne pas penser au film qu'il tournait. C'était le quatrième depuis *Saints et amants,* et il n'avait rien de remarquable : une comédie assez conventionnelle, mettant en scène deux personnages mariés par accident — mais le budget mis à sa disposition était le plus important qu'on lui eût accordé depuis son retour à Hollywood, et les interprètes principaux étaient deux des plus grandes vedettes de la *Supreme.* Sa situation dépendait dans une certaine mesure du succès de l'entreprise, la réussite très relative de *Saints et amants* et des trois autres films qu'il avait réalisés ensuite n'ayant pas été convaincante. Eitel ne pouvait donc s'empêcher de penser aux problèmes qu'il aurait à résoudre au cours des prochains jours. Il était écrasé par l'animosité qui dressait l'une contre l'autre sa principale interprète et une plus jeune actrice. Il se disait aussi qu'avant la fin de la semaine il lui faudrait retravailler avec l'auteur le dialogue d'une scène importante, qui manquait de piment. Il se demandait enfin avec une sotte angoisse si le rythme de l'action n'était pas trop rapide ou trop lent, question à laquelle on ne peut pas répondre avant le montage. Si son instinct lui avait fait défaut, il pourrait toujours essayer, à ce moment-là, de réparer les dégâts... Eitel soupira. La maison de la plage était en vue, et il n'avait pas encore réussi à oublier ses soucis professionnels.

Lulu l'attendait impatiemment.

— Je croyais que tu n'arriverais jamais, dit-elle.

— J'ai eu une journée terrible... Tu ne peux pas savoir combien j'aspirais à cet instant.

Lulu n'eut pas la réaction attendue.

— Charley, dit-elle, serais-tu très fâché si je te proposais d'être sages, ce soir ? Je suis assez énervée.

Il maîtrisa son mécontentement. Lulu n'aurait-elle pas dû se rendre compte à quel point il lui était difficile de s'assurer ces quelques heures de liberté ? Il se força pourtant à sourire.

— Nous ferons ce que tu voudras, dit-il.

— Tu sais à quel point je tiens à toi physiquement... Tu es le seul homme avec qui je trompe Tony, et je n'ai pas besoin de te dire ce que cela signifie.

Eitel lui adressa de nouveau un sourire de tendresse. Il avait bien ouï dire qu'elle avait deux autres aventures en cours, mais sait-on jamais ?...

Lulu se mit à marcher de long en large dans le living-room.

— J'ai besoin de tes conseils, Charley, dit-elle brusquement. La situation est sérieuse.

Eitel était sur ses gardes. Qu'allait-elle lui demander ? Elle se mit à pleurer.

— Tony a des ennuis, reprit-elle... Il est à tuer !

— Que s'est-il passé ?

— Mon agent de presse, Monroney, m'a téléphoné pendant une demi-heure, juste avant ton arrivée. Selon lui, je devrais faire une déclaration aux journaux, mais il ne sait pas dans quel sens ! Moi non plus... Et il faut que ce soit fait tout de suite.

— Mais de quoi s'agit-il ?

— Tony a frappé une serveuse dans un restaurant de Pittsburgh...

Eitel fit claquer sa langue.

— Mauvais, ça...

— Dis que c'est terrible... Je savais que Tony aurait une histoire de ce genre un jour ou l'autre. Pourquoi le studio le laisse-t-il en liberté ? On devrait le garder dans une cage. Monroney me dit qu'il n'a pas dessaoulé depuis deux jours.

— Et que comptes-tu faire ?

— Je ne sais pas. Si je fais une gaffe, cela pourrait signifier la fin de ma carrière.

— Cela mettra plutôt un terme à celle de Tony.

Elle hocha la tête.

— Non. Pas avec la chance qu'il a... Le studio s'occupera de le tirer d'affaire. Mais moi...

Lulu laissa éclater sa colère :

— Pourquoi faut-il qu'il fasse des trucs de ce genre !

— Tu ne crois pas que tu devrais contacter la *Supreme ?* questionna Eitel.

— Non. Réfléchis un peu : tu ne vois pas que c'est Tony qu'ils chercheront à sauver ? Ils ne m'ont même pas avertie de ce qui s'était passé, c'est bien la preuve... Tu verras qu'ils lanceront le bruit que c'est à cause de moi, parce que je suis une mauvaise épouse !

— La *Supreme* ne te sacrifierait pas...

— Penses-tu ! La cote de popularité de Tony est plus haute que la mienne.

— Momentanément, peut-être...

— Charley, cesse de me sermonner ! cria Lulu.

— Ne crie pas comme ça.

Elle se força au calme.

— Excuse-moi, murmura-t-elle.

— Que dit Monroney ?

Lulu posa son verre.

— C'est un imbécile. Quand cette histoire sera réglée, je l'enverrai au diable. Il trouve que je devrais déclarer à la presse que je me désintéresse de Tony, que Tony est une brute, que je sais fort bien ce que cherchait cette serveuse, et cætera, et cætera.

— Les gens n'aimeront pas ça, dit Eitel.

— Bien sûr. Mais, d'après Monroney, c'est ce que je peux faire de mieux. Sa théorie est qu'il me faut attaquer la première, avant que ce ne soit la *Supreme* qui m'attaque... Je ne sais que penser.

— Laisse-moi remplir ton verre, bébé, dit Charley. Tout ça n'est pas si terrible.

— Charley, aide-moi, je t'en prie...

Il hocha la tête et sourit.

— Je ne suis pas expert en matière de publicité, dit-il, mais j'ai tout de même appris une ou deux petites choses. A vue de nez, il me semble que ce serait une erreur de vouloir attaquer la *Supreme* sur ce terrain. Ils sont trop forts pour toi.

— Je ne le sais que trop !

— Mais il n'est pas nécessaire de t'opposer à leur puissance : tu peux, au contraire, en tirer parti...

Il ménagea une pause et poursuivit :

— Ils ne souhaitent pas te perdre, à moins d'y être forcés. Si tu fais ce qu'il faut, la *Supreme* sera heureuse de vous sauver tous les deux, Tony *et* toi.

— Explique-toi, Charley.

— Vois-tu, le public adore certaines sortes de confessions... Je te suggérerais donc de prendre sur toi, spontanément, la responsabilité de ce qui s'est passé, mais en présentant les choses de telle manière que tout le monde te plaindra.

— Je crois que je vois ce que tu veux dire. Mais Monroney saura-t-il en tirer parti ?

— Tu as une machine à écrire ? demanda Eitel... Je te rédige ça en cinq minutes.

Lulu l'installa devant un petit bureau. Il alluma une cigarette, but une gorgée et se mit à écrire ce qui suit :

Miss Meyers, que nous avons trouvée chez elle occupée à distraire quelques enfants de la Société Bonny-Kare d'aide aux enfants abandonnés, nous a déclaré : « Tout cela est ma faute. Tony ne doit pas en être blâmé. Je songe avec émotion à cette pauvre serveuse, et je sais que Tony est encore plus affecté que moi. Je me sens responsable des soucis sentimentaux et psychologiques qui l'ont poussé à ce geste malheureux. Tony a un caractère merveilleux, mais je n'ai pas su lui donner l'amour désintéressé dont il a besoin, bien qu'à ma façon je l'aime profondément. Je souhaite que ce déplorable incident m'aide à trouver la maturité et l'humilité auxquelles j'aspire depuis si longtemps. Je prends l'avion pour Pittsburgh immédiatement pour être près de Tony, avec l'espoir que cette épreuve lui sera bonne, à lui plus encore qu'à moi-même. »

— Charley, tu es un grand homme ! dit Lulu en l'enlaçant. J'appelle tout de suite Monroney...

Le téléphone à la main, elle hésita un instant et demanda :

— Qu'est-ce que c'est que cette histoire de Bony-Kare ?

— Je connais très bien Gustafson. C'est une des œuvres

de charité dont il s'occupe. Envoie-lui un chèque de cinq cents dollars, et tu n'auras aucun ennui de ce côté. Il confirmera même ta déclaration. Je vois ça d'ici : « L'une des actrices les plus généreuses que je connaisse... » Demande seulement à Monroney de le prévenir tout de suite. Et, tant que tu y es, dis-lui de te réserver une place d'avion...

Lorsqu'elle eut raccroché, Lulu vint s'asseoir sur ses genoux :

— J'ai deux heures devant moi avant d'aller à l'aéroport, dit-elle, mais il faut que je téléphone à ma femme de chambre de préparer ma valise et de m'y retrouver.

— Rien ne presse.

— Oh ! Charley, tu est vraiment quelqu'un ! Monroney est emballé. Il va envoyer une copie de ma déclaration à la *Supreme* dès qu'il l'aura transmise à la presse.

— Si les journaux la publient, et je suis sûr qu'ils le feront, dit Eitel, on ne parlera plus que de toi pendant au moins huit jours.

— Je ne saurai jamais assez te remercier... Je me doutais bien que tu me tirerais d'affaire !

— Nous sommes de vieux complices, non ?

— Charley, faisons l'amour... J'ai envie de toi.

Ils passèrent un quart d'heure très agréable, après quoi Lulu l'embrassa sur son crâne dégarni en disant :

— Tu rajeunis tous les jours...

Eitel se sentait bien. Il faisait bon, le corps de Lulu était agréablement tiède, et la tension de la journée s'était dissipée. Il serra Lulu contre lui et sourit lorsqu'elle se mit à ronronner comme un chat. « Laisse-la se reposer, se dit-il. Les jours qui viennent seront durs pour elle... »

— Charley, il y a un pépin...

— Rien qu'un ? demanda-t-il ironiquement.

— Je songeais à me séparer de Tony. A présent, ce ne sera pas possible avant au moins un an...

— Tu voulais vraiment divorcer ? Si vite ?

— Je ne sais pas... Je ne sais plus. Je me demande si je l'aime.

— Ah oui ?

— ... Mais je déteste la façon qu'il a de se servir de moi. Je n'aurais jamais dû te laisser partir.

— Nous avions décidé d'être bons amis, dit Eitel. C'est mieux ainsi.

— Parfois j'ai peur, Charley. Je n'aime pas ça...

— Ça passe comme c'est venu, tu sais ?

Elle se leva et alluma une cigarette.

— J'ai vu Teddy Pope, hier. C'est étrange... Il ne m'a jamais plu, mais à présent il me fait de la peine.

— Que devient-il ?

— Il cherche toujours du travail. Il m'a dit qu'il pourrait trouver un emploi dans une firme indépendante. Je lui ai dit d'aller dans l'Est. Il était d'accord, mais il ne suivra pas mon conseil. Je crois qu'il a peur de faire du théâtre.

— Je voudrais pouvoir faire quelque chose pour lui, dit Eitel.

— Teddy est vraiment bien, dans son genre... Quand on pense à ses ennuis avec Teppis, il lui a fallu du courage pour aller voir Marion en prison. Mais quelle sottise d'avoir fait cette déclaration insensée ! Pourquoi a-t-il éprouvé le besoin de proclamer que Marion était son ami ?

Elle toucha le bras d'Eitel en ajoutant :

— Je m'excuse, Charley...

— Pourquoi ? dit Eitel, qui avait tiqué.

— J'avais oublié ce qui s'est passé entre Marion et Elena.

— Ça ne fait rien. Tout le monde l'a oublié.

Il haussa les épaules.

— Elena est une gentille fille, dit Lulu.

Elle eut soudain l'air triste et poursuivit :

— Quand j'ai quitté Teddy, je me suis dit qu'H. T. avait eu raison. Peut-être aurais-je dû l'épouser. Cela nous aurait peut-être fait du bien, à tous les deux... Oh ! Charley, j'ai le cafard. Je voudrais ne pas avoir vu Teddy...

Eitel la réconforta. Ils bavardèrent encore un moment, puis il consulta sa montre.

— Tu devrais t'habiller, si tu ne veux pas manquer l'avion, dit-il.

— J'avais presque oublié ! J'aimerais tellement mieux ne pas avoir à faire ce voyage...

Tout en prenant une douche, elle continua de lui parler.

— A propos, bonne chance pour ton film, pendant mon
absence !

— Merci.

— Quand je serai à Pittsburgh, puis-je te téléphoner chez
toi si j'ai besoin de tes conseils ?

— Je pense que oui. Etant donné les circonstances, je
trouverai bien une explication pour Elena.

— Elle est jalouse, non ?

— Ça lui arrive...

— J'espère que ton film sera un succès. Dieu sait que tu
le mérites... A mon avis, *Saints et amants* était l'un des plus
grands films que j'ai vus, et je n'étais pas seule à le penser.
Tu aurais dû avoir un Oscar...

— Toujours est-il que je ne l'ai pas eu...

Après un silence, elle questionna :

— Charley, es-tu heureux avec Elena ?

— Je ne suis pas malheureux.

— Elle est beaucoup mieux qu'avant.

— Je crois que son psychanalyste l'a beaucoup aidée.

— Non, dit Lulu, ne crois pas ça. Voilà cinq ans que je
vois le mien sans que ça m'ait rien fait. C'est toi : tu as fait
du bien à Elena. Tu fais du bien à tout le monde...

— Je ne m'en étais jamais aperçu...

— Tu as toujours été trop dur pour toi-même.

— Peut-être ne le suis-je pas assez, murmura Eitel.

Lulu ouvrit la porte de la salle de bains et lui tira la langue :

— C'est ridicule de dire ça... Parle-moi plutôt de Victor.
Je voulais lui envoyer un cadeau, mais j'ai oublié.

— Vickie ? dit Eitel. Je l'adore...

— Je ne t'aurais jamais imaginé en père de famille !

— Moi non plus. Mais c'est vrai que je l'aime, ce gosse.

« L'aimé-je vraiment ? » se demanda-t-il. Il éprouvait soudain le désir de tenir son fils dans ses bras. Victor ressemblait
à Elena — non pas à Elena telle qu'elle était aujourd'hui, se
dit-il, mais à celle qu'elle était quand il l'avait rencontrée.
Pourtant, il lui arrivait de ne pas penser à lui durant des
semaines entières.

— Comment sais-tu que tu l'aimes ? demanda Lulu avec
curiosité.

Eitel fut sur le point de répondre. « Parce que je souhaite qu'il soit meilleur que moi... », mais il ne dit rien.

— Peut-être devrais-je avoir des enfants, dit Lulu. Je me demande si ce ne serait pas une solution...

— Tu ferais mieux de téléphoner à ta femme de chambre, si tu veux qu'elle soit à l'aéroport.

Lorsque Lulu fut habillée, il sortit sa voiture du garage. Elle y prit place.

— Garde la tête froide, dit-il, et tout ira bien.

— Tu m'accompagnes à l'aéroport avec ta voiture ?

— Il vaut mieux qu'on ne nous voie pas ensemble, tu ne crois pas ?

— Peut-être...

Lulu ressortit de la voiture pour le serrer une dernière fois dans ses bras.

— Je t'aime énormément, Charley, dit-elle. Tu sais que tu es devenu quelqu'un de vraiment bien ?

— Tu es gentille... Vois-tu, il y a une chose que je n'ai dite à personne depuis des années : ma mère, avant d'épouser mon père, était femme de chambre... Bien sûr elle ne travaillait que pour des gens très bien !

Ils rirent tous les deux, et Lulu conclut :

— Pourquoi n'as-tu pas toujours su que tu étais le grand amour de ma vie ?

Il l'embrassa doucement sur la joue et regarda la voiture s'éloigner. Puis il descendit sur la place et contempla longuement le Pacifique. Il était encore tôt. Il n'avait pas à se presser de rentrer à la maison.

Il s'assit par terre et ses doigts s'enfoncèrent dans le sable. Il se souvint, comme si la chose se fût passée dans une autre vie, du jour où il avait, sur une autre plage, essayé d'attirer l'attention d'une fille — et il se rappela la douloureuse acuité de son désir pour elle, comme si elle eût incarné une vie qu'il n'avait jamais vraiment connue.

Eitel était triste, mais d'une tristesse presque agréable. Il aspirait à rentrer chez lui. Après une longue période d'indifférence, il se sentait à présent plein de tendresse pour Elena, comme chaque fois qu'il l'avait trompée. Avant de se coucher, il lui dirait son amour... Elle n'avait plus le même besoin que jadis qu'il lui parlât ainsi, mais cela lui ferait plaisir. Eitel, songeant aux quelques années écoulées depuis leur mariage, était heureux qu'elles fussent passées. La première de ces années avait été mauvaise. Les cancans et leurs propres souvenirs les séparaient. Puis cela aussi s'était effacé, et, si avec la jalousie d'Eitel s'étaient enfuies aussi ses émotions les plus vives, Elena et lui n'en avaient pas moins conservé une vie conjugale, et plus réussie que beaucoup d'autres.

Lorsque Elena avait découvert qu'elle était enceinte, cela avait posé un nouveau problème. L'idée de se faire avorter la terrifiait, et Eitel s'était senti enchaîné pour la vie. Mais à présent il aimait son fils, ou du moins faisait de son mieux pour l'aimer, et, comme disait Lulu, Elena était « beaucoup mieux qu'avant ». Elle avait appris son rôle de maîtresse de maison, elle savait diriger ses domestiques, elle savait même recevoir, en sorte que beaucoup de gens enviaient Eitel... Il soupira. Après tout, pourquoi ne pas admettre que l'Amour n'existe pas, mais que chacun aime à sa manière et s'en tire de son mieux ? « La vie m'a rendu très positif », se disait-il.

Il regagna sa voiture et reprit à petite allure le chemin de la maison qu'ils avaient achetée sur les hauteur de Hollywood.

Il trouva Elena occupée à lire, dans le living-room. A son regard, il devina qu'elle était de mauvaise humeur. Elle avait souvent cet air-là, lui semblait-il, les jours où il l'avait trompée. Savait-elle quelque chose, ou était-ce son propre malaise qui lui donnait, à lui, cette impression ?

— Comment va Victor ? demanda-t-il en entrant.

— Il a été très mignon aujourd'hui, répondit-elle avec un sourire endormi. Il faut que je te raconte ce qu'il a fait...

— Bon, dit Eitel. Mais laisse-moi d'abord boire un verre.

L'alcool chasserait de sa bouche le goût de Lulu. Lorsqu'il embrassa Elena sur la joue, il le fit avec une nuance d'indifférence, pour qu'elle n'en attendît pas plus.

— La réunion s'est bien passée ? dit-elle.

— Très bien.

— Tu m'as manqué, ce soir. J'étais très déçue, quand tu m'as téléphoné.

— Je sais.

— Non, tu ne sais pas...

— Je suis fatigué, chérie, dit-il doucement. Ne me gronde pas.

— Je me demande quand nous passerons une soirée ensemble.

— A la fin de la semaine, je te le promets. Peut-être vendredi.

— Vendredi après-midi, j'ai ma leçon de danse. C'est *moi* qui serai fatiguée, le soir...

Depuis un an, elle prenait à nouveau des leçons de danse, moins sans doute en songeant à ses anciennes ambitions que dans l'intérêt de sa ligne, mais une ou deux fois, au cours d'une soirée, elle avait dansé pour leurs invités.

— Nous trouverons bien une soirée au cours du week-end, dit Eitel.

Il se laissa tomber dans un fauteuil et se frotta les yeux.

— Qu'as-tu fait, aujourd'hui ?

— J'ai joué au bridge tout l'après-midi.

— Parfait.

— Non, dit-elle : j'ai horreur du bridge...

Elle était de toute évidence de mauvaise humeur. Malgré sa fatigue, Eitel se pencha vers elle et lui prit le bras.

— Qu'est-ce qui ne va pas ? questionna-t-il.

— J'ai vu mon psychanalyste, ce matin.

— Tu le vois deux fois par semaine, non ?

— Oui, mais aujourd'hui nous nous sommes disputés.

Eitel se dit que cela valait la peine de débourser trente-cinq dollars pour qu'elle se disputât pendant une heure avec un autre que lui...

— A propos de quoi ? demanda-t-il.

— Je préfère ne pas en parler.

— Comme tu voudras.

— ... C'est parce que nous parlons toujours des mêmes choses.

— Tu veux dire : avec ton psychanalyste, ou avec moi ?

— Avec lui, bien sûr ! Il est très fort, mais je crois que je n'ai plus besoin de lui.

— Eh bien, ne va plus le voir.

— Je pense que je n'irai plus... Seulement...

— Seulement ?

— Cette dispute était stupide. Je lui ai parlé de la nouvelle maison que nous parlons d'acheter si ton film est un succès, nous en avons discuté, et il en est ressorti... eh bien, il en est ressorti que je ne veux pas de cette nouvelle maison.

— Vraiment ?

Il se souvenait de son excitation, le jour où ils avaient visité la maison en question.

— C'est-à-dire que j'en veux et que je n'en veux pas. Nous avons découvert en moi certaines ambivalences...

— Ah oui ?

— Ne te fâche pas... Il semble qu'inconsciemment je trouve cette maison trop grande, c'est-à-dire que j'ai peur que nous devenions trop riches... Mon psychanalyste n'a pas aimé mes propos. Il m'a dit que je faisais de la régression infantile, que mon attitude à ton égard et à l'égard de l'argent le prouvait, et que c'était le signe d'un manque de personnalité...

Elle toucha la main d'Eitel.

— Je ne sais pas ce qui s'est passé, Charley, mais je me suis mise en colère après lui. Je lui ai dit qu'il pouvait parler, avec sa maison de vingt pièces, qu'il n'était qu'un gros bourgeois prétentieux et que, s'il n'aimait pas ma façon de parler, personne ne l'obligeait à accepter mon argent... Ç'a été affreux.

— Ça vous est déjà arrivé, non ?

— Oui, mais cette fois je pensais vraiment ce que je disais et je le pense encore. Je n'ai plus confiance en lui, Charley. La prochaine fois, je ne ferai pas de scène, mais je lui dirai qu'il me déplaît. Vois-tu, je ne veux pas du genre d'existence qu'il voudrait me voir mener.

— Que veux-tu dire ?

— Je veux dire que je lui dois beaucoup, bien sûr, mais qu'il ne me comprend pas. Vraiment pas.

— Je ne te suis pas.

— Charley, je sais ce que tu penses à propos de cette maison. Tu en as envie plus que tu ne crois, et je pense que nous l'achèterons parce que nous finissons toujours par faire ce que tu veux.

— Ce n'est pas gentil, ce que tu dis là.

— Peut-être, mais ce que je veux dire, c'est ceci : nous avons le petit, nous en aurons probablement un autre, je suis devenue une bonne maîtresse de maison, j'aime mon cours de danse, je t'aime, toi, j'aime Vickie plus que tu ne peux l'imaginer, je ne cesse pas de me demander si je suis une bonne mère pour lui — mais est-ce que tout cela suffit, Charley ? Est-ce qu'il est suffisant d'avoir Vickie ? Je ne veux pas me plaindre, mais où tout cela me mène-t-il ? Que vais-je faire de mon existence ?

Eitel la caressa.

— Chérie, dit-il d'une voix que l'émotion faisait un peu tremblante, tu as fait beaucoup de chemin depuis le jour où je t'ai rencontrée. Je ne me fais pas de souci à ton sujet, parce que je sais que, quoi que tu fasses, ta personnalité ne cessera de s'élever encore.

Il y avait des larmes dans les yeux d'Elena. Eitel se dit qu'il avait passé la soirée à regarder les femmes pleurer...

— Non, Charley, dit-elle. Ça n'est pas une réponse. Il faut que tu me comprennes. Que vais-je faire de mon existence ?

Il la serra contre lui et caressa ses cheveux, tout en la suppliant silencieusement de se taire, de ne pas lui en demander davantage. Car s'il savait le chemin qu'elle avait parcouru et qu'il l'avait aidée à parcourir, et si à certains moments, comme celui-ci, il se sentait fier de l'avoir aidée, comme si elle eût été la seule création à laquelle il eût jamais participé, il savait aussi qu'il ne pouvait pas faire davantage pour elle, ni lui ni personne : elle avait atteint à présent un stade où ses problèmes n'étaient plus des problèmes personnels : c'étaient ceux de tout le monde et ni les réponses ni les docteurs n'y pouvaient rien ; devant elle s'étendait à présent ce haut plateau où la philosophie cohabite avec le désespoir. Il sentait obscurément que les progrès futurs d'Elena l'éloigneraient de lui et que, quelques années plus tard, c'est lui peut-être qui aurait besoin d'elle...

— Je te demande pardon, Charley, dit-elle. Tu es fatigué. Ce n'est pas bien de t'ennuyer ainsi...

Oui, il était fatigué. Pendant un moment, il la tint serrée contre lui, et il pensa avec mépris, avec fureur, à ce qu'il lui avait dit. C'était absurde, c'était le pauvre fruit d'un lâche sentimentalisme, car nul ne pouvait préjuger de l'avenir, et il était tout aussi possible qu'Elena restât avec lui jusqu'à ce qu'elle eût évolué encore un peu, après quoi, loyauté ou non, Victor ou non, souvenirs (quels qu'ils fussent) ou non, il serait fatal qu'elle cherchât un autre compagnon, un jeune metteur en scène mal dégrossi dont elle essayerait de faire un gentleman, et qu'elle l'abandonnât, lui, Eitel... Il sourit de son sourire sec et un peu amer d'homme du XVIIIe siècle : ce jour-là, il serait libre enfin de se chercher une gouvernante et un domestique. Et Victor viendrait parfois lui dire bonjour. Il y a toujours un prix de consolation pour ceux qui survivent... Mais pourquoi aller chercher si loin ? Il cessa de penser à tout cela et dit adieu à ces rêveries d'artiste sans emploi — tout en remarquant avec un plaisir sensible qu'Elena s'était endormie la première.

Après s'être, durant un long moment, laissé bercer par le rythme paisible de son souffle, Eitel se releva et alla dans la chambre de Victor. Il regarda l'enfant dormir, avec une imperceptible émotion, puis, une robe de chambre sur les épaules, il sortit sur la terrasse. Il regarda l'échiquier des rues qui s'étendait à ses pieds, et, au delà, très loin, l'océan et les lumières des voitures sur la grand-route qui suivait la côte. Cette route, il l'avait prise, ce soir même, pour rentrer chez lui, et il se souvint qu'à un croisement où il s'était arrêté il avait observé un cargo dont les feux s'éloignaient sur la mer. Le cargo partait pour un grand voyage et les hommes de l'équipage devaient éprouver un sentiment d'aventure.

Alors, presque machinalement, pour la première fois depuis de longs mois, Eitel avait pensé à moi et s'était dit « Qui sait si Sergius n'est pas sur ce bateau ? » Puis le feu du croisement était passé au vert, et il avait poursuivi sa route, oubliant le cargo. Mais à présent, sur sa terrasse, il évoquait un autre voyage. Il retournait en pensée à Désert d'Or, songeant avec nostalgie au temps où il adorait le corps d'Elena, à ce temps maudit qui avait peut-être marqué la fin de sa jeunesse prolongée. C'était bien loin, à présent, plus loin que ce carrefour d'où il avait regardé le navire disparaître à l'horizon — et il se souvenait, comme on se souvient des occasions à jamais perdues, de ce qu'il avait essayé de m'enseigner. Il y pensait avec le sentiment de frustration de sa nouvelle maturité, car l'expérience qu'il n'a pas su transmettre se flétrit au cœur de l'homme et n'est pas simplement perdue, mais le fait souffrir.

Se souvenant de mon arrivée à Désert d'Or, il dit tout bas : « A quoi bon chercher à se donner du bon temps, Sergius ? Le plaisir a toujours une fin, comme l'amour, la cruauté... ou le devoir. » Avec une tristesse affectueuse, il me demanda encore, de loin : « Sergius, que fait-on jamais de sa vie ? Es-tu l'un de ceux qui le savent ? » Et, dans un éclair de l'imagination, il entendit ma réponse, qui était un adieu. « Vois-tu, avoua-t-il silencieusement, j'ai perdu le désir ultime de l'artiste, le désir qui nous dit que, lorsque tout le reste est perdu, l'amour, le goût de l'aventure, l'orgueil d'être soi, la pitié, il reste encore ce monde que nous pouvons créer, plus réel à nos yeux et aux yeux d'autrui que le guignol de tout ce qui arrive, de tout ce qui passe et disparaît... Mais toi, Sergius, essaie, essaie encore de trouver cet autre monde, le monde réel, où les orphelins brûlent d'autres orphelins et où rien n'est plus difficile à découvrir qu'un simple fait. Avec l'orgueil de l'artiste, Sergius, fais retentir sur les remparts de toutes les puissances de la terre la petite trompette de ton défi... »

Ainsi parla-t-il... Si j'avais pu répondre, je lui aurais dit qu'il faut toujours accepter une heure de bon temps, car c'est ce qui nous donne le cœur de tenter notre chance encore une fois. Sur le chemin qui mène au centre du mystère, ne jouons-nous pas toujours notre partie contre la puissance des bonnes manières, des bonnes mœurs, de la peur des microbes et du sens du péché — pour ne rien dire des voix de ce pays sentimental qu'est le nôtre.

S'il y a un Dieu, et parfois il m'arrive de le croire, je suis sûr qu'Il me dit : « Poursuis ta route, mon garçon. Je ne sais pas si je puis t'aider, mais, en tout cas, ce n'est pas à ces gens-là de te dire ce que tu dois faire... »

Et il y a des heures où j'ai l'arrogance de répondre au Seigneur. Je lui demande alors : « Seriez-vous d'accord si je disais que c'est au sexe que commence la philosophie ? » Mais Dieu, qui est le plus vieux des philosophes, me répond en son style sybillin et désabusé : « Regarde plutôt le Sexe comme le corps du Temps, et le Temps comme la naissance de rapports nouveaux. »

Alors, dans mon âme froide d'Irlandais, brille un instant la faible lueur des joies de la chair, aussi rare que la plus rare larme de pitié, et nous nous mettons à rire ensemble, malgré tout, car c'est là l'un de ces étranges dialogues qui nous donnent, à nous, nobles humains, de l'espoir pour plus d'une nuit.

FIN.

8110-8-56. — Imp. CRÉTÉ Paris, Corbeil-Essonnes.
Dépôt légal : 3ᵉ trimestre 1956. — Imprimé en France. — Éditeur nº 823.